ブーリン家の姉妹　上

フィリッパ・グレゴリー
加藤洋子　訳

ブーリン家の姉妹（上）

【主な登場人物】

アン・ブーリン……………………新興貴族ブーリン家の長女
メアリー・ブーリン………………アンの妹。ウィリアム・ケアリーの妻
ジョージ・ブーリン………………アン、メアリーの兄
トマス・ブーリン…………………アン、メアリーの父
エリザベス・ブーリン……………アン、メアリーの母
トマス・ハワード…………………アン、メアリーの叔父。ノーフォーク公爵
ヘンリー八世(ヘンリー・チューダー)……イングランド国王
キャサリン・オブ・アラゴン……イングランド国王妃
ヘンリー・パーシー………………名門ノーサンバーランド公爵の子息
ジェーン・パーカー………………ジョージの妻

ウィリアム・ケアリー……………………メアリーの夫。ヘンリー八世の廷臣
ウィリアム・スタフォード……………ハワード叔父の従者
キャサリン・ケアリー……………………メアリーとヘンリー八世の子
ヘンリー・ケアリー………………………メアリーとヘンリー八世の子
エリザベス・チューダー…………………アンとヘンリー八世の子
メアリー王女…………………………………キャサリン・オブ・アラゴンとヘンリー八世の子
ウルジー枢機卿……………………………ヘンリー八世の側近。宮廷内の権力者
メアリー・チューダー……………………ヘンリー八世の妹。ルイ十二世の未亡人
チャールズ・ブランドン…………………メアリー・チューダーの夫。サフォーク公爵
ベッシー・ブラント………………………ヘンリー八世の愛人
ヘンリー・フィッツロイ…………………ベッシーとヘンリー八世の子
フランシス・ウェストン…………………ジョージの友人。ヘンリー八世の廷臣

主な登場人物相関図

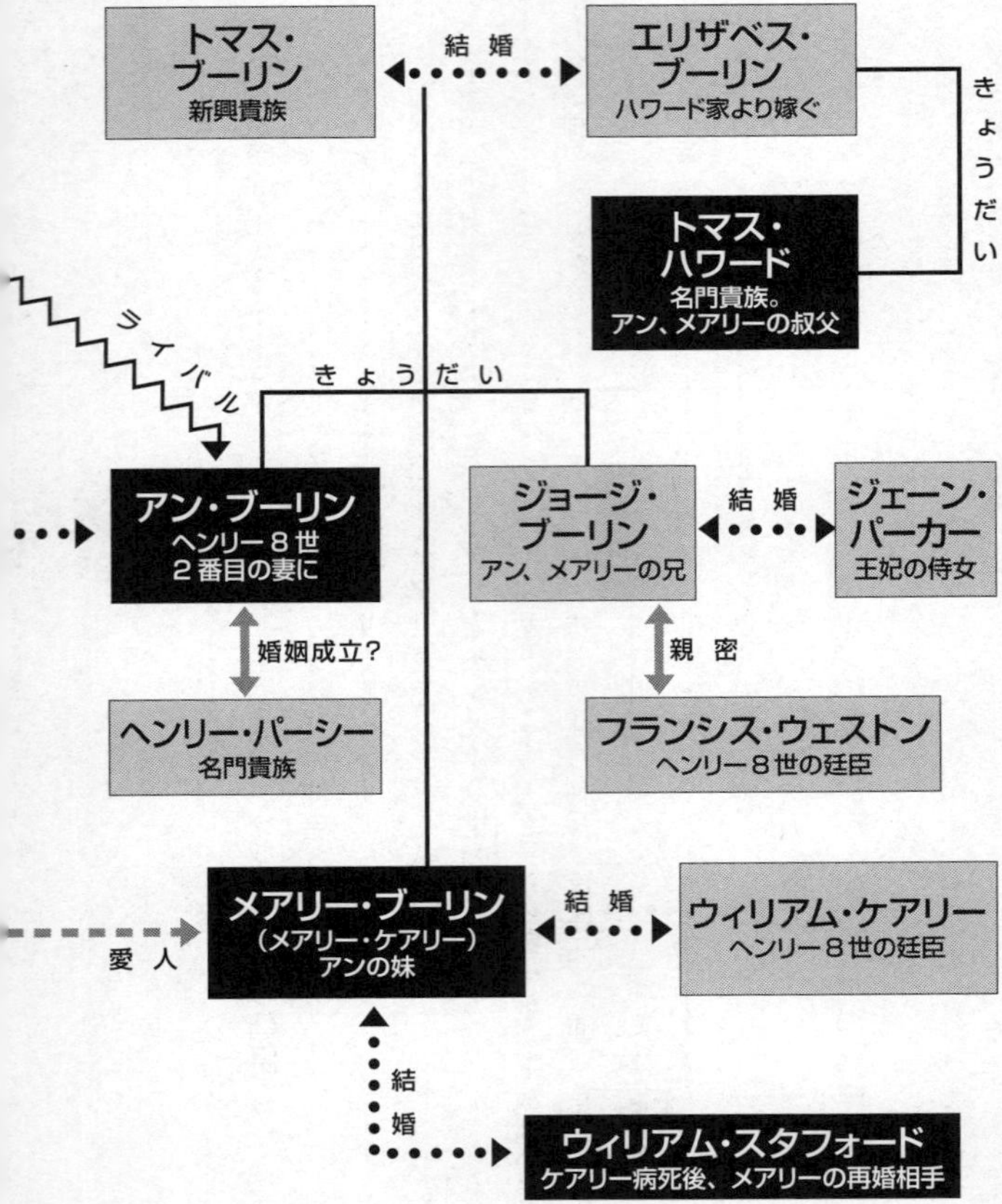

トマス・ブーリン
新興貴族
結婚
エリザベス・ブーリン
ハワード家より嫁ぐ
きょうだい
トマス・ハワード
名門貴族。
アン、メアリーの叔父
ライバル
きょうだい
アン・ブーリン
ヘンリー８世
２番目の妻に
ジョージ・ブーリン
アン、メアリーの兄
結婚
ジェーン・パーカー
王妃の侍女
婚姻成立?
親密
ヘンリー・パーシー
名門貴族
フランシス・ウェストン
ヘンリー８世の廷臣
メアリー・ブーリン
(メアリー・ケアリー)
アンの妹
愛人
結婚
ウィリアム・ケアリー
ヘンリー８世の廷臣
結婚
ウィリアム・スタフォード
ケアリー病死後、メアリーの再婚相手

この物語に出てくる

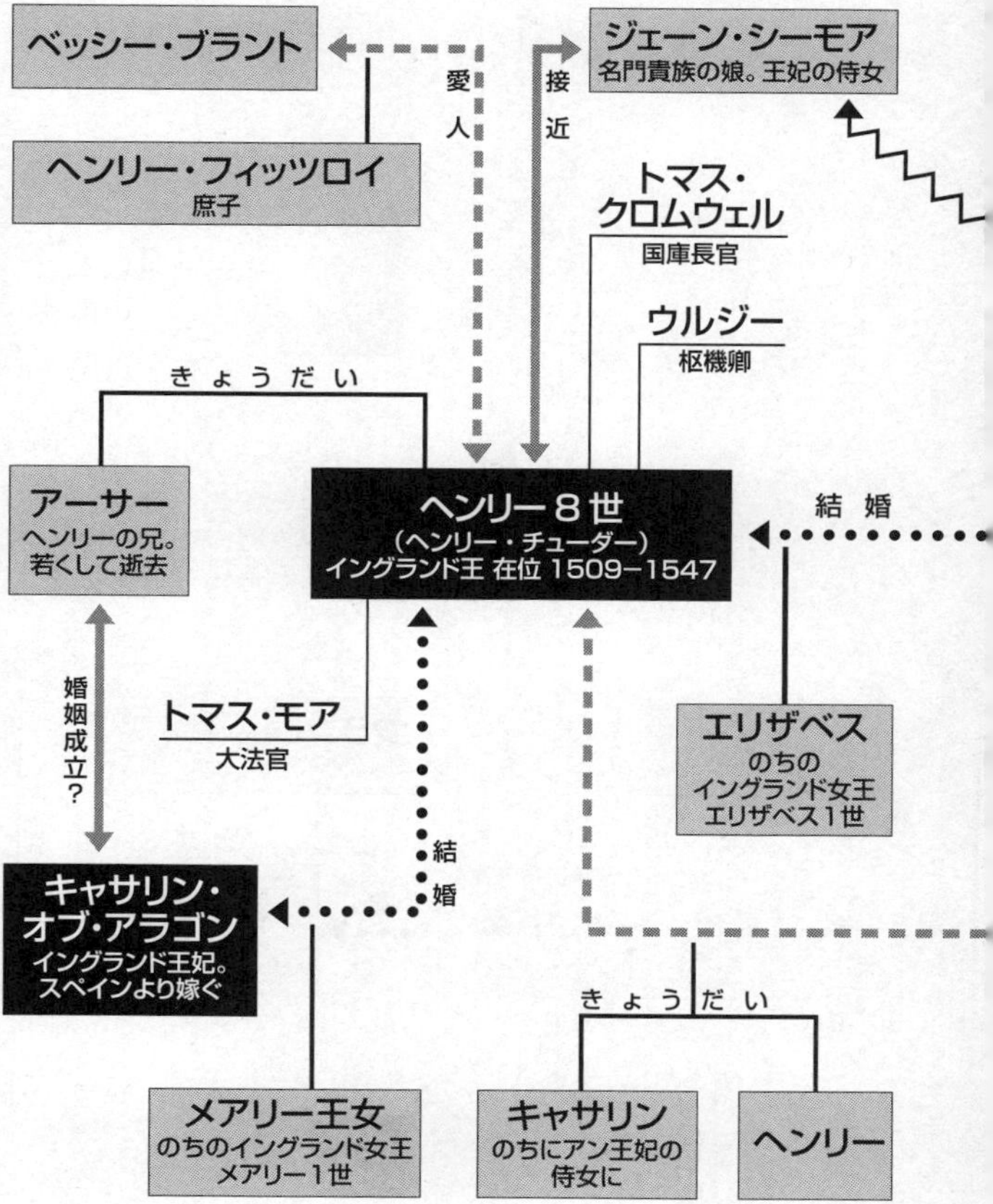

ベッシー・ブラント
ヘンリー・フィッツロイ
庶子
愛人
接近
ジェーン・シーモア
名門貴族の娘。王妃の侍女
トマス・クロムウェル
国庫長官
ウルジー
枢機卿
きょうだい
アーサー
ヘンリーの兄。若くして逝去
ヘンリー8世
(ヘンリー・チューダー)
イングランド王 在位 1509−1547
結婚
婚姻成立?
トマス・モア
大法官
エリザベス
のちのイングランド女王エリザベス1世
結婚
キャサリン・オブ・アラゴン
イングランド王妃。スペインより嫁ぐ
きょうだい
メアリー王女
のちのイングランド女王メアリー1世
キャサリン
のちにアン王妃の侍女に
ヘンリー

アンソニーに捧ぐ

第I部

一五二一年春

くぐもった太鼓の音は聞こえた。だが、見えるのは前に立つ貴婦人の胴着《ボディス》の紐だけ、処刑台は見えなかった。宮廷にあがって一年あまり、さまざまな式典に出席してきたけれど、こんなのははじめてだった。

横に少しずれて首を伸ばすと、ロンドン塔から死刑囚が現れ、司祭につきそわれてゆっくりと芝地を横切るのが見えた。木製の壇の中央に断頭台が据えられ、シャツ一枚になった処刑人が黒い頭巾をかぶって待ちかまえている。現実の出来事というより仮面劇、さながら宮廷の余興のようだ。玉座に座る国王がどこか気もそぞろなのは、頭の中で恩赦の演説のおさらいをしているのだろうか。背後には一年前に結婚したわたしの夫、ウィリアム・ケアリーと兄のジョージ、父のサー・トマス・ブーリンが控え、みなそろって厳しい顔をしている。わたしは絹の上靴の中で爪先をもじもじさせながら、陛下が早く恩赦を与えればいいのに、そうすれば朝食にありつけるのに、と思っていた。わたしはまだ十三歳で、いつもお腹をすかせていた。

バッキンガム公スタフォードは、処刑台の上で厚い上着を脱いだ。わたしにとっては母方の親戚のおじさまだ。わたしの結婚式にも出席し、金箔のブレスレットを贈ってくれた。父によれば、公爵はいろいろな意味で国王の怒りをかったそうだ。王家の血をひく公爵は大軍を擁し、まだ磐石《ばんじゃく》な体制にあるとはいえない国王にとって少なからぬ脅威であり、とりわけ問題なのが、彼が言ったとされる発言だった。現国王には世継ぎがおらず、今後も世継ぎをえることはかなわず、王位を継ぐ息子をもたずに死ぬであろう、と。

口が裂けても言ってはならないことだ。国王も宮廷人も、国中の民も、王妃に王子が、それもじきに生まれるはずだということを知っている。その反対をほのめかせば、処刑台に通じる道に最初の一歩を踏み出したことになる。いまその木の階段を、公爵がしっかりとした足取りで、恐怖の色も見せずにのぼってゆく。よき宮廷人は不愉快な真実を口にしてはならない。宮廷生活はつねに楽しいものでなければならない。

スタフォードのおじさまは処刑台の前に進み出て、辞世の句を述べた。遠すぎてわたしの耳には届かなかったし、わたしの視線は国王に釘付けだった。国王が進み出て、恩赦を授けるのをいまかいまかと待っていた。朝日を浴びて処刑台に立つあの人は、国王のテニスのパートナーであり、馬上槍試合では好敵手で、ともに酒を酌み交わし賭け事をした友であり幼馴染だ。国王は彼を衆人の目前で懲《こ》らしめ、それから赦《ゆる》しを与えるにちがいない。そうすればわたしたちはみな朝食をとることができる。

遠くの人影が聴罪司祭のほうを向いた。頭を垂れて祝福を受け、ロザリオに口づけた。断頭台の前にひざまずき、両手で断頭台をしっかりと握りしめる。蠟引きされた木に頬を押し当て、あたたかな川風の匂いを嗅ぎ、空に舞うカモメの啼き声を聞くのはどんな気持ちのものだろう。現実ではなく仮面劇だとわかっていても、背後に処刑人が立っているのを承知で首をさげるのは、さぞ異様な心持ちにちがいない。

執行人が斧を振りあげた。わたしは国王を見た。ぎりぎりまで引き延ばすつもりだ。ふたたび断頭台に目をやると、公爵は顔を伏せて両腕を大きく開いた。了解の合図、斧を振りおろしてもいいという合図だ。わたしはまた国王に視線を戻した。いま立ち上がらなければ間に合わない。でも、じっと座ったまま、その整った顔は険しい表情を浮かべたままだった。国王を見ているあいだにもう一度太鼓が打ち鳴らされ、不意にやんだかと思うと、ズシンと斧が振りおろされた音がした。もう一度、さらに一度。薪を割るようなごくあたりまえの音だった。公爵の頭が藁の上に転がり、切り株のような首から血が噴き出すのを、わたしは信じられない思いで見つめた。黒い頭巾の処刑人が血の滴る斧をわきに置き、豊かな巻き毛を摑んで首を高々と掲げた。おかしな仮面のようなものをみなに見せるために。額から鼻まで黒い目隠しに覆われ、歯を剝き出し最期の不敵な笑みを浮かべた首を。

国王がゆっくりと立ち上がるのを見て、わたしは子どもっぽいことを考えた。「きっときまりが悪いんだわ。引き延ばしすぎたのよ。こんなの間違ってる。もたもたして声をかけ忘れるなんて」

でも間違っていたのはわたしだった。国王は引き延ばしすぎたのでも、忘れたのでもなかった。廷臣たちの目の前で、公爵に死んで欲しかったのだ。この国の王はただ一人、ヘンリーその人だと知らしめるために。これからも王はただ一人、ヘンリーだけだと知らしめるために。間もなく世継ぎが生まれるはずだということを――そうではないとほのめかせば、不名誉な死が待っていることを、知らしめるために。

わたしたちは三隻の屋形船に分乗してテムズ川を遡り、ウェストミンスター宮殿に戻った。国王の船が長旗をはためかせ、豪勢な衣装を垣間見せて通り過ぎると、川岸に並んだ人びとは帽子を取りひざまずいた。わたしは侍女たちと二隻目の船、王妃の船に乗っていた。母もちかくに座っていて、めずらしくわたしに関心を見せた。「真っ青じゃないの、メアリー、気分が悪いの?」

「おじさまが処刑されるとは思っていなかったから。陛下はお赦しになると思っていました」

母は身を乗り出し、船がきしむ音や漕ぎ手のリズムを刻む太鼓の音に紛れるよう耳元でささやいた。「それはあなたが愚かだから」そっけない口調だった。「そんなことを口にするのはもっと愚かなこと。肝に銘じなさい、メアリー。宮廷では誤りは許されないのです」

一五二二年春

「あすフランスへ発ち、おまえの姉のアンを連れて戻ってくる」ウェストミンスター宮殿の階段で父が言った。「イングランドに戻ったら、アンはメアリー・チューダー王妃（ヘンリー八世の妹、フランス王ルイ十二世の未亡人）にお仕えすることになる」

「アンはずっとフランスに留まるものと思っていました」わたしは言った。「フランスの伯爵のどなたかと結婚して」

父は頭《かぶり》を振った。「あれには違う計画を用意した」

どんな計画かと訊いても無駄だ。あきらかになるのを待つしかない。わたしがいちばん恐れているのは、アンがわたしよりよい結婚をし、つねにわたしの前を颯爽《さっそう》と歩いてゆくことだった。

「そのふくれっ面を引っ込めるのだ」父が厳しい声で言った。

わたしは宮廷用の笑みに切り替えた。「もちろんですわ、父上」従順に言った。

膝を曲げてお辞儀をすると、父はうなずいて歩み去った。膝を伸ばし、ゆっくりと夫の寝室へ向かう。壁にかかる小さな姿見に向かい、そこに映る自分にささやきかけた。「心配しないで。わたしはブーリン家の娘、誰もないがしろにはできない。それに母はハワード家の出だもの。イングランド屈指の名門一族よ。わたしはハワード家の娘でブーリン家の娘」そこで唇を嚙む。「アンもそうだけれど」

虚《うつ》ろな宮廷用の笑みを浮かべると、鏡の中から愛らしい顔が笑い返してきた。「わたしはブーリン家のいちばん若い娘、でもそれだけではない。夫はウィリアム・ケアリー、国王陛下の寵愛を受けている廷臣。わたしは王妃のお気に入りで、いちばん若い侍女。これを脅かすことは誰にもできない。あのアンにもこれを奪うことはできない」

春の嵐のせいでアンと父の到着が遅れていた。アンの乗った船が沈み、溺れ死んでしまえばいいと、幼稚なことを考えたりした。アンの死を考えると、深い悲しみを覚える一方で心が躍った。アンのいない世界など考えられないが、二人とも満足できる世界も存在しえないだろう。

とにもかくにもアンは無事に到着した。父と一緒に王室用桟橋から宮殿に向かって砂利道を歩いてくるのが見えた。二階の窓からでも、軽やかに揺れるドレスが見えた。袖なし外套《クローク》は流行のスタイルだ。体のまわりで渦巻くそのクロークを見た瞬間、紛れもない嫉妬心が全身を駆け巡った。彼女の姿が視界から消えると、わたしは王妃の謁見室の自分の席に急いだ。

豪華なタペストリーで飾られた王妃の居所《きょしょ》でゆったりくつろぐわたしの姿を、アンに見せつけるつもりだった。それから、おもむろに立ち上がる。成熟した大人の女らしく優雅に。

ところが、扉が開いてアンが入ってくると、不意に湧き上がる喜びにわれを忘れ、「アン！」と叫び、スカートをひるがえして走り寄っていた。頭をつんとそびやかし、にこりともせず偉そうにあたりを見まわしていたアンも、野心満々の十五歳の貴婦人を気取るのはひとまずおあずけにして、わたしに向かって両腕を広げた。

「背が伸びたわね」アンは息を弾ませて言い、わたしを抱き締めて頬に頬を寄せた。

「踵《かかと》の高い靴のせいよ」懐かしい姉の香りを吸い込む。石鹸の匂い、あたたかな肌から立ち昇るバラ香水の香り、それに衣装に忍ばせたラベンダーの香り。

「元気だった？」

「ええ。あなたは？」

「もちろん元気《ビヤン・スウール》よ！　どう？　結婚生活は？」

「悪くないわよ。すてきな衣装も着られるし」

「それで、彼は？」

「立派な人よ。陛下のお覚えがめでたくて、いつもお側にいるわ」

「あれをした？」

「ええ、とっくの昔にね」

「痛かった？」

「とても」

アンは体を離してわたしの顔を見た。

「それほどでもなかった」わたしは言いなおした。「やさしくしてくれるもの。いつもワインを飲ませてくれるの。でも、ほんとうはいやなの」

彼女はしかめた顔を和らげ、クスクス笑い出した。瞳が躍っている。「なにがいやなの？」

「彼ったらおまるで用を足すのよ、わたしの見ている前で！」

アンは笑い崩れた。「まさか！」

「さあ、おまえたち」父がアンのうしろに立っていた。「メアリー、アンを案内して王后陛下の拝謁を賜るのだ」

わたしはアンを連れ、居並ぶ侍女たちのあいだを抜け、炉辺《ろばた》の椅子にすっと背筋を伸ばして座る王妃のもとに向かった。「王妃さまは厳しいお方よ」わたしはアンに釘を刺した。「フランスとは違うのだから」

王妃、キャサリン・オブ・アラゴンが澄んだ青い目でアンを品定めするのを見て、不安になった。わたしよりアンのほうをお気に召したらどうしよう。

アンは非の打ち所のないフランス式のお辞儀をし、宮殿の主は自分だといわんばかりに王妃にちかづいていった。小波《さざなみ》立つような蠱惑的《こわくてき》な話し方も立ち居振る舞いも、洗練されたフランス宮廷仕込みだ。王妃の冷ややかな対応に、わたしはほくそ笑み、アンを窓腰掛けへと誘った。

「王妃はフランス人がお嫌いなの。そんなふうだったら、お側においていただけないわ」

アンは肩をすくめた。「フランス人がいちばん洗練されているのよ。王妃がお好きであろうとなかろうとね。ほかに言いたいことは?」

「いっそスペイン人になったら? どうしても自分以外の誰かになりたいのなら」

アンは一笑に付した。「それであんなへんてこなフードをかぶれって言うの! まるで頭に屋根をのっけているみたい」

「シーッ」わたしはたしなめるように言った。「王妃さまは美しいお方よ。ヨーロッパでいちばん立派な王妃だわ」

「ただの年増女」アンは王妃を切って捨てた。「ヨーロッパでいちばん愚かな国から来た、ヨーロッパでいちばん醜い服を着た老婆よ。わたしたちはスペイン人なんか相手にしないわ」

「わたしたちって誰?」冷ややかに問い返す。「イングランド人のことではないわね」

「レ・フランセーズ!」アンはいらだたしげに言った。「ビヤン・スゥール! わたしはフランス人だもの」

「あなたは生まれも育ちもイングランド人でしょ、わたしやジョージとおなじ」にべもなく言った。「それに、わたしだって、あなたとおなじフランスの宮廷育ちよ。どうしてそう人とちがうふりをしたがるの?」

「人はみな、なにかをしなければならないから」

「どういう意味?」

「女は自分を目立たせるなにかを持っていなければね。周囲の目を引きつけ、注目の的になるためのなにかを。だから、わたしはフランス人になるの」

「それであなたは自分ではない者のふりをするわけね」非難がましく言った。「あなただって自分を偽っているくせに」

アンがわたしを睨《にら》んだ。黒い瞳で、彼女にしかできないやり方で。わたしの妹、輝く金髪の妹、甘く麗しい妹。視線がからみ合った。ブルーの目で彼女の黒い目を覗き込むと、そこにおなじ笑みが浮かんでいた。アンはわたしの黒い鏡だ。「ああ、そう」すぐには認めたくなかった。「そういうことね」

「そういうこと。わたしはオリーブ色の肌に黒い髪のフランス人、お洒落で扱いにくい女、あなたはやさしくて素直で、色白で金髪のイングランド女。これ以上の組み合わせがあって？　男は誰もわたしたちに抗《あらが》えない」

わたしはぷっと吹き出した。アンはいつもわたしを笑わせる。鉛枠の窓から中庭を見下ろすと、狩猟から戻ってきた国王とその一行の姿があった。

「国王が戻ってらしたの？　噂どおりのすてきな方？」アンが尋ねた。

「すばらしい方よ。それはもう。踊りも乗馬も、それに――ああ、口では言い表せないわ！」

「ここへいらっしゃるかしら？」

「きっとね。いつも王妃さまに会いにいらっしゃるわ」

侍女に囲まれて縫い物をする王妃に、アンは軽蔑の一瞥《いちべつ》をくれた。「なぜわざわざ」

「愛しているから」わたしは言った。「すばらしい愛の物語よ。陛下のお兄さまがあんなふうにお若くして亡くなり、途方に暮れるお后を、陛下はご自分の妃にお迎えになった。胸を打たれる話だし、陛下はいまも王妃さまを愛しておられるわ」

アンは完璧に整ったアーチ型の眉を吊り上げ、さっと部屋を見わたした。一行が戻った音を聞きつけた侍女たちは、戸口から見たときに絵画のように映るよう、ガウンのスカートを広げて椅子に座りなおした。扉が勢いよく開いてヘンリー国王が戸口に立ち、甘やかされた若者に特有の騒々しい笑い声をあげた。「そなたを驚かしにきたぞ。どうだ、みんな驚いたか！」

王妃がさっと立ち上がった。「驚きましたとも！」あたたかく応じる。「それになんと喜ばしいこと！」

国王の取り巻きがつづいて入ってきた。先頭に立つ兄のジョージはすぐにアンを認めたが、喜びを端正な廷臣の顔の裏に隠し、王妃の手をとって深々とお辞儀した。「陛下」その指にささやきかける。「朝からずっと日差しを浴びておりましたが、いまはじめて目が眩《くら》んでおります」

王妃は上品な笑みを浮かべ、ジョージの黒い巻き毛を見おろした。「妹を迎えておやりなさい」

「メアリーがここに？」ジョージはわたしたちが見えなかった風を装って尋ねた。

「もう一人の妹のアンですよ」王妃が言う。いくつもの指輪で飾られた手を小さく動かし、わたしたち二人に前に出ろと促した。ジョージは王妃の面前という特等席を離れることなく、わたしたちにお辞儀した。

「彼女は変わりましたか？」王妃が尋ねた。

ジョージはほほえんだ。「身近に陛下のようなお手本があれば、さらに変わることと思います」

王妃が笑い声をあげた。「まあ、お上手だこと」満足そうに言い、手を振って彼をわたしたちのもとにさがらせた。

「やあ、美しいお嬢さん」ジョージがアンに言った。「やあ、美しい奥さま」これはわたしに。

アンは黒いまつげ越しに彼を見上げた。「抱きつきたいわ」

「それはここを出てからゆっくりと」ジョージが声を落として言った。「元気そうだな、アンナマリア」

「元気よ。あなたは？」

「元気すぎるほどさ」

「メアリーの夫ってどんな人？」アンが興味深げに尋ねた。ちょうどウィリアムが入ってきて、王妃の差し出す手を取りお辞儀をするところだった。

「第三代サマセット伯爵の曾《ひ》孫《まご》で、王の覚えがとくにめでたい」ジョージは大事なことだけを述べた。彼の家系、それに国王にどれぐらいちかいか。「メアリーはうまくやっている。

おまえが呼び戻されたのは結婚のためだ。承知しているのか、アン?」

「父上は相手が誰なのか教えてくださらなかった」

「オーモンドに嫁ぐことになると思う」

「伯爵夫人ね」アンが勝ち誇った笑みをわたしによこした。

「アイルランド人だけど」わたしはすかさず言った。

夫が王妃の前から辞し、わたしたちに目を留め、アンの挑発的な視線に片方の眉を吊り上げた。国王は王妃のかたわらに腰をおろし、あたりに目を配った。

「メアリー・ケアリーの姉が戻ってまいりましたのよ」王妃が言った。「アン・ブーリンです」

「ジョージの妹か?」王が尋ねた。

兄がお辞儀した。「仰せのとおりです、陛下」

王が笑いかけると、アンは顔をあげたまま膝を折り、井戸のつるべのようにまっすぐに腰を落とし、口元に挑みかかるような小さな笑みを浮かべた。王にはこれが気に入らなかった。彼は御しやすい女が好きだ。にこやかな女が好きだ。黒い瞳で挑みかかってくるような女は好みではない。

「姉と再会できて嬉しいのであろうな?」彼がわたしに尋ねた。

わたしは深々とお辞儀し、顔をあげたときには頬を赤らめていた。「もちろんですわ、陛下」にこやかに言った。「アンのような姉にそばにいて欲しいと思わぬ妹がおりますでしょうか?」

彼が軽く眉をひそめた。女の辛辣なウィットよりも、男のあけすけで猥雑なユーモアがお好みだから。彼は視線をわたしから、からかうような表情を浮かべるアンに向け、冗談の意味を解し声をあげて笑った。指を鳴らし、わたしに手を差し出した。「案ずるな、スウィートハート。結婚の喜びに浸る新妻なら、誰と並ぼうが見劣りするわけがない。それに、ケアリーも余も女は金髪が好みだからな」

これにはみなが笑った。とりわけ黒髪のアンと、赤褐色の髪が茶色に色褪せ白いものも交じる王妃がよく笑った。王の冗談に腹を抱えて笑わぬのは、よほどの愚か者だ。わたしも笑った。ほかの人たちよりもずっと気持ちよく笑えた。

楽士が演奏をはじめ、ヘンリーがわたしを引き寄せた。「そなたはとても美しい」満足そうに言った。「ケアリーが申しておるぞ。新妻がとても気に入ったので、これからは十二歳の処女以外とはベッドをともにすることは考えられないとな」

顎を突き出したまま笑みを浮かべるのは容易ではない。わたしたちは踊りの列に加わり、王がほほえんでわたしを見下ろした。

「果報者めが」彼が鷹揚に言った。

「陛下のご寵愛をえて、主人は果報者ですわ」王のお世辞にしどろもどろになりながら言った。

「そなたの寵愛もえているのだから、ますます果報者だ!」彼は言い、大声で笑い出した。

彼のリードでわたしはくるっと回り、踊りはじめた。兄が賞賛の視線をよこした。さらに気分のよくなることがあった。イングランド王の腕に抱かれて踊るわたしを見る、アンの嫉妬に駆られた目だ。

アンはイングランド宮廷の生活にすんなり馴染んで婚礼の日を待っていた。未来の夫にはいまだに会えず、持参金や婚礼支度の話し合いは永遠につづくかと思われた。イングランドの〝パン焼き場で焼かれるパン〟のすべてに関与しているウルジー枢機卿《すうきけい》の影響力をもってしても、いっこうに埒《らち》があかなかった。そのあいだ、アンはフランス仕込みの洗練さで浮名を流し、無頓着な優雅さで国王の妹に仕え、ジョージやわたしと噂話や乗馬に時間を潰した。わたしたちは好みが似ているし、歳も離れていない。末っ子のわたしが十四でアンが十五、ジョージは十九歳だ。仲のよい兄妹でありながら、どこか他人行儀でもあった。ジョージがイングランドで廷臣としての教育を受けていたあいだ、わたしとアンはフランスで暮らしていたせいだろうか。いま三人が揃い、宮廷ではブーリン家の愉快な三兄妹として知られるようになった。王が私室におられるときには、ブーリンの三兄妹はどこだと呼ばれることが頻繁で、そのたびに誰かが城中を駆けずり回ってわたしたちを呼び集めるのだった。

わたしたちに課せられた最初の任務が、国王の余暇を盛り上げることだった。馬上槍試合、テニス、乗馬、狩猟、鷹狩り、舞踏。彼は浮かれ騒ぐことが大好きで、彼を退屈させないことがわたしたちの務めだった。でも、ごくたまに、夕食前の静かなひとときや、雨が降って狩りに出られないとき、彼は王妃の居所を訪れた。すると王妃は縫い物の手を休め、あるいは読んでいた本を置き、ひと言でわたしたちを追い払った。

ぐずぐずとその場に残ったなら、王妃が娘のメアリー王女にも見せたことのない、特別な笑みを彼に向けるのが見られるはずだ。たった一度だけ、この目で見たことがある。王がいることに気づかず部屋に入ったときのことで、彼は恋人がするように王妃の足元に座り、膝に頭を預けて髪を撫でてもらっていた。王妃の指に絡まる赤金色の巻き毛は、その指で光る指輪に負けぬ輝きを放っていた。その髪がまだ艶《つや》やかだった若き皇太子妃のころに、彼が贈った指輪、そして、彼は周囲の助言に耳を貸さず彼女と結婚したのだ。

わたしは二人に気づかれる前に、忍び足で部屋を出た。めったにもてない二人きりの大事な時間を、邪魔するつもりはなかった。わたしはアンを捜しにいった。彼女はジョージと寒い庭を散歩していて、手にはマツユキソウの花束を持ち、クロークの前を掻き合わせていた。

「陛下は王妃とご一緒よ」わたしは二人に言った。「お二人だけで」

アンが片方の眉を吊り上げた。「ベッドの中で?」興味ありげに尋ねる。

わたしは顔を赤らめた。「まさか、まだ午後の二時よ」

アンがわたしに笑いかけた。「暗くなるまでベッドに入れないと思っているとしたら、あなたって幸せな妻なのね」

ジョージがわたしに腕をまわした。「幸せな妻だとも」わたしに代わって彼が言った。「あれほどかわいい娘には出会ったことがない、とウィリアムが王に申し上げているぐらいだ。それで、二人はなにをしていた、メアリー？」

「並んで座ってらしたわ」わたしは言った。あの場面をアンには話したくないと強く思った。

「そんなことじゃ息子は産めないわね」アンが残酷に言ってのけた。

「シーッ」ジョージとわたしが口を揃えた。わたしたちは体を寄せ合い、声をひそめた。

「望みを失いつつあるんじゃないかな」ジョージが言う。「いまおいくつだ？　三十八？　三十九？」

「まだ三十七よ」わたしはむっとして言った。

「月のものはまだあるのかな？」

「まあ、ジョージったら！」

「ええ、あるわ」アンが平然と言った。「でも、なんの役にもたたない。彼女に問題があるのよ。王のせいにはできないでしょ。ベッシー・ブラントに産ませた男の子はポニーに乗る練習をするほどの歳なんだもの」

「まだ時間はたっぷりあるわ」わたしは弁解がましく言った。

「彼女が亡くなって、彼が再婚する時間が？」アンが思案ありげに言った。「そうね。それに、彼女は丈夫じゃないんでしょ？」

「アン！」そのときばかりは、彼女を心底憎らしいと思った。「なんて不謹慎なことを」

ジョージはちかくに誰もいないことを確認するため、もう一度あたりを見まわした。シーモア家の娘二人が母親と散歩していたが、声はかけない。あの一族は、権力と栄達を望むわが一族にとって最大の敵だから、会っても知らんぷりでとおすことにしていた。

「不謹慎だが、事実だ」ジョージがにべもなく言う。「彼に息子ができなければ、誰がつぎの王になる？」

「メアリー王女が結婚すればいい」

「外国の王子を連れてきて、イングランドを治めさせる？　うまくゆくわけがない。それに、王座をめぐる戦いはもうこりごりだ」

「メアリー王女がご自身の資格において女王になればいい。結婚せずに」わたしはつい興奮して言った。「女王として国を治めるのよ」

アンが信じられないというように鼻を鳴らした。その息が白く見えた。「それで」人を小ばかにして言う。「馬にまたがって馬上槍試合のお稽古ぐらいはできるでしょ。でも、女に国は治められない。まわりの貴族たちがよってたかって食い物にするわ」

わたしたちは庭の真ん中に立つ噴水の前で立ち止まった。アンは身に備わった優雅さで水盤の縁に座り、水面を覗き込んだ。数匹の金魚が餌をもらえるかと集まってきた。彼女は刺繍の施された手袋を脱ぎ、長い指で水を掻きまわした。金魚が水面に小さな口を出し、しきりにパクパクやっている。ジョージとわたしが見守るなか、彼女は波立つ自分の影を見つめていた。

「王はそのことを考えているのかしら？」アンが水面に映る自分に問いかける。

「つねに」ジョージが答えた。「この世でいちばん肝心なことだからな。王妃に男子ができない場合、ベッシー・ブラントの息子を嫡出子と認め、世継ぎとするのではないかな」

「非嫡出子を王位に?」

「ヘンリー・フィッツロイ（「王の庶子」の意）という洗礼名を授けたのはそのためさ」と、ジョージ。

「王の息子だと認められている。ヘンリーが無事に育ち、国が安定しており、シーモア家の同意と、われらがハワード家の同意がえられ、ウルジーが教会と列強を説得できれば……彼が王位につくのを阻む必要がどこにある?」

「男の子が一人、それも非嫡出子」アンが考え込みながら言う。「六歳の女の子が一人、歳とった王妃に男盛りの国王」水の中の青白い顔から視線をあげ、わたしたちを見つめた。

「これからどうなるのかしら? なにか起きるはずよ。いったいどんなことが?」

ウルジー枢機卿から王妃に手紙が届いた。彼の館、ヨーク・プレイスで告解《こっかい》火曜日に開かれる仮面劇に、わたしたちを招待する許しを願う手紙だった。王妃に手紙を読むよう言われ、わたしは興奮で声が震えた。仮面劇、緑の城《シャトー・ヴァアート》と呼ばれる要塞、要塞を包囲する五人の騎士《ナイト》と踊る五人の貴婦人《レディ》。「まあ! 陛下……」わたしは言いかけて口をつぐんだ。

「まあ! 陛下、なんなの?」

「行くことをお許し願えないかと」へりくだって言った。「仮面劇を見物するために」

「あなたが願っているのはそれだけかしら?」王妃は目を輝かせて尋ねた。

「実を申せば、踊り手の一人になれればと。とても楽しそうですもの」

「ええ、そうね。それで、枢機卿はわたくしにレディを何人差し向けろと?」

「五人です」わたしは目の端で、椅子の背にもたれて目を閉じたアンの姿を捉えた。考えているることは手に取るようにわかる。「わたしを選んで！ 選んで！ 選んでちょうだい！」と大声で叫ぶ声が聞こえるようだ。

通じた。「ミストレス・アン・ブーリン」王妃が考え考え言った。「フランス王妃メアリー、デヴォン伯爵夫人、ジェーン・パーカー、それにあなたよ、メアリー」

アンとわたしはさっと視線を交わした。一風変わった五人組だ。国王のおば、国王の妹のメアリー王妃、父親同士が持参金の額で同意すればわたしたちの兄嫁になる、女相続人ジェーン・パーカー、それにわたしたち二人。

「わたくしたち、緑の衣装を着るのでしょうか?」アンが尋ねた。

王妃はほほえんだ。「ええ、そうなるでしょうね。メアリー、喜んで伺いますと枢機卿に返事を認《したた》めておくれ。衣装選びや踊りの打ち合わせをするために、祝宴局長をこちらに寄越すよう書き添えること」

「わたくしがいたします」アンが椅子から立ち上がり、ペンとインクと紙が用意されたテーブルへ向かった。「メアリーの悪筆では、お断りの手紙かと思われてしまいます」

王妃が笑った。「まあ、フランス仕込みの学者さん。それなら、あなたが枢機卿に返事を書きなさい、ミストレス・ブーリン、あなたの達者なフランス語で。それともラテン語で書くのかしら?」

アンの視線は揺るがなかった。「どちらでも陛下のお望みのほうで」きっぱりと言う。「どちらもほどほどに使えますので」

「彼のシャトー・ヴァートでそれぞれの役割を演ずるのをとても楽しみにしていると、そう彼に伝えておくれ」王妃がさらりと返した。「スペイン語を使えないのが惜しまれるわね」

祝宴局長が踊りのステップを教えにやってくると、仮面劇の役をめぐり、ほほえみと上品な言葉を駆使した激しい争奪合戦が繰り広げられた。しまいには王妃自ら仲裁に入り、有無を言わせずに役を割り振った。わたしは〝親切〟、国王の妹のメアリー王妃は主役の〝美〟、ジェーン・パーカーは〝節操〟――「あの人にはそれしか取り得がないものね」アンがわたしに耳打ちした。彼女の役割は〝堅忍〟だった。「王妃があなたをどう見ているか、これでわかったわね」わたしもささやき返した。アンにはクスリと笑う潔さがあった。

わたしたちがインドの女たち――実は王宮付属礼拝堂の聖歌隊員――に襲われ、国王と腹心の友に救出されるという筋書きだ。金髪に金色の仮面のひときわ長身の騎士が国王その人で、いくら扮装しても一目瞭然だけれど、気づかぬふりで通すようにと釘を刺された。

幕を開けてみれば、踊りというより取っ組み合いのドタバタ劇で、思っていた以上に楽しかった。わたしはジョージにバラの花びらを投げつけられ、仕返しにバラ香水を浴びせた。聖歌隊員はほんの子どもで、調子に乗りすぎて騎士たちに襲い掛かり、抱き上げられくるくる回され、クスクス笑いながら放り投げられ目をまわした。わたしたち貴婦人が城から出て謎の騎士たちと踊る場面がくると、ひときわ長身の騎士がわたしの前に立った。わたしはジョージと取っ組み合って息がきれ、頭飾りも髪もバラの花びらにまみれ、ガウンの襞《ひだ》からは砂糖をまぶした果物が転がり出て、にこにこと国王その人に手を差し伸べた。まるで彼がふつうの男性で、自分は田舎の祭りにやってきたキッチンメイドのような気分だった。

仮面を脱ぐ合図が出されようとしたとき、国王が叫んだ。「このままつづけろ！つづけて踊ろうではないか！」彼はくるっと回って相手を替えず、わたしの手をまた取った。カントリーダンスで向かい合って踊るとき、金色の仮面の隙間から輝く彼の瞳が見えた。わたしはむこうみずにも笑い声をあげてほほえみ返し、輝かしき賞賛をこの肌に受けた。

「今宵ドレスを脱いだそなたから、喜びを振り撒かれるのかと思うと、そなたの夫が妬《ねた》ましい」隣りあって並び、踊りの輪の真ん中にいるカップルを見ているときに、彼が小声で言った。

気のきいた返事を思いつかなかった。これは宮廷風恋愛の型どおりのお世辞ではない。夫が喜びを振り撒かれている図は、あまりにも私的で、あまりにもエロチックだ。

「妬む必要がどこにありましょう」わたしは言った。「すべてがあなたのものですわ」

「どうしてそうだと言える？」彼が尋ねる。

「あなたは王さまですもの」彼が仮装した謎の騎士だということをうっかり忘れるところだった。「シャトー・ヴァートの王さま」なんとかごまかした。「一日にして王におなりになった。あなたを妬むお方がいるとすれば、ヘンリー王です。たった一日で包囲攻撃に勝利されたのですもの」

「それで、ヘンリー王をどう思う？」

わたしは得意の無邪気な顔で彼を見上げた。「この国がはじまって以来もっとも偉大なる国王です。陛下の宮廷でおそばにお仕えするのは、名誉であり光栄なことです」

「彼を男として愛せるか？」

わたしはうつむき、顔を赤らめた。「そんな畏《おそ》れ多いこと。お目に留まるわけもありません」

「いや、留まっているとも」国王がきっぱりと言った。「自信をもっていい。もし彼が一度ならずそなたに目を留めたら、ミス親切、その名のとおり彼に親切にしてくれるか？」

「陛……」わたしは「陛下」と言いそうになり唇を噛んだ。アンはいないかとあたりを見まわした。いまはなによりも彼女の機知の助けが必要だった。

「そなたの名前は〝親切〟だろう」彼が念を押した。

わたしはほほえみ、金色の仮面越しに彼を盗み見た。「そうですわ。親切にするのがわたくしの務めです」

楽士たちは演奏を終え、国王の指示を待っていた。「仮面をとれ！」彼は言い、自分の仮面を脱いだ。わたしはイングランドの国王を目の当たりにし、巧みに息を呑み、よろめいた。

「気を失うぞ！」ジョージが叫び、すべてがうまく運んだ。わたしは国王の腕に倒れ込み、アンがヘビのように素早くわたしの仮面からピンを引き抜き、そして——見事な手際で——わたしの頭飾りを取り去った。金色の髪が迸《ほとばし》り波打ち国王の腕を覆った。

目を開けると、彼の顔が間近にあった。髪につけた香水の匂いがして、吐息が頬にかかる。口づけされそうなほどちかくにある唇を、じっと見つめた。

「親切にしてくれたまえ」彼がまた言う。

「あなたは国王……」わたしは信じられないという口調で言った。

「そなたは余に親切にすると約束した」

「まさか、存じませんでしたから、陛下」

彼はわたしをやさしく抱き上げて窓辺へと運び、手ずから窓を開けた。冷気が吹き込む。頭を振ると髪が風になびいた。

「恐ろしくて気を失ったのか？」彼がとても低い声で尋ねた。

わたしは自分の両手を見下ろした。「嬉しくて」懺悔する処女のように甘くささやいた。

彼はうつむいてわたしの両手にキスし、立ち上がり声をあげた。「それでは食事にいたそう！」

アンはと見ると、仮面を脱ぎながらこっちを見ていた。ブーリン家に、というよりハワード家に特有の計算高い目がこう言っている。いったいなにが起きたの、これをどう利用すればいい？　金色の仮面の下に、肌というもう一枚の美しい仮面をつけていて、生身の女はその下に隠れているのだ。わたしが見返すと、アンはさりげなくほほえんだ。

国王が腕を差し出すと、王妃はにこやかに椅子から立ち上がった。夫がわたしといちゃつくのを眺めるのは楽しかったというように。だが、王が向きを変えた隙《すき》に足をとめ、ブルーの目でわたしをじっと睨んだ。それは友にさよならを告げる眼差しだった。

「気分がじきによくなることを願っていますよ、ミストレス・ケアリー」王妃はやさしく言った。「自室にさがったほうがよいわね」

「空腹でめまいがしたのだと思います」ジョージがすかさず言葉を挟んだ。「食事をさせてやってもよろしいでしょうか？」

アンが進み出た。「仮面をおとりになった国王を見て、ぎょっとしたのですわ。思いもよらぬことですもの、陛下！」

国王は嬉しそうに笑い、まわりも一緒になって笑った。わたしたち三人が命令に背いたことに気づいたのは王妃だけだった。自室にさがれとはっきり言ったにもかかわらず、わたしは正餐《せいさん》の席につくことになった。わたしたちの強さを彼女は測っている。なんの後ろ盾もないベッシー・ブラントとはわけがちがう。わたしはブーリン家の娘、ブーリン一族は力を合わせて戦う。

「それなら一緒に食事をしましょう、メアリー」王妃が言った。言葉とは裏腹にあたたかみのない口調だった。

シャトー・ヴァートの騎士と貴婦人たちは、丸いテーブルを囲んで思い思いの席についた。

主人役であるウルジー枢機卿が国王の向かいに、二人の中間の席に王妃が座り、残りの者たちがその間を埋めた。わたしはジョージの隣り、アンはわたしの夫を隣りに座らせて気を惹こうとした。テーブルの向こうから国王がじっと見つめるので、わたしは意識して視線をそらした。アンの右隣りはノーサンバーランド公の嫡男ヘンリー・パーシー、ジョージの向こう側にはジェーン・パーカーがいて、しきりとこっちを見ていた。殿方に好かれる女になるコツを盗もうというのだろうか。

テーブルにはパイや肉入りパイや上等な鳥獣肉が並んでいたが、わたしは少ししか食べられなかった。王妃の好物のサラダを少し、それにワインと水を飲んだ。父も同席しており、隣りに座る母からなにか耳打ちされ、わたしをちらっと見た。まるで馬の売買人が牝の仔馬を品定めするように。顔をあげるたびに国王と目が合い、目をそらしても彼の視線を意識していた。

食事がすむと、大広間に移って音楽を聴くことになった。わたしはアンに引っ張られるように誰よりも早く階段をおり、壁際のベンチに並んで座った。あとからやってきた王が、通りすがりにわたしたちの前で立ち止まり、具合はどうか、と尋ねやすいように。当然のことながら、アンもわたしも立ち上がって王を迎えた。すると王は空いたベンチに腰をおろし、わたしに隣りに座るよう言った。アンはさりげなくその場を離れ、ヘンリー・パーシーとおしゃべりをしながら、みなの視線を遮る盾の役割を果たした。とりわけキャサリン王妃のにこやかな視線を遮る役割を。音楽が奏でられるなか、父が王妃にちかづいて話しかけた。すべてが自然に流れていって、大勢の人がいる大広間で王とわたしは二人きり、ささやき声の会話を音楽が消してくれる。ブーリン一家の団結力の賜物だ。

「気分はよくなったようだな?」彼が低い声で尋ねた。

「このうえなくよい気分ですわ、陛下」

「あす、遠乗りに出かける。一緒にまいらぬか?」

「王妃さまのお許しがでれば」王妃の不興をかいたくはなかった。

「余から妃に頼んでみよう。そなたには新鮮な空気が必要だと言ってな」

わたしはほほえんだ。「陛下は名医におなりになれます。診断をくだし、一日のうちに治してくださる」

「そなたは患者として、余の言うことをきちんと守らねばならぬぞ」

「守りますとも」わたしはうつむいた。彼の視線を感じ、空高く舞い上がったような気分だ。

「数日間ベッドから出るなと命じるかもしれぬぞ」彼が声をひそめて言った。

さっと目をあげると、彼の真剣な眼差しに合い、頬が赤く染まった。口ごもるばかりだ。

音楽が不意にやんだ。「演奏をつづけて!」母が言った。キャサリン王妃が国王はどこかとあたりを見まわして、わたしと並んで座っているのを見つけた。「踊りませんか?」彼女が言った。

それは命令だった。アンとヘンリー・パーシーが位置につき、楽士が演奏をはじめた。わたしは立ち上がり、ヘンリー国王は王妃に並んで座り、踊りを眺めた。ジョージがわたしの相手だった。

「顔をあげろ」彼がわたしの手を取り、ぴしゃりと言った。「おどおどするな」

「彼女が見ているもの」

「むろん見るだろう。大事なのは、彼がおまえを見ていることだ。もっと大事なのは、父上とハワード叔父がおまえを見ていることだ。上げ潮に乗る娘として、立派に振る舞うことを二人は期待している。おまえが出世すれば、ミストレス・ケアリー、一族の者がみな出世できるんだぞ」

わたしは顔をあげ、屈託のない笑みを浮かべた。兄の巧みなリードで膝を屈め、くるっと回り、優雅に踊った。国王と王妃に顔を向けると、二人ともこちらを見ていた。


ロンドンのハワード叔父の屋敷で家族会議が開かれた。黒表紙の本が通りの騒音を和らげてくれる書斎に、わたしたちは集まった。扉の前にはハワード家のお仕着せを着た男二人が陣取り、邪魔が入らぬよう、誰にも立ち聞きされぬよう目を光らせていた。話し合われるのは家族の事業について、家族の秘密についてだ。ハワード一族以外は誰も近寄ってはならない。

家族会議の主題はわたしだった。わたしを中心にすべてが回っていた。わたしは勝負を有利に進めるための、ブーリンの〝手駒《ポーン》〟だ。すべてがわたしにかかっている。自分の立場の重要性を思うと胸が高まると同時に、失望させることになったらどうしようと恐ろしくもなった。

「子を孕《はら》めるのか?」ハワード叔父が母に尋ねた。

「月のものは規則正しいし、健康な娘ですわ」

叔父はうなずいた。「王に望まれ、庶子を儲ければ、われわれは優位に立てる」彼の上着の袖口を飾る毛皮が木のテーブルを擦り、背後の暖炉の火明かりを受けて上等な上着が光沢を帯びるさまを、わたしは息を詰めて見守っていた。「これからはケアリーと同衾《どうきん》させるわけにいかない。国王のご寵愛を受けているあいだ、結婚生活は棚上げだ」

わたしははっと息を呑んだ。そんなこと、誰が夫に告げるのだろう。わたしたちは添い遂げることを誓った。結婚は子どもを儲けるためのものであり、神がわたしたちを結びつけたのだから、何人も引き離すことはできない。

「そんなことわたしには……」

アンがわたしのガウンを引っ張った。「シーッ」彼女がかぶるフランス風フードの小粒の真珠が、やる気満々の共謀者のようにわたしに目配せする。

「ケアリーにはわたしから話す」父が言った。

ジョージがわたしの手を取った。「おまえが身籠《みごも》ったとき、それが自分の子だと国王に確信してもらわねばならない」

「愛妾になどなれないわ」わたしは小声で言った。

「ほかにどうしようもない」彼が頭を振った。

「できません」今度は大声で言った。慰めるように摑む兄の手を握り返し、黒い木の長テーブルの上座《かみざ》に座る叔父の、なにものも見逃さぬ鷹のような黒い目を見返した。「叔父さま、申し訳ありません、でも、わたしは王妃をお慕いしています。彼女はすばらしい女性です。裏切るなんてできない。それに、神の御前で夫に貞節を尽くすと誓ったのですもの、どうして裏切れましょう。国王がすべてであることは、わたしにもわかっています。でも、叔父さまがわたしにそんなことをしろと？　ご本心から？　わたしには、とてもできません」

彼は返事をしなかった。権力者である叔父には、返事をするという観念がないのだ。「この繊細な良心をどう扱えばよいのかね？」誰にともなく言った。「メアリーを説き伏せます」

「わたしにお任せください」アンがこともなげに言った。

「人を説き伏せるにはいささか若すぎるのでは」

アンは自信たっぷりに彼の視線を受け止めた。「わたしは世界一洗練された宮廷で育ちました。ぼんやり過ごしてきたわけではありません。しっかり見聞きし、必要なことはすべて身につけてきました。いまなにが必要とされているか承知していますから、メアリーにどう振る舞えばよいか教えることができます」

叔父はしばしためらった。「恋愛遊戯にうつつを抜かしていたわけではないのか、ミス・アン」

彼女は尼僧のように落ち着き払っていた。「そんなわけありませんわ」

わたしは思わず肩をすくめた。そうやって彼女を無視したかった。「どうしてわたしが、アンの言うとおりにしなければならないのですか」

この会議の主役はわたしだったはずなのに。アンがみなの関心を集めていた。「それでは、おまえに妹の指南役を任せるとしよう。ジョージ、おまえもだ。国王の女の好みはわかっているだろう。メアリーがつねにお目に留まるよううまく計らえ」

二人はうなずいた。しばしの沈黙があった。

「ケアリーの父親にはわたしが話をつける」父が言った。「ウィリアムも覚悟はしているだろう。あれもまんざら馬鹿ではない」

叔父がアンとジョージに目をやった。わたしを挟んで立つ二人は兄と姉というより看守だ。「妹を助けてやれ。国王の心を掴むために必要なものは、なんでも彼女に与えてやるがよい。手練手管を教え込み、物心両面で助けるのだ。二人して彼女を国王のベッドに送り込め、いいな。だが、これだけは忘れるな。うまくゆけば大変な報酬が約束されておる。だが、しくじったら、われわれにはなにも残らない。ゆめゆめ忘れるな」

夫との別れはとても辛かった。二人の寝室に入ってゆくと、メイドがわたしの荷物を王妃の居所に運ぶため荷造りをしていた。ベッドの上には靴やガウンが散らばり、椅子にはクロークが掛かり、宝石箱が乱雑に置かれた真ん中に、彼は茫然と立ち尽くしていた。

「きみは出世するのだね、マダム」

彼は女好きのするハンサムな若者だ。双方の親が決めた結婚で、しかもこんなふうに引き裂かれることがなかったら、あるいはたがいに好きになっていたかもしれない。「ごめんなさい」わたしはまごまごしていた。「叔父と父の言うことには逆らえないの」

「わかるよ」彼がそっけなく言った。「彼らの言うことには、ぼくも従うしかない」

そこにアンが現れ、わたしはほっとした。輝くばかりのいたずらっぽい笑みを浮かべて、彼女が言った。「お元気、ウィリアム・ケアリー？　いいところで会えたわね！」わたしの荷物が散らかる部屋で、結婚生活と跡継ぎの夢を断たれた義弟の姿を眺めるのは、最高の楽しみだと言わんばかりだ。

「アン・ブーリン」彼がきびきびとお辞儀した。「妹の後押しをする手伝いに来たの？」

「もちろんよ」アンが彼に笑いかけた。「わたしたちみんな、そうしなきゃならないの。メアリーが寵愛を受ければ、わたしたちみんなにとって損はないもの」

アンは不敵にも彼の視線を受け止めた。先に目を逸らしたのは彼のほうだった。「もう行かなければ」彼が言った。「国王から狩りの供をしろと言われている」彼は少しためらってから、散らかった服に囲まれて立つわたしのかたわらにやってきた。やさしく手を取って口づけた。「きみが不憫《ふびん》だ。ぼく自身も辛い。いまから一か月後、それとも一年後にきみがぼくのもとに戻されたら、この日のことを思い出すだろう。服の山の中で迷子の子どもみたいに見えたきみのことを。どんな陰謀にも染まらないきみを胸に刻んでおくよ。少なくともきょうはまだ、きみはブーリン一族の人間というより、一人の娘だ」

わたしが独り身に戻り、ちかくの小部屋でアンと暮らすようになったことを、王妃はただ傍観していた。わたしに対する態度は表面上、まったく変わりがなかった。礼儀正しく物静かな王妃のままだった。わたしになにか、たとえば手紙を書いたり、歌ったり、愛玩犬を部屋から連れ出したり、言付《ことづ》けを頼んだりといった雑用を言いつけるときには、これまで同様に丁寧な口調だった。でも、聖書を読んでおくれ、とはけっして言わなくなったし、彼女が縫い物をする足元に座れともけっして言わなくなった。寝室にさがるわたしを祝福してもくれなくなった。わたしはもう、彼女のお気に入りの侍女ではなくなったのだ。

夜になって、アンと暮らす部屋にさがるとほっとした。カーテンを引けば暗がりに二人きり、人に聞かれることなくひそひそ声でおしゃべりができる。まるで子どものころフランスで過ごした日々に戻ったみたいだ。ジョージが国王の居所からさがる途中で訪ねてくることもあった。ベッドに潜り込んできて枕元に蠟燭を置き、トランプやサイコロを取り出してわたしたちと遊んだ。ちかくの部屋で眠る娘たちは、男が寝所に忍び込んできているなんて知るよしもない。

わたしが果たすべき役割について、二人とも講釈は垂れなかった。わたしが弱音を吐くのを狡猾にも待っていた。

自分の荷物が城のこっちからあっちに運ばれるあいだ、わたしはなにも言わなかった。春のあいだ、国王のお好きなケントのエルタム宮殿に宮廷ごと引っ越すあいだも、わたしはなにも言わなかった。引っ越しの道中で、夫が隣りに馬を並べ、お天気のことや馬の走りについてやさしく話しかけてきても、わたしはなにも言わなかった。馬はジェーン・パーカーの持ち馬で、一族の野望に彼女なりに貢献するためにとしぶしぶ貸してくれたのだった。でも、エルタム宮殿の庭園でジョージとアンと三人きりになると、わたしは切り出した。

「わたしにはとてもできそうにないわ」

「なにが？」ジョージが意地悪にも尋ねた。わたしたちは王妃の犬の散歩をしていた。一日がかりの移動のあいだ、犬はずっと馬上で揺られつづけ、げっそりしていた。「ほらほら、フロウ！」犬に呼びかける。「追いかけて！　追いかけて！」

「夫の目の前で、国王と一緒にいるなんてできない。夫が見ているのに、国王と冗談を言って笑うなんてできるわけないわ」

「どうして？」アンがフロウに追わせようとボールを転がした。仔犬はおもしろくもなさそうにそれを眺めていた。「追いかけるのよ、この馬鹿！」アンが大声をあげた。

「だって、すごくいやな気分がするもの」

「あなたは母上よりものがわかっているの？」アンが唐突に尋ねた。

「まさか！」

「父上よりわかっている？　叔父さまより？」

わたしは頭を振った。

「三人はあなたの将来のために、すばらしい計画を練ってくださってるのよ」アンがもったいぶって言った。「イングランド中の娘が羨むような機会を与えてくださるの。これからイングランド国王のご寵愛を受けようってときに、庭園をほっつき歩いて、彼の冗談につきあえるか悩んでどうするのよ。あなたの物分かりの悪さときたら、フロウといい勝負だわ」アンは乗馬ブーツの爪先でいやがるフロウの尻を突き、なんとか歩かせようとしたが、フロウは座ったままだ。頑固で不機嫌なところはわたしといい勝負だ。

「もっとやさしく」ジョージが彼女に注意し、わたしの冷たい手を摑んで曲げた肘に挟んだ。「おまえが案ずることはない。ウィリアムはきょう、おまえと馬を並べることで同意を示した。おまえの気が咎めぬようにと気を遣ったのだ。国王たるもの、なんでも思いどおりにすべきだ。ウィリアムはそれがわかっている。ぼくたちみんな、それがわかっている。ウィリアムも本望だろう。おまえのおかげで彼もいい思いができる。おまえは彼に尽くすことになるのだ。彼の一族の出世に、おまえは一役買えるのだぞ。彼だって、おまえに感謝する。おまえはなにも悪いことをしていない」

わたしはためらった。ジョージの誠実な茶色の目からアンのそむけた顔へと視線を移した。

「もうひとつ心配なことがあるのよ」思い切って言った。

「なんだ？」ジョージが尋ねる。アンの目はフロウを追っていたが、注意はこちらに向いていた。

「どうやったらいいのかわからないの。だって、ウィリアムは週に一度ぐらいしかしてくれないし、それも真っ暗なところであっという間に終わるし、わたし、気持ちがいいと思ったことないもの。だから、いったいなにをすればいいのかわからない」

ジョージはプッと吹き出し、腕をわたしの肩にまわして抱き寄せた。「笑ったりしてごめん。でも、おまえがすっかり考え違いをしているから。彼が望んでいるのは、万事わきまえている女じゃない。売春宿に行けばそういう女は五万といる。彼はおまえを望んでおられるのだ。おまえを気に入っておられる。おまえが少し恥じらい、少し不安にしていれば、ますます気に入る。心配はいらないさ」

「ハロー!」背後から声がした。「ブーリン家の三兄妹!」

振り向くと、上のテラスに国王がいた。旅行用のクローク姿のままで、帽子を粋に斜めにかぶっていた。

「さあ、はじまるぞ」ジョージが低く腰を屈めた。アンとわたしは膝を折ってお辞儀した。

「馬に揺られて疲れてはおらぬか?」王が尋ねた。質問は三人にだが、視線はわたしに向いていた。

「少しも」

「そなたが乗っていたかわいらしい牝馬《ひんば》だが、胴が短すぎるな。あたらしい馬を与えてやろう」王が言った。

「それはご親切に、陛下」わたしは言った。「あれは借りた馬です。自分の馬を持てるのは嬉しゅうございます」

「厩《うまや》で好きなのを選ぶがよい。さあ、これから見に行こうではないか」

彼が腕を差し出したので、わたしは袖の上等な布地に軽く指を添えた。

「それではなにも感じない」彼がわたしの手に手を重ねて押しつけた。「ほら。そなたの気持ちを摑んだと実感したいのだ、ミストレス・ケアリー」彼の目はとても青く、キラキラと輝いていた。わたしのフランス風のフードを見つめ、それからフードの下の流れる金茶色の髪を見つめ、顔を見つめた。「そなたの気持ちを摑んだと実感したい」

口が渇くのを感じた。恐れと欲望が混ざり合い息もつけぬ気持ちだったが、なんとかほほえんだ。「おそばにいられて幸せです」

「そうか？」彼が尋ね、にわかに真剣になった。「本心なのか？　口先だけの言葉は聞きたくない。そなたを余のそばに寄越そうと、躍起になっておる者たちが多くいる。そなたには、自らの意志でそばに来てほしいのだ」

「まあ、陛下！　ウルジー枢機卿の仮面劇で、陛下と踊ったではありませんか！　あのときは、まさか陛下だとは思っておりませんでしたけれど」

彼は思い出して嬉しそうな顔をした。「ああ、そうだったな！　そしてそなたは、仮面を脱いだ余を見て気を失った。いったい誰だと思っていたのだ？」

「わかりません。愚かなことだとは承知しています。てっきり宮廷にあたらしくいらしたばかりの、ハンサムな殿方だと。そんな方と踊れるのが嬉しかったのですわ」

彼が笑った。「なんと、ミストレス・ケアリー、そんなかわいい顔をして、そんな淫《みだ》らなことを考えるとは！　見ず知らずのハンサムな男が宮廷にやってきて、そなたを踊りに誘ってくれたらと願っていたのか？」

「淫らだなんて」彼の舌にもこれは甘すぎるかも、と一瞬不安になった。「陛下に踊りを申し込まれ、どう振る舞うべきか忘れてしまったのです。いけないことはなにもしておりません。ただほんの一瞬、わたくし――」

「そなたは?」

「われを忘れてしまって」やさしく言った。

厩に通じる石畳のアーチ道にさしかかった。王はアーチの下に入ると立ち止まり、わたしを自分のほうに向けた。丸石の上で滑る乗馬ブーツから彼のほうに仰向けた顔まで、全身が活き活きと脈打っている気がした。

「またわれを忘れてくれるか?」

たじろいだそのとき、アンがちかづいてきて軽い口調で言った。「妹にはどんな馬がよいとお考えですか、陛下? なかなかの乗り手だとお気づきでしょう」

彼はわたしから手を離し、先に立って厩に向かった。ジョージと二人で馬を見てまわる。

アンがわたしのかたわらにやってきた。

「彼のほうから来させなきゃだめよ」アンが言った。「彼のほうから来させるの。ほっといてもあなたのほうからやって来ると、彼に思わせてはだめ。彼は自分からあなたを追っていると思いたいのよ。あなたが彼を罠にかけるのではなく。彼に向かっていくか、逃げ出すか、どちらかを選ぶ機会を与えられたら、そのときは――かならず逃げ出すこと」

王がわたしに向かってほほえんだ。ジョージは厩番の少年に美しい鹿毛《かげ》の馬を馬房《ばぼう》から出すよう指示していた。「逃げるといっても速すぎないこと」姉が念を押した。「彼に捕まえさせるの、いいわね」

その晩、みなの見ている前で、わたしは国王と踊り、翌日は馬を並べて狩りに出かけた。王妃は、上座に座ってわたしたちの踊りを眺め、狩りに出るわたしたちを宮殿の玄関で見送った。王がわたしにご執心であることは周知の事実となった。思し召しがあれば、わたしがお受けするだろうということも、周知の事実だった。知らないのは国王ばかりなり、だ。求愛の進行速度は、自分の欲望のままだと思っているから。

四月になり、一年で最初の四季支払日に、父が王室会計官に任じられた。王室の日々の財政を担当する役職であり、父から見れば、好きなように金を着服できる役職だった。正餐に向かう王妃の列にいるわたしを、父がこっそり呼びとめた。王妃はそのまま上座へと向かっていった。

「おまえの叔父もわたしも、満足している」父が言った。「兄と姉の言うことに従え。おまえがよくやっていると、二人から聞いている」

わたしは軽くお辞儀した。

「まだほんのはじまりにすぎぬ。彼の心を摑み繋ぎとめること《ハヴ・ヒム・アンド・ホールド・ヒム》だ、忘れるなよ」

わたしは結婚式の誓約、きょうの日からわたくしはあなたを末永く夫とします《トゥー・ハヴ・アンド・トゥー・ホールド》、を思い出し、顔をしかめた。「わかっています、忘れませんわ」

「彼はすでになにかしたのか？」

王と王妃が席につこうとしている大広間へちらっと目をやった。厨房から料理を運ぶ給仕の列の到着を告げようと、喇叭手《らっぱしゅ》が位置についた。

「まだなにも。眼差しと言葉だけです」

「それで、おまえは応えたのか？」

「ほほえみで」王国でもっとも権力のある男から求愛され、有頂天になっていることは、父には言わなかった。姉の助言どおりに彼にほほえむことは難しいことではなかった。頬を染めることも、逃げ出したいと思いつつ、もっとちかづきたいと思うことも、ごく自然な反応だった。

父がうなずいた。「よろしい。さあ、自分の席につきなさい」

もう一度お辞儀し、料理が運び込まれる寸前、大広間に駆け込んだ。王妃が咎めるようにわたしを睨んだが、すぐに目をそらし、王に顔を向けた。わたしが侍女の席につくあいだ、王は眉ひとつうごかさず、じっとわたしを見つめていた。なにも見えず、なにも聞こえていないかのような一心不乱な表情だった。この瞬間、大広間は彼の前から消滅し、見えるのはただ、ブルーのフードつきのガウンをまとい、金髪を後ろに撫でつけたわたしだけだ。彼の欲望を感じ、わたしはほほえみが唇を震わすのを意識した。王の熱い表情を見て、王妃は口を引き結んで小さくほほえみ、顔をそむけた。

その晩、王は妃の居所を訪れた。「音楽を聴かせてくれないか?」

「ええ、ミストレス・ケアリーに歌ってもらいましょう」王妃はにこやかに言い、わたしに前に出るよう指示した。

「姉のアンのほうが歌声は甘やかだ」王がそう言い、妃の命令を取り消した。アンが勝ち誇った視線をわたしにくれた。

「得意のフランスの歌を歌ってくれないか、ミス・アン?」王が命じた。

アンは優雅にお辞儀した。「陛下のおおせとあらば」フランス語訛りを響かせて言った。

王妃はこのやりとりを見守っていた。王の気持ちがブーリン家のもう一人の娘に移ったかと心配しているにちがいない。だが、国王は一枚上手だった。アンは部屋の真ん中に置かれたスツールにリュートを抱えて座り、甘やかな歌声を聴かせた——王の言うとおり、わたしより甘やかな歌声を。王妃はいつもの椅子に座っていた。詰め物をし刺繍を施した肘掛け、背もたれも詰め物をしてあるが、けっしてもたれかかることはしない。王は並んで置かれた椅子に座ろうとはしなかった。ぶらぶらとこちらにやってきて、アンがいなくなって空いた席に腰をおろし、わたしの手元の縫い物に目をやった。

「見事な針使いだな」

「貧しい者たちのためのシャツですわ。王妃さまは貧しい者たちにそれはおやさしいのです」

「たしかに。針の動きの素早いこと。よく糸が絡まらないものだ。それにしても、そなたの指のなんと小さく器用なことか」

彼はうつむいてわたしの手元を覗きこんでいたので、わたしは首筋を見下ろす形になった。豊かにカールするうなじの髪に触れたいと、そんなことを思った。

「そなたの手は余の手の半分もないだろう」彼がのんびりと言う。「広げて見せてくれ」

貧者のためのシャツに針を刺し、掌を上に手を広げて見せた。彼も手を広げ、掌と掌を合わせるように掲げるあいだ、わたしの顔から目をそらさなかった。すれすれのところで、触れはしない。掌に彼の手のぬくもりを感じたが、わたしも彼の顔から視線をそらさなかった。ひげが口のまわりでわずかにカールしている。夫の黒くまばらなひげとおなじようにやわらかいのだろうか、それとも金糸のようにかたいのだろうか。見たところはかたくてチクチクしそうだ。キスされたら肌が擦れて赤くなりそう。キスしたことがみなにわかってしまう。カールしたひげの下の唇は官能的で目を離せなくなった。その感触を、その味わいを想像せずにいられない。

彼がゆっくりと掌をちかづけてきた。まるでパヴァーヌで踊り手がゆっくりとちかづいてゆくように。手の付け根と付け根が触れ合い、まるで嚙まれたような気がした。思わず飛び上がった。触れられてわたしがショックを受けたことを知り、彼が口元をゆがめた。わたしの冷たい掌と指が彼の手に沿って伸びる。わたしの指先は彼の指の第一関節に届かない。彼のあたたかな肌を感じた。指のアーチェリーだこ、乗馬やテニスや狩猟をやり、槍や剣を一日中でも握っていられる男のかたくなった掌。彼の唇から視線を剝がすように離し、顔全体を見つめた。天日《てんぴ》採りレンズを通過する太陽光線のような、煌《きら》めく鋭い眼差しに射竦《いすく》められる。その全身から欲望が熱波のように放たれていた。

「そなたの肌はとてもやわらかい」彼がささやくように声をひそめて言った。「思ったとおり小さな手だ」

手の大きさを比べるという言い訳はもう通じないのに、わたしたちは掌と掌を合わせ、たがいの顔を見つめ合っていた。それからゆっくりと、いやおうなしに彼の手がわたしの手を包み込み、やさしく、でもきっぱりと握り締めた。

アンは一曲歌い終わるとすぐつぎに移った。この一瞬の魔法を解かないよう、曲調を変えず、声を途切らすこともなかった。

邪魔をしたのは王妃だった。「陛下はミストレス・ケアリーを困らせておいでですわ」彼女は言い、小さく笑った。自分より二十三歳年下の女の手を、夫が握っているのを見るのは楽しいと言わんばかりに。「妻が仕事を怠けているのを見たら、ご友人のウィリアムも喜ばないでしょう。ウィットチャーチの女子修道院の修道女に、シャツの縁かがりをすると約束したのに、まだ半分も終わっていないのですよ」

彼は手を離し、妃に顔を向けた。「ウィリアムなら許してくれる」こともなげに言った。

「トランプをいたしましょう」妃が言う。「わたくしと組んでくださいますわね、あなた?」

彼女にやられた、と思った。長い年月で培った愛情で、王妃は彼を自分に引き戻した。彼女の望むとおり、彼は立ち上がったものの、振り向いてわたしを見た。見上げるわたしの表情に打算はなかった――ほとんど。目に欲望をたたえ、殿方を見上げる若い娘以外の何ものでもなかった。

「ミストレス・ケアリーと組むといたそう。ジョージを呼んだらどうだ？　ブーリン兄妹のもう一人と組めばよい。互角に戦えるぞ」

「ジェーン・パーカーと組みます」王妃は冷ややかに言った。


「うまくやったわね」その晩、アンが言った。わたしたちの寝所の炉辺に座り、長い黒髪を梳《くしけず》っていた。頭を片方に傾けているので、黒髪が香り高い滝のように肩に流れ落ちていた。

「手を道具に使うなんてたいしたものだわ。どうやったの？」

「彼が手の大きさを比べようって」わたしは髪を編み終え、ナイトキャップをかぶって白いリボンを結んだ。「手が触れたとたん、わたし……」

「なに？」

「肌に火がついたかと思った。ほんとうよ。彼に触れられて焼け焦げたみたいに」

アンが疑いの目でわたしを見た。「どういう意味？」

言葉が口からこぼれ出た。「彼に触れて欲しい。なにがなんでも触れて欲しいと思ったの。キスして欲しいと」

アンには信じられないようだ。「彼を欲しいの？」

わたしは体に腕をまわし、石の窓腰掛けに座った。「ええ、そうなのよ。こんなふうになるなんて、思ってもいなかった。でも、そうなの、そうなのよ」

彼女は口をへの字にした。「父上や母上には言わないほうがいいわ。賢く立ち回れとおっしゃったでしょう。夕暮れにさまよい歩く恋煩いの娘なんてとんでもない」

「でも、彼はわたしを望まれていると思わない？」

「まあ、いまのところはね。でも、来週は？　来年は？」

寝室の扉を叩く音がして、ジョージが顔を覗かせた。「入っていい？」

「いいわよ」アンがつっけんどんに言った。「でも、長居はしないで。休むところなんだから」

「ぼくもだ。父上と飲んでいた。いまから休み、あす素面《しらふ》になったら、早起きして首を吊るつもりだ」

わたしは彼の話を聞いていなかった。窓のそとを眺め、ヘンリーの手の感触を思い出していた。

「なぜ？」アンが尋ねた。

「結婚が来年にきまった。羨ましいだろう？」

「わたし以外はみんな結婚するのね」アンが苛立たしげに言った。「オーモンド家との縁組が流れたというのに、ほかを探してもくださらない。父上も母上もわたしを修道女にするつもり？」

「それも悪くない」ジョージが言う。「ぼくにもそうさせてくれないかな？」

「女子修道院に入るの?」わたしは彼の真意がわかり、笑ってやろうと顔を向けた。「すばらしい女子修道院長になれるわ」

「誰よりも秀でた」ジョージが愉快そうに言った。スツールに腰掛けようとしてよろめき、石の床に尻餅をついた。

「酔ってるのね」わたしは責めるように言った。

「ああ。それにふてくされている。未来の妻はどこかおかしいと思えてならない」ジョージが言った。「なんだか妙にその……」言葉を探す。「鼻につく」

「馬鹿ばかしい」アンが言った。「たっぷりの持参金とすばらしい人脈が転がり込んでくるじゃない。彼女は王妃に気に入られているし、彼女の父親は尊敬を受け、お金もある。なにを悩むことが?」

「だって、彼女は口で人を陥れるし、目は熱いかと思うと冷たい」

アンが笑った。「詩人ね」

「ジョージの言いたいことはわかるわ」わたしは言った。「彼女は情熱的だけど、打ち解けないところがあるもの」

「用心深いだけよ」アンが言う。

ジョージが頭を振った。「熱くて冷たいんだ。四種の体液が混ざり合っているのさ。彼女との暮らしはさぞ惨めなものになるだろう」

「だったら、彼女と結婚してベッドを共にして、それから領地に送り込めばいいのよ」アンがじれったそうに言う。「あなたは男なんだから好きにできる」

それを聞いて元気付いたようだ。「ヒーヴァー城に押し込めればいいんだな」

「ロッチフォード・ホールでもいいじゃない。あなたの結婚を祝って、国王があたらしい領地をくださるのでしょ」

ジョージは炻器《せっき》のデカンターを口元に持っていった。「飲みたい人は？」

「いただくわ」わたしは言い、デカンターを受け取り、酸味のある冷えた赤ワインを味わった。

「わたしは休むわ」アンが取り澄まして言った。「恥ずかしいと思いなさい、メアリー、寝巻き姿でお酒をいただくなんて」上掛けをめくり、ベッドに入った。腰の上に上掛けを畳み、ジョージとわたしをしげしげと見つめた。「二人ともなんてふしだらな」

ジョージが顔をしかめた。「よく言うよな」わたしに向かってにやりとした。

「とても真面目なお方ですもの」わたしはもったいをつけて言った。「人生の半分を、フランス宮廷で浮かれ騒いでいたとはとても思えない」

「フランス人というよりスペイン人だな」ジョージが挑発するように言った。

アンは枕に頭を載せ、肩をすくめ、上掛けを引きあげた。「聞いてないから、言うだけ無駄よ」

「誰が彼女を求めるだろう？」と、ジョージ。「誰が彼女を欲しがるだろう？」

「父上たちが見つけてくれるわ。どこかの次男坊とか、貧しい老いぼれ郷士《ごうし》とか」わたしはジョージにデカンターを返した。

「いまに見てなさい」ベッドから声がした。「あなたたちよりよい結婚をしてみせる。父上たちがいますぐお膳立てしてくれないなら、自分でなんとかするわ」

ジョージがデカンターを戻してよこした。「干してしまえ。ぼくはいささか飲みすぎた」

わたしはデカンターを空け、ベッドの向こう側へとまわった。「おやすみ」ジョージに言った。

「もうしばらく炉辺にいるよ。ぼくたちうまくやってると思わないか、ブーリン兄妹は。ぼくは婚約して、おまえはいずれ国王とベッドを共にする。そしてかわいいマドモアゼル完璧《パルフェ》は引く手あまただ。売り物はいくらでもある」

「そうね」わたしは言った。「わたしたち、うまくやっている」

国王の真剣なブルーの眼差しや、頭飾りからガウンの胸元へと落ちてきた視線を思い出し、枕に顔を埋めた。二人につぶやきを聞かれないように。「ヘンリー、国王陛下、わたしの愛する人」

翌日、エルタム宮殿にほどちかい邸宅の庭園で馬上槍試合があった。フィアソン・ハウスは先王の治世に、自身誰よりも勤勉であった先王のもとで富を築いた勤勉な紳士によって建てられたものだ。広大な邸宅だが、城壁や濠《ほり》はめぐらされていない。ジョン・ラヴィック卿は、イングランドは永久に平和だと考え、館の防御をしなかった。防御しようにもできない造りだ。屋敷のまわりに緑と白のチェッカー盤のように庭園が配されていた。白い石と小道が緑の月桂樹でできた装飾庭園を縁どっている。その向こうの広大な敷地では鹿狩りが行われ、庭園とのあいだにある美しい芝生は、国王が馬上槍試合に使うためつねに手入れが行き届いていた。

王妃と侍女たちのために、鮮紅色と白の絹の天幕が張られた。王妃はそれによく合う紅色のドレスをお召しになり、健康そうで若々しく見えた。わたしは緑のドレス。国王が大勢の中からわたしを選び出してくれた、あの告解火曜日に着ていたドレスだ。この色を着ると金髪が引き立ち、目も輝いて見える。わたしは王妃のかたわらに立った。二人を見比べた殿方はみな思うはずだ。王妃はたしかに美しいが、隣りの娘の母親と言っていい年齢、それに比べて娘のほうはまだ十四、これから恋に落ち、女の歓びを知ろうとする早咲きの花だ、と。

槍試合のはじめの三戦は、廷臣の中でも身分の低い者たちで行われた。命がけで注目を集めようとする者たちだ。腕前はなかなかで、何度かはっとさせられる突きもあり、小柄な選手が大柄な相手を落馬させると歓声があがった。小柄な騎士が馬をおり、兜《かぶと》を脱いで声援に応えた。ほっそりした金髪のハンサムな男だった。アンがわたしを小突いた。「あれは誰？」

「シーモア家の子息の一人よ」

王妃がこちらに顔を向けた。「ミストレス・ケアリー、主馬頭《しゅめがしら》のところに行って、夫がいつ騎乗するのか、どの馬を選んだのか訊いてきておくれ」

命令に従ってその場を離れようとしたとき、王妃がわたしを追い払おうとしたわけがわかった。国王がゆっくりと芝生を横切りこちらに向かってくる。わたしを目の届かないところに追いやりたかったのだ。わたしはお辞儀をしても、天幕の入り口の日除けの下でぐずぐずと時間稼ぎをしていると、国王が会話を切り上げ急ぎ足でやってきた。鎧《よろい》は磨きぬかれて銀のように輝き、装飾部分は金でできていた。胸当ては革紐で吊ってあり、赤い腕甲はベルベットのように滑らかだ。いつもより背が高く見え、まるでずっと昔の戦場の凛然たる英雄のようだ。太陽に鎧が照り輝き、わたしは思わず日陰に逃げ込み額に手をかざした。

「ミストレス・ケアリー、リンカーングリーンの貴婦人」

「陛下こそまばゆいばかりです」わたしは言った。

「そなたは漆黒を身にまとっていても目がくらむだろう」

なにも言わなかった。ただ彼を見つめた。アンやジョージがそばにいたら、お世辞を言って場を盛りあげてくれるのに。でも、わたしには気の利《き》いた言葉ひとつ思いつかない。欲望が溢れそうでなにも言えない。憧れる思いがそっくり顔に出ているにちがいない。彼もなにも言わなかった。わたしたちは視線を絡ませ、食い入るように見つめあうばかりだった。その目を見ればたがいの欲望が理解できると言わんばかりに。

「そなたと二人きりで会わねばならぬ」彼がようやく言った。

わたしには思わせぶりはできない。「陛下、それはできません」

「望んでおらぬのか?」

「畏れ多いことですわ」

まるで欲望を嗅ぎ付けようとするように、彼は深く息を吸った。「余を信ずるがよい」

彼から無理に目をそらした。ほかにはなにも見えなかった。「畏れ多いことです」

彼がわたしの手を取って口元へ持ってゆき、キスした。指にかかるあたたかな吐息を感じ、それから、ようやく口ひげのやわらかな感触を知った。

「まあ、やわらかだこと」

彼がわたしの手から顔をあげた。「やわらか？」

「陛下のおひげの感触が。どんなだろうと想像しておりました」

「余のひげの感触がどんなか、想像しておったのか？」

頰が熱くなる。「はい」

「余にキスされたら？」

視線を足元に落とし、ブルーの目の輝きを見ないようにして小さくうなずいた。

「余にキスされたいと願っておったのか？」

わたしははっと顔をあげた。「陛下、もう行きませんと」必死に言った。「王妃さまから用を仰せつかっております。なにをしているのかと心配なさいますわ」

「なにを命じられたのだ？」

「主馬頭から、陛下がどの馬にお乗りあそばすか、いつ騎乗なさるか訊いてこいと」

「それなら余から話そう。照りつける日差しの下を、なぜそなたが歩き回らねばならんのだ？」

わたしは頭を振った。「王妃さまのためならなんでもありません」

彼は小さく舌打ちした。「走り使いをさせる召使いはいくらでもおるだろうに。スペインから供回りを大勢引き連れてきているのだ。それに比べれば余の廷臣などささやかなものだ」

王妃の天幕から出てくるアンを目の端で捉えた。王とわたしが寄り添っているのを見て、彼女は足をとめた。

王がやさしく手を放した。「それでは妃に会って、馬のことを答えてやるとしよう。そなたはどうする?」

「あとからまいります。戻る前に少しだけ時間をいただきとうございます、わたくし、その……」いまの気持ちを言葉にするなんてできなかった。

彼がやさしくわたしを見つめた。「こういう駆け引きをするには、そなたは若すぎるのではないか? ブーリンの娘であろうとなかろうと。いろいろと指示をされているのだろう。そなたが余の目に留まるように」

そのとおりです、家族のはかりごとです、と打ち明けてしまいたかったけれど、天幕の陰にアンが控えていた。彼女に見られていては、頭を振るしかなかった。「わたくしにとって駆け引きではありません」わたしは唇を震わせ、目をそらした。「ほんとうです、駆け引きではありませんわ、陛下」

彼がわたしの顎に手を添えて顔を仰向かせた。その息詰まる瞬間、衆目のさなかで彼にキスされるかと思ったら恐ろしく、でも嬉しかった。

「余が恐ろしいか？」

頭を振り、彼の手から顔をそむけたい衝動に抗った。「これからどうなるか、そのことが恐ろしゅうございます」

「二人のあいだに？」彼がほほえんだ。求めている女がじきに手に入るとわかっている男の、自信に満ちた笑みだった。「余を愛してもなにも不都合はないのだぞ、メアリー。余を信じるがよい。そなたは余の恋人《ミストレス》になるのだ、余のかわいい妃になるのだ」

わたしは意味深い言葉に息を呑んだ。

「そなたのスカーフをくれ。そなたの愛のしるしをつけて試合に出たい」彼が藪から棒に言った。

わたしはあたりを見まわした。「いまここでお渡しすることはできません」

「それではことづけてくれ。ジョージを取りに遣わす。そとから見えるようにつけはしない。胸当ての下にたくし込む。心臓を守るようにつける」

わたしはうなずいた。

「そなたの愛のしるしをくれるのだな？」

「お望みなら」わたしはささやいた。

「どうしても欲しい」彼はお辞儀すると、王妃の天幕の入り口へと体を向けた。アンの姿は親切な幽霊のごとく消えていた。

わたしは数分ほど待って、後につづいた。王妃が探るような目でこちらを見た。わたしは膝を折ってお辞儀した。「国王陛下がいらっしゃるのが見えましたので、ご自身で質問にお答えになられると思いました、陛下」わたしは愛想よく言った。「それで、戻ってまいりました」

「使いに出すなら召使いがいるだろう」王が唐突に言った。「日が照りつけるなか、ミストレス・ケアリーに走り使いをさせるとは。暑過ぎるではないか」

王妃はほんの少しためらった。「申し訳ありません。思慮に欠けておりました」

「謝る相手は余ではないだろう」彼が辛辣に言った。

王妃は立ち往生するにちがいない、とわたしは思った。かたわらでアンも体をかたくした。スペイン王女でイングランドの王妃がどう出るか、彼女も固唾を呑んで見守っているのだ。

「迷惑をかけたのなら謝ります、ミストレス・ケアリー」王妃が動じることなく言った。勝ったという気はしなかった。贅沢な絨毯が敷かれた天幕の奥にいる、母親ほどの歳の女に目をやった。わたしのせいで苦しむ彼女に同情を感じるばかりだった。その瞬間、王の姿は目に入らなかった。見えるのはたがいの悲しみで繋がったわたしたち二人だけだった。

「お仕えするのは喜びです、キャサリン王妃」わたしは言った。本気でそう思っていた。気持ちはわかったというように、王妃はわたしをじっと見つめ、それから王に顔を向けた。

「馬の調子はどうですの? 自信はおありになりまして、陛下?」

「きょうの勝者は余かサフォークであろう」

「くれぐれもお気をつけて、あなた」王妃の口調はやさしかった。「公爵ほどの騎手になら負けてもいたし方ありません。あなたにもしものことがあれば、王国はどうなりましょう」心のこもった言葉なのに、彼は少しも心を打たれなかった。「たしかにそうだな。われわれには息子がいないのだから」

彼女はたじろぎ、顔から血の気が失せた。「時間はあります」聞き取れないほど小さな声だった。「まだ時間はありますわ……」

「そんなにはなかろう」王はにべもなく言い、彼女に背中を向けた。「行って支度をせねば」

彼はわたしに目もくれず出て行ったが、アンもわたしもほかのレディたちも膝を曲げてお辞儀した。顔をあげると王妃がこちらを見ていた。恋敵ではなく、慰めを与えてくれる気に入りの侍女を見る目だった。男が支配するこの世界で、女の苦境を理解してくれる誰かを求める目だった。

ジョージが入ってきて、のんびりと優雅に王妃の前でひざまずいた。「陛下。この天幕の中でいちばん、イングランドでいちばん、世界でいちばん美しいレディを訪ねてまいりました」

「まあ、ジョージ・ブーリン、お立ちなさい」王妃はほほえんで言った。

「そのお足元でなら、死んでも本望です」

王妃は彼の手を扇で軽く叩いた。「なにを言うのです。ところで、国王の試合の賭け率を教えてくださいな」

「陛下が負けるほうに賭ける者がおりましょうか？　最高の騎手であらせられる。第二試合の賭け率ならお教えしますよ。五対二です。シーモア家対ハワード家の試合。どちらが勝つかは疑いの余地もありませんがね」

「わたくしにシーモア家に賭けろと？」王妃が尋ねた。

「彼らにあなたの祝福をお授けになると？　いいえ」ジョージが即座に言った。「いとこのハワードにお賭けください、陛下。もう勝ったも同然、この国でもっとも優秀でもっとも忠実な一族に賭けるわけですから、大儲けできますよ」

彼女は笑った。「あなたってほんとうに抜け目のない廷臣ですこと。それで、あなたはいくらわたくしに負けるおつもり？」

「そうですね、五クラウン？」

「乗ったわ！」

「わたくしも賭けます」ジェーン・パーカーが横から口を挟んだ。

ジョージの笑顔が消えた。「あなたが賭けをなさるのはどうかと、ミストレス・パーカー」彼が礼儀正しく言った。「わたしの富をすべて手中におさめておいでなのだから」

ここまではまだ宮廷愛の範疇だ。宮廷で昼も夜も繰り広げられる機知に富んだ戯言《ざれごと》。ときには大きな意味をもつが、たいていの場合、なんの意味もない。

「二クラウンほど賭けたいと思っただけですわ」ジェーンは、ジョージの得意とする洒脱な会話にもっていこうとしていた。彼女に加勢する気はなかったので、アンとわたしは見物をきめこんだ。

「もしぼくが負けたら——陛下は慈悲深くもぼくを素寒貧《すかんぴん》にしてくださるだろうから——ほかに分け与えるものはなにも残らない」と、ジョージ。「じつのところ、陛下のおそばにいるかぎり、ぼくにはなにも分け与えるものがない。金も、心も、眼差しも」

「よくもぬけぬけと」王妃が口を挟んだ。「結婚の約束を交わした相手に言う言葉かしら?」

ジョージは頭をさげた。「ぼくたちは美しい月のまわりをまわる、結婚を言い交わしたふたつの星です」とジョージは答えた。「抜きんでた美は、まわりをすべて翳《かす》ませます」

「まあ、あっちへお行きなさい」王妃が言った。「どこへとなりと行って、そこでキラキラ瞬《また》けばいい、わたしのキラキラ星のブーリン」

ジョージはお辞儀して天幕の裏に消えた。わたしはすぐに後を追った。「早く渡すんだ」ジョージが言う。「陛下はつぎだ」

わたしはドレスの胸元のループに通した白い絹のスカーフを引き抜き、手渡した。ジョージはそれをすばやくポケットに押し込んだ。

「ジェーンが見ているわ」わたしは言った。

ジョージは頭を振った。「かまうものか。個人的な見解はどうあれ、利害は一致している。行かないと」

わたしはうなずき、ジョージが出て行くのと同時に天幕の中に戻った。王妃は、わたしのガウンの胸元の空っぽのループにちらっと目をやったが、なにも言わなかった。

「間もなくはじまりますわ」ジェーンが言った。「陛下の出番はつぎです」

重い鎧姿の陛下は、従者二人の手を借りてなんとか鞍《くら》にまたがった。義弟であるサフォーク公チャールズ・ブランドンも鎧に身を包み、二人は前後して馬を駆り、王妃の天幕の前を通り過ぎた。それはわたしに向けられたものだった。国王は王妃に敬意を表して槍をさげ、そのまま天幕の端から端までを走り抜けた。兜の眉庇《まびさし》をあげていたので、陛下がわたしに笑いかけたのがわかった。胸当ての肩に白いものがちらりと見え、わたしのガウンから抜いたスカーフだとわかった。あとにつづくサフォーク公も王妃に向かって槍をさげ、堅苦しくわたしにお辞儀した。背後にいたアンがはっと息を呑んだ。

「サフォーク公があなたに挨拶したわ」アンがささやいた。

「そのようね」

「そうよ。頭をさげたのよ。つまり陛下があなたのことを話したか、妹のメアリー王妃に打ち明けて、彼女がサフォーク公に話したのよ。王は本気よ。まちがいなく本気だわ」

わたしは横に目をやった。王妃はヘンリー王が馬をとめた試合場を見おろしていた。大きな騎馬は頭を振って横歩きをしながら、喇叭の合図を待っていた。陛下はゆったりと鞍にまたがり、黄金の飾り環のついた兜の眉庇をおろし、槍を構えている。王妃は身を乗り出した。喇叭が鳴るのと同時に拍車が入り、二頭の馬は突進した。鎧姿の男たちは喊声をあげ、蹄に抉《えぐ》り取られた芝が宙に舞った。的に向かって飛ぶ矢のように槍は切っ先をしたにし、先端につけられた旗が風にはためく。距離がちぢまり、斜めに入った敵の一撃を王は盾で受け、突き出した槍の先はサフォーク公の眉庇をかすめて胸当てに刺さった。衝撃でサフォーク公はのけぞり、鎧の重みで仰向けに馬の尻から滑り落ち、轟音もろとも地面を打った。

奥方が跳びあがった。「チャールズ！」メアリー王妃は天幕から飛び出し、平民の女のようにスカートをたくし上げ、芝生にじっと横たわる夫のもとに駆け寄った。

「わたしも行ったほうがいいみたい」アンも女主人のあとを追いかけた。

わたしは試合場にいる陛下に目をやった。従者が重い鎧を脱がせている。胸当てが取り去られると、白い布がひらひらと地面に落ちた。彼は気づかない。脛当《すねあ》てと腕の防具が取り払われ、彼は上着に袖を通し、きびきびとした足取りでぴくりとも動かぬ友にちかづいていった。メアリー王妃はサフォーク公のかたわらにひざまずき、その頭を腕に抱いていた。横たわったままの主人の重い鎧を従者が脱がせていた。ちかづいてくる兄を見て、メアリーはほほえみかけた。

「大丈夫よ。留め金で挟んだと言って、ピーターに悪態をついているところよ」

ヘンリーは笑った。「ありがたや！」

担架が運ばれてくると、サフォーク公は起き上がり、言った。「歩ける。死んでもいないのに、担架で運び出されてたまるか」

「さあ」ヘンリーが手を貸して彼を立たせた。男二人に両側から抱きかかえられ、最初は足を引き摺っていたが、なんとか歩けるようになった。

「心配いらぬ」ヘンリーが肩越しにメアリー王妃に言った。「われわれが面倒をみる。軽馬車かなにかを用意させ、一人で先に帰らせる」

メアリー王妃はその場で立ち止まった。王の小姓がわたしのスカーフを手に主人の後を追おうとするのを、彼女がとめた。「お手を煩わせてはなりません」きつい口調で言う。

小姓は慌てて立ち止まった。スカーフは握ったままだ。「これをお落としになりました、陛下。胸当ての中に入っておりました」

メアリー王妃はおざなりに手を差し出すと、小姓はスカーフを渡した。兄に助けられて屋敷に入ろうとする夫に、視線は向けたままだ。ジョン・ラヴィック卿が二人の先に立って扉を開け、召使いを呼んでいる。彼女はわたしのスカーフを手の中で丸め、ぼんやりと王妃の天幕へ戻った。進み出て彼女からスカーフを受け取ろうと思ったが、どう説明すればいいのかわからずためらった。

「彼は大丈夫なの?」キャサリン王妃が尋ねた。

メアリー王妃はなんとか笑みを浮かべた。「ええ。意識ははっきりしています。骨も折れていません。胸当てはへこんでいましたけれど」

「それはこちらにいただくわ」キャサリン王妃が言う。

メアリー王妃はしわくちゃのスカーフに目をやった。「これですか! 王の小姓から預かったものです。胸当ての中にあったとか」王妃に手渡す。夫以外のことには意識が向かないのだ。「彼のもとにまいります。アン、ほかの者たちも、正餐がすんだら王妃とご一緒に戻りなさい」

王妃がうなずくと、メアリー王妃は急いで屋敷に向かった。キャサリン王妃はわたしのスカーフを手に、その後ろ姿を見送った。思っていたとおり、彼女はゆっくりとそれを裏返した。極上の絹が彼女の指のあいだを滑る。縁取りをした隅に鮮やかなグリーンの絹糸で、頭文字が刺繍してあった。MB。彼女は咎めるように、ゆっくりとこちらを向いた。

「これはあなたのですね」人を蔑《さげす》むような低い声だった。戸棚の隅で見つけたネズミの死骸でもあるかのように、スカーフを指で摘《つま》んで腕をいっぱいに伸ばした。

「さあ」アンがささやいた。「受け取ってきなさい」彼女に背中を押され、わたしは進み出た。

わたしが手を差し出すと、王妃は指を離した。下に落ちる前に掴んだそれは、床を拭く雑巾のような気がした。

「おそれいります」わたしはへりくだって言った。


正餐の席で、王はわたしを見ようとしなかった。事故のせいですっかりふさぎこんでいた。憂鬱症は父王にも顕著で、現王の廷臣たちもこれには困り果てていた。

王妃はいつも以上に陽気に振る舞っていた。だが、どんな会話も、魅力的な笑顔も音楽も、王の気分を晴らすことはなかった。道化師のこっけいな仕草にも笑い声をあげず、ただ楽士の演奏に耳を傾け、浴びるほどに酒を飲んだ。王妃にできることはなにもなかった。王の不機嫌はひとつには彼女が原因だったからだ。王は妃がじきに閉経期を迎えると思い、その肩に死神を見ていた。あと十年、いや二十年は生きるかもしれない。だが、死神は血の道を干上がらせ、顔にしわを刻みつけている。妃は人生の後半にさしかかっているのに、世継ぎを儲けていない。馬上槍試合や歌や踊りに明け暮れることはできても、男子を皇太子としてウェールズに下らすことができなければ、王国の根本にかかわる務めを果たせないことになる。ベッシー・ブラントに産ませた庶子をプリンス・オブ・ウェールズにはできない。

「チャールズ・ブランドンはすぐによくなりますわ」王妃が話しかけた。食卓には砂糖漬けのスモモと、芳醇な甘いワインが用意されていた。王妃は口をつけたが、隣りで夫が、彼女を快く思わなかった父王そっくりの、やつれて暗い顔をしているのでは、味わうどころではなかったろう。「どうかご自身を責めないで、ヘンリー。公正な試合だったのですもの。あなたが彼の突きを受けたこともあったではありませんか」

陛下が体をひねって彼女を見た。その眼差しの冷たさに、見つめ返す妃の顔からほほえみが消えていった。どうしたのかと尋ねもしなかった。腹をたてている男に向かって、なにが問題なのかと訊くほど若くも愚かでもなかった。そのかわりに笑みを浮かべた。怯《ひる》むことなく、愛情のこもった笑みを浮かべ、王にグラスを掲げて見せた。

「あなたの健康に、ヘンリー」あたたかな口調だった。「あなたの健康と、きょう、怪我をしたのがあなたでなかったことを、神に感謝しましょう。これまでは、天幕から飛び出し、心配で心が張り裂けそうになりながら競技場に向かうのはわたくしでしたもの。あなたの妹のメアリー王妃にはお気の毒だけれど、怪我をしたのが陛下でなくてどんなにほっとしたことか」

「ほらほら」アンが耳元で言った。「あれこそが名人技よ」

それが功を奏した。彼の身になにかあったらと、恐怖に身を竦《すく》ませる女がいることに気をよくして、国王の顔から仏頂面が消えた。「そなたに一瞬たりとも不安を与えるつもりはない」

「あなたのことを案じ、わたくしは昼も夜も不安に慄《おのの》いておりますわ」キャサリン王妃はほほえんだ。「でも、あなたがお健やかでお幸せで、最後にはわたくしのもとに帰ってきてくださりさえすれば、なんの不平がありましょう」

「おやおや」アンが小声で言った。「これで王妃は王に許可を与え、あなたという棘《とげ》が抜かれることになる」

「どういうこと?」

「なに寝ぼけてるの」アンが辛辣に言う。「わからない? 王妃は王の憂鬱を晴らし、あとで自分のもとに戻るなら、あなたをお妾にしてもいいと言ったのよ」

ヘンリーがお礼にグラスを掲げた。

「それでこれからどうなるの? あなたはすべてお見通しなんでしょ?」

「まあ、しばらくはあなたを囲うでしょうね」どうでもいいというような口ぶりだった。

「でも、あなたは二人のあいだに割って入れない。あなたでは、王を繋ぎとめられない。たしかに王妃はもう若くない。でも、彼女は王を崇拝しているふりができ、彼にはそうされることが必要なの。彼がほんの子どもだったころ、王妃はこの王国で誰より美しい女だった。その絆を超えるのは大変よ。あなたにそれができるとは思えない。あなたはたしかに美しいし、恋に落ちかかっていて、それは好都合だけれど、あなたのような女では、彼を思いどおりにはできない」

「誰ならできるの?」無理だと決めつけられてくやしかった。「自分だって言いたいの?」

国王夫妻を見つめるアンは、まるで城壁を検分する包囲攻撃の専門家のようだ。その顔に浮かぶのは好奇心と専門家としての関心だけだった。「できるかもしれない」アンはつぶやいた。「でも難しい仕事になるわね」

「陛下がお望みなのはわたしよ、あなたじゃなくて」わたしは釘を刺した。「わたしの好意を望まれたのよ。胸当てにわたしのスカーフを入れていた」

「それを落として、気づきもしなかった」アンはいつもながら残酷に痛いところを突いてきた。「いずれにしたって、陛下がなにを望んでいるかは問題じゃない。彼は貪欲で、甘やかされてきた。なんでも望める立場にいる。でも、あなたにはそれができない」

「どうしてわたしにはできないの?」むきになって言った。「あなたには繋ぎとめられて、わたしにはできないと、どうして思うの?」

アンは氷の彫刻のような完璧に整った顔をわたしに向けた。「彼を操るには、自分が戦略の一部だということを一瞬でも忘れてはならないから。あなたは夫と仲睦まじく暮らすことには向いている。でも、ヘンリーを操る女は、彼の気持ちを操ることこそ自分の喜びだと思えなければね。どんなときにも。官能的快楽を求める結びつきではないけれど、ヘンリーにはそうだと思わせなければならない。途方もない技能が要求される情事なのよ」

正餐は五時に終わった。ひんやりとした四月の夕暮れだった。馬が屋敷の正面にまわされ、主人役に挨拶をして馬にまたがり、エルタム宮殿に戻った。テーブルを離れるとき、召使いが残り物のパンや肉を大きな籠に入れているのが見えた。厨房の戸口で安く売るのだ。国王の巡幸の後には、カタツムリが粘液を残すように、贅沢と不正行為と浪費が残される。貧しい者たちは、馬上槍試合を見物してから宮廷の正餐を見学し、宴の残り物を手に入れようと厨房の戸口に並ぶ。パンの切れ端やこそげ落とした肉、食べかけのプディング。無駄になるものはなにもない、貧しい者はなんでも持っていく。なにも残さないから、いたって経済的だ。

王家で働く使用人にとって、この臨時収入は大きな役得だ。どんな地位のどんな召使いも、ちょっとした不正を働いて小金を貯めている。厨房のいちばん地位の低い召使いは、パイから パイ皮を、たれからラードを、グレイビーソースから残り汁をくすねている。わたしの父はこの残り物の山の頂点にいる。いまや王室の金庫番だ。父はみながそれぞれ分け前を懐におさめるのを見て、自分でもそうしていた。王妃のそばに仕え、話し相手になるぐらいしかすることがないように見える侍女という職業は、女主人の鼻先で国王を誘惑し、女が女に与えうる最大の悲しみを生み出すのに誂《あつら》え向きだ。侍女も結局は打算で動く。正餐が終わり同席者があっちを向いている隙に行う秘密の仕事があり、それは約束というおこぼれと、前戯という食べ残しの砂糖菓子をめぐる仕事だ。

馬を進めるうちに日は落ち、空が灰色に変わり冷え込んできた。クロークを着てきてよかった。前を掻き合わせたがフードはかぶらなかったから、前方の道や、暗さを増す空や、淡い灰色の空に瞬く星がよく見えた。道中の半分ほど過ぎたころ、陛下の馬がわたしの馬に並んだ。

「楽しい一日だったかね?」

「陛下はわたくしのスカーフを落とされました」わたしはすねた顔で言った。「小姓がメアリー王妃に渡し、それをキャサリン王妃にお渡しになったのです。すぐにおわかりになりました。わたくしに返してくださいましたから」

「それで?」

多少の屈辱はあってしかるべきだ。キャサリン王妃は妃の義務として目を瞑《つむ》っている。けっして夫に文句を言わない。悩みごとは神に捧げる。それもひっそりとささやき声で祈りを唱えるだけだ。

「どうなることかと思いました」わたしは答えた。「そもそも差し上げるべきではありませんでしたわ」

「取り戻したのだからよいではないか」同情のかけらもない言い方だった。「そんなに大切なものなら」

「大切なものだと申し上げているわけではありません」わたしは言い募《つの》った。「王妃さまは、すぐにわたくしのだとおわかりになったのです。みなの見ている前で、お返しになりました。捨てたのです。わたしが摑まなければ、床に落ちていました」

「それがどうした？」口調はきつく、にわかに険悪な顔になった。笑みは消えていた。「それのどこが問題なのだ？　余とそなたが踊ったり話をしたりするのを、王妃は見ている。余がそなたに言い寄るのも見ている。あれの見ている前で、そなたは余に手を握られたではないか。あのときは逆らわず、小言も言わなかった」

「小言など申しておりません！」その言葉に傷ついた。

「いや、言った」彼はにべもなく言った。「理由もなく、それに、立場もわきまえず。そなたは余の愛人ではないのだぞ、マダム、まして妻でもない。誰にもとやかく言われるいわれはない。余はイングランドの国王だ。余の振る舞いが気に入らないのなら、フランスがあるではないか。いつでもフランスの宮廷に帰るがよい」

「陛下……わたくし……」

陛下が拍車を入れると、馬は速歩《トロット》から駆歩《キャンター》に移った。「失礼する」肩越しに言い、クロークをなびかせ、帽子の羽根飾りをはためかせ離れていった。わたしの返事も待たず、呼び戻す暇も与えずに。

その晩、アンは王妃の部屋から無言でわたしを寝室に連れ帰り、一部始終を聞きたがったが、とても話をする気にはなれなかった。

「話したくないの」わたしは頑《かたく》なに言った。「放っておいてちょうだい」

アンはフードをとり、髪をほどきはじめた。わたしはベッドに飛び乗り、ガウンを脱ぎ捨て、頭から寝巻きをかぶると、髪を梳《と》かさず顔も洗わないままシーツのあいだにもぐりこんだ。

「そのまま寝るつもりじゃないでしょうね」アンは呆《あき》れ顔で言った。

「もうお願いだから」枕に向かって言った。「放っておいて」

「陛下となにが……?」わたしの隣りに潜り込んできて、アンが言った。

「言わない。だから訊かないで」

アンはうなずくと、横を向いて蠟燭を吹き消した。

蠟燭の芯が焦げる匂いがした。まるで悲しみの匂いだ。暗闇にまぎれ、アンの監視の目を逃れて仰向けになると、頭上の天蓋《てんがい》を見上げながら、陛下の怒りがおさまらず、二度と顧みられなかったらどうしようと考えていた。

顔が冷たかった。頬に手をあてると涙で濡れていたから、シーツで拭った。

「今度はなんなの?」アンが眠たそうに言った。

「なんでもないわ」

「心を摑みそこねたな」エルタム宮殿の大広間で、長テーブルの上座からハワード叔父が咎めるように言った。背後の扉の前では、わが家の召使いたちが張り番をしており、ほかには大型猟犬二頭と、火の消えた暖炉の前で眠りこけている少年しかいなかった。反対側の扉はハワード家のお仕着せを着た従僕が固めている。国王が住むこの宮殿は、ハワード一族がこっそり陰謀を巡らすのにうまくできていた。

「王はおまえの手のうちにあったのに、取り逃がした。どんなしくじりを犯したのだ？」

わたしは頭を振った。秘めた思いを溢れさせるには、目の前のテーブルはあまりにもかたく、ハワード叔父はあまりにも冷酷無情だった。

「答えたらどうだ。おまえは寵愛を失った。王はもう一週間、おまえを見ようともしない。どんなしくじりを犯したのだ？」

「なにも」わたしは小声で答えた。

「なにかしたはずだ。馬上槍試合では、王はおまえのスカーフを胸当ての下につけていた。その後で、怒らせるような真似をしたにちがいない」

わたしは非難の眼差しをジョージに向けた。スカーフのことをハワード叔父に話せるのはジョージしかいない。兄は肩をすくめると、申し訳なさそうな顔をした。

「王がわたしのスカーフを落とし、小姓がそれをメアリー王妃に渡してしまったのです」緊張と悲しみで喉が塞《ふさ》がった。

「それで？」父が出し抜けに言った。

「彼女がそれを王妃に渡し、王妃がわたしに返されたのです」テーブルを囲む厳しい顔をひとつひとつ見ていく。「それがどういうことか、まわりはみなわかっていた」必死に言った。「戻ってくる途中、陛下に申し上げました。わたしの思いがばれてしまい、辛かった、と」

ハワード叔父は息を吐き出し、父はテーブルを叩いた。母はわたしの顔を見ることさえ厭わしいと言わんばかりに顔を背けた。

「なんということを」叔父は母を睨みつけた。「きちんと躾けてあると言ったではないか。物心ついてからずっとフランス宮廷で過ごしたというのに、干し草の山に隠れた羊飼いの娘みたいに、泣き言を言ったのか?」

「どうしてそんなことを?」母がそっけなく尋ねた。

わたしは赤面し、惨めな顔が磨きこまれたテーブルの表面に映るまで頭を下げた。「間違ったことだとは思わなかったのです」小声で答えた。「申し訳ありません」

「たいしたことありませんよ」ジョージがとりなすように口を挟んだ。「みんな悲観的すぎます。陛下だっていつまでも怒ってはいませんよ」

「熊のようにむっつりしておる」叔父が嚙み付くように言った。「いまこの瞬間にも、シーモア家の娘たちが王のために踊りまわっているとは思わぬのか?」

「メアリーほど器量のいい娘はいません」ジョージは自説を曲げなかった。「身の程知らずなもの言いも、すぐに忘れます。かえって気に入るかもしれない。躾が過ぎていないということですから。情熱を秘めている証《あかし》です」

その言葉に少し慰められて父はうなずいたが、叔父は長い指でテーブルを小刻みに叩いていた。「どうすればいいのだ?」

「よそへやればいい」だしぬけにアンが言った。最後に口を開く者がそうであるように、たちまちみなの注意を集めたが、自信に満ちた口調が気持ちを惹きつけたのでもあった。

「よそへ?」叔父が言う。

「そうです。ヒーヴァー城に。王には、病をえたと言うのです。悲嘆のあまり死にかけていると思わせるのです」

「それで、そのあとは?」

「それで、そのあとは、メアリーを取り戻したくなりますわ。あとはメアリーの思うがまま。メアリーがすべきなのは」――アンは棘のある笑みを浮かべた――「メアリーがすべきなのは、戻ってきたときに、全キリスト教圏でもっとも教養があり、もっとも機知に富み、もっとも美しい王子をも魅了できるというふうに振る舞うこと。彼女にそれができると思いますか?」

両親とハワード叔父、それにジョージまでもが言葉を失い、一様に冷ややかにわたしを見つめた。

「わたしも無理だと思います」アンは澄まして言った。「でも、わたしがメアリーに手ほどきして、王のベッドに潜り込ませるぐらいはできます。それからどうなるかは、神のみぞ知る、です」

ハワード叔父はアンをじっと見つめた。「王を繋ぎとめる術を教えることはできるか?」

アンは顔をあげ、叔父にほほえんだ。まさに余裕の表情だ。「もちろんですわ、しばらくのあいだなら。彼も所詮はただの男ですもの」

ハワード叔父は自分の性《せい》を軽くいなされたことに笑い声をあげた。「言葉に気をつけるんだな。われわれ男がいまの立場にいるのは、なにも偶然ではない。女という誘惑をよそに、大いなる権力の座につくことを選びとってきたからだ。その立場を利用し、そこに留まるための法を作ってきたからなのだ」

「おっしゃるとおりです。でも、いまは高度な政策の話をしているのではありません。国王の欲望を摑む話です。メアリーは国王の心を射止め、息子を孕むだけのあいだ、繫ぎとめればいいのです。ハワード家に王家の庶子をもたらせば。それだけで充分なのでは?」

「メアリーにそれができると?」

「やり方は学べます」アンは答えた。「途中まではきているのですもの。なんと言っても、選ばれたのですから」軽く肩をすくめる仕草から、国王の選択を重んじていないことは明白だ。

沈黙があった。ハワード叔父の関心は、わたしや、一族に子をもたらす牝馬としてのわたしの未来から離れていた。それよりも、まるで初対面の人に対するようにアンを見つめていた。「おまえの年頃の娘で、それほどしっかり物事を考えられる者はそうおらんだろう」

アンは叔父にほほえみかけた。「叔父さまと同じハワード家の人間ですから」

「おまえが自分で試してみようと思わないのが不思議だな」

「思いましたわ」アンは正直に認めた。「いまのイングランドの女なら、いやでも思うでしょう」

「だが?」叔父は先を促した。

「わたしはハワード家の人間です」アンは繰り返した。「肝心なのは、二人のうちどちらかが国王を射止めること。どちらでもいいのです。陛下の好みがメアリーで、メアリーが認知された息子を授かったら、わが一族は王国一の権力を摑めるのです。並ぶ者はいない。わたしたちにはそれができる。国王を意のままに動かすことができるのです」

ハワード叔父はうなずいた。国王の良心は飼いならされた獣のようなもの。呼べばすぐにやってくるが、不意に頑として動かなくなる。「おまえに礼を言わねばな。戦略を立ててくれた」

アンは叔父の感謝の言葉を聞き入れただけで、うなずきもしなかった。そうしていれば、しおらしく見えただろうに。うなずく代わりに、茎の先の花のように顔を巡らした。「もちろん妹には、陛下の寵愛を受けて欲しいですもの。叔父さまたちだけの関心ごとではありませんのよ」

叔父は頭を振り、母はあまりに自信過剰な長女をシッと制した。「いや、つづけさせろ」叔父が言った。「われわれに劣らず頭が切れる。それにアンの言うとおりだ。メアリーはヒーヴァー城に下がらせ、国王のお呼びがかかるのを待つのだ」

「きっと呼び戻されるわ」アンはしたり顔で言った。「きっと」

自分が荷物になったような気がした。ベッドに吊るすカーテン、それとも主賓席用の皿、広間の背の低いテーブルに置かれる白目《しろめ》（錫と鉛の合金）の器物のように、荷造りされ、国王を釣る餌としてヒーヴァー城に送られる。出発の前に陛下に会うことはなく、しばらく宮廷を離れることは口止めされていた。王妃には、体調不良でしばらく休ませてほしいと母から願い出た。気の毒に王妃は、自分が勝ったと思った。ブーリン一族は敗走するのだと。

二十マイルほどの道のりだった。道端で馬をとめ、持参のチーズとパンで食事をすませた。父は国王の覚えめでたい廷臣として知られていたから、道沿いのどんな邸宅ででも歓待されたはずだが、旅が中断されるのをいやがった。

本街道は轍《わだち》がつき、あちこちに窪みができていた。横倒しになって壊れ、そのまま放置された荷馬車の車輪がそこここにあった。けれども馬たちは乾いた地面を選んで進み、やがて道の状態もよくなり、キャンターをはじめた。道の両脇には白いジプシー・レースや大輪の白いヒナギクが咲きこぼれ、初夏の草が青々と茂っていた。いっぱいに葉をつけたサンザシの生垣にスイカズラが絡みつき、根元には紫青色のウツボグサが花をつけ、白に紫の筋の入った優美なタネツケバナがひょろっと茎を伸ばしている。その向こうの青々とした牧草地では、太った牛たちが草を食み、丘の上では、怠け者の少年が木陰で羊の群れの番をしていた。村はずれの共有緑地は、大半が区分けされ農地になっている。パレードの随行員よろしく、玉ねぎや人参が一列に並んでいるさまは壮観だった。村に入ると、田舎家の菜園は、タンポポにハーブ、野菜にサクラソウ、蔓を伸ばした豆、花をつけたサンザシの低木という秩序を欠いた取り合わせだ。そのひと隅は豚のために空けられて、裏口の堆肥の山に雄鶏が陣取っている。父は無言のまま満足げに馬を進めていた。わが領地に入ると道は下り坂になり、イーデンブリッジを過ぎ、濡れた牧草地を抜けてヒーヴァー城を目指した。道がぬかるむにつれて馬の歩みは遅くなったが、城まで間もなくだから父も辛抱していた。

城は祖父から受けついだもので、わが家の家系はそこがはじまりだ。祖父はノーフォークで年季奉公からはじめ、織物商としてそこそこの財産を築き、のちにロンドン市長にまでのぼりつめた。もっぱらハワード家におぶさっている形だが、それは母がノーフォーク公の娘、エリザベス・ハワードだからだ。つまり父にとって願ってもない縁組だった。父は母をまずエセックス州ロッチフォードの屋敷へ迎え、それからこのヒーヴァーに連れてきたそうだが、母は城の小ささと部屋の狭苦しさに仰天した。

母の気に入るようにと、父はすぐに城を改築した。まず、旧式で垂木が丸見えの大広間に天井をつけた。その上のあらたにできた空間に個室を設け、誰に気兼ねなく食事をしたりくつろいだりできるようにした。

父とわたしが門を潜ると、門番夫婦が転げるように出てきてお辞儀した。馬上から二人に手を振り、なおも砂利道を進んでゆくと、小さな木橋の架かる最初の川に行き当たる。わたしの馬はこの眺めが気に入らなかったらしく、空洞の木に響く蹄の音に立ち往生した。

「愚かな」父は言ったが、わたしのことを言ったのか、わたしの馬のことなのかわからない。父は自分の猟馬《ハンター》を先に進め、わたしの馬をあとにつかせた。危険がないとわかると、わたしの馬も御しやすくなった。そのまま列になって城の跳ね橋まで進み、そこで待っていると、番小屋から男たちが出てきて、馬を奥の厩に連れていった。男たちの手を借りて馬をおりたときには、長時間の騎乗で足ががくがくしていたが、父のあとから跳ね橋を渡り、門楼の落とし格子の恐ろしげな歯の下を潜り、城の狭い庭に足を踏み入れた。

玄関の扉は開いていて、執事と使用人頭が進み出て父に頭を下げた。そのうしろには五、六人の使用人が控えており、父はそちらに目を走らせた。お仕着せ姿の者もいたが、そうでない者もいた。二人の若い娘は、汚れ放題の麻のエプロンをはずすところで、下には上等なエプロンをつけていた。庭の端からこちらを窺う下働きの少年は、半裸で垢がこびりつき、ぼろをまとっている。父は無秩序とだらしなさを見て取り、領民に向かってうなずいた。

「よろしい」父は慎重な口ぶりで言った。「これはわたしの娘、メアリーだ。ミストレス・メアリー・ケアリー。部屋の用意はできているな?」

「もちろんです、サー」寝室係が頭を下げた。「準備はすべて整っております。ミストレス・ケアリーのお部屋も用意できています」

「食事は?」父が尋ねた。

「ただちに」

「食事は個室でとる。明日の正餐は大広間でとるつもりだから、村人たちを呼んでもかまわぬ。あすはみなの前で食事をするつもりだと伝えてくれ。だが、今宵は邪魔をされたくない」

若い娘の片方が進み出て、わたしに深くお辞儀をした。「お部屋にご案内いたしましょうか、ミストレス・ケアリー？」

父がうなずいたので、わたしは娘のあとにつづいた。広い玄関を入り、狭い廊下を左に曲がる。突き当たりの狭い石の螺旋階段を上がると、淡いブルーの絹のカーテンに小さなベッドのある小部屋がある。窓からは濠とその向こうに広がる敷地が見わたせた。扉を抜けると石造りの暖炉のある小さな柱廊で、母の気に入りの居間として使われている。

「洗面をなさいますか？」娘がおずおずと尋ね、冷たい水の入った水差しを指差した。「お湯をお持ちしましょうか？」

わたしは乗馬用の手袋を脱ぎ、彼女に預けた。「ええ」つかの間、エルタムの宮殿と媚《こび》へつらいの宮仕えを思い出した。「お湯と着替えを持ってこさせてちょうだい。この乗馬用の服を着替えたいわ」

娘は頭を下げると、石造りの階段をおりていった。ぶつぶつとつぶやく声が聞こえてくる。「お湯。着替え」忘れないように繰り返しているのだ。わたしは窓腰掛けに膝立ちになり、鉛枠の小さな窓から外を眺めた。

その日はずっと、ヘンリーや宮廷のことは考えまいとしてきたが、こうしてわびしく里帰りをしてみると、国王の愛だけでなく、すっかり身についた贅沢な暮らしも失ったのだと気づかされる。ヒーヴァー城のミス・ブーリンには戻りたくない。ケント州の小さな城主の娘には。わたしはイングランドで誰よりも愛される娘だった。ヒーヴァーは遠くあとにしたはず。二度と戻りたくなかった。

父は三日しか滞在しなかった。土地の差配人と打ち合わせをし、差し迫った用のある小作人と会い、境界を示す杭をめぐる争いを解決し、気に入りの牝馬の種付けの手配をすますと、出立の準備は整った。跳ね橋まで見送ったわたしは、さぞ悲壮な顔つきをしていたのだろう。鞍にまたがった父ですら気づいたのだから。

「どうかしたのか」父が励ますように尋ねた。「宮廷が恋しくなったとは言うまいな?」

「じつはそうなのです」わたしは言った。父にどれほど宮廷が恋しいかを話しても無駄だが、ほんとうに恋い焦がれていたのは、ヘンリーその人だった。

「責めるなら自分を責めるのだな」父ははっきりと言った。「おまえの姉と兄を信じるしかない。おまえによかれと思ってのことだ。信じないなら、あとはどうなるか神のみぞ知るだ。ケアリーにおまえをまたもらってくれと頼み、あの男が許してくれることを祈るしかあるまい」

わたしのぎょっとした顔を見て、父は声をあげて笑った。

父の馬に近づき、手綱を摑む長手袋をはめた手に手を重ねた。「もし陛下がお尋ねになったら、お伝えいただけますか。お気に障ったのなら申し訳ありませんでした、と」

父は頭を振った。「アンのやり方に従う。王を扱う方法を心得ているようだからな。言われたとおりにするのだ、メアリー。おまえは一度しくじった、今後は言いつけに従え」

「どうしてアンが指示する役回りなのですか？　なぜいつもアンの言いなりに？」

父はわたしの手から手を引きぬいた。「あれの肩にはちゃんと頭が乗っており、自分の価値をわかっているからだ」にべもない言い方だった。「それに比べておまえは、はじめて恋した十四の娘のように振る舞っている」

「でも、ほんとうにはじめて恋した十四の娘ですもの！」わたしは声を張りあげた。

「そのとおりだ」父は厳しい声音で言った。「だからこそアンの言うことを聞くのだ」

父は別れも告げずに馬の向きを変え、キャンターで跳ね橋を渡り、まっすぐ門に向かっていった。

振り返るかもしれないと思って手を振ったが、父は振り返らなかった。背を伸ばして前だけを見ていた。まさにハワード一族らしく。わたしたちはけっして振り返らない。後悔したり考え直したりする暇はない。ひとつの計画が失敗に終わったら、つぎを考える。手にとった武器が壊れたら、代わりを見つける。目の前の階段が崩れ落ちても、繋ぎ合わせてのぼりつづける。ハワード一族には前進と上昇あるのみ。父はちらりともわたしを振り返らず、宮廷に、国王のお側に戻っていった。

はじめの週が終わるころには、庭園の散歩道をすべて歩き、跳ね橋を起点としてあらゆる方向に敷地内を探索してまわった。城内にある聖ペテロ教会の祭壇に飾るタペストリー作りにとりかかり、空《そら》の部分を一平方フィート織り上げた。青ばかりで退屈この上ない作業だった。アンとジョージに宛てて三通の手紙を書き、エルタム宮殿へ届けさせた。使いの者は三度足を運んでくれたが、幸運を祈るという言葉以外手ぶらで戻ってきた。

二週目の終わりには、朝のうちに厩から馬を出させ、一人で遠乗りに出かけるようになっていた。無口な召使いがついてくるのも煩わしかった。苛立ちを隠そうと努めた。メイドがちょっとしたことをしてくれるたびにありがとうと言い、座って食事をし、司祭が祈禱するときには頭を下げた。宮廷がエルタム宮殿からウィンザー城へ移ったというのに、わたし一人ヒーヴァー城に囚われの身で、ほんとうは苛立ちに飛び上がり、叫び出したかった。宮廷から爪弾きにされている怒りを抑えようと、必死の努力をしていた。

三週目に入ると、あきらめの境地に到達した。誰からも便りはなく、ヘンリーはわたしを呼び戻すつもりはなく、夫は片意地な男だとわかった。国王の浮気相手――愛人にもなれない――という汚名をきせられた妻など、相手にする気はないのだ。そんな女は男の名を落とす。そんな女は田舎においておくにかぎる。二週目にアンとジョージに二度手紙を書いたが、返事はなかった。ところが三週目の火曜日に、ジョージから走り書きの手紙が届いた。

自棄《やけ》になるな――見捨てられたと思っていることだろう。彼はおまえのことを始終口にしている。おまえの魅力を思い出されるよう、ぼくから仕向けている。ひと月も経たずに使いが出されるはずだ。やつれた顔をしているんじゃないぞ！

ジョージ。

アンからの伝言で、じきに手紙を書くそうだ。

長い待ち時間のなかで、ジョージの手紙は一瞬の慰めにしかならなかった。ふた月目に入り、暦は五月に変わった。宮廷では遊山《ゆさん》や旅行の季節到来、一年でいちばん楽しい月だが、わたしには一日がただ長かった。

話し相手や相談相手は一人もいない。着替えをするときメイドとおしゃべりするぐらい。朝食は一人上座でとり、父に頼みがあって城を訪ねてくる者とそのとき言葉を交わすこともある。あとは庭を歩いたり、本を読んだり。

長い午後はハンターを駆って田園地帯を探索した。城を囲む小道や裏道がわかるようになり、小さな農場に住む小作人たちも幾人かは見分けがつくようになった。名前を覚え、畑に出ているところに行き会うと馬をとめ、なにを作っているのか、作柄はどうかと尋ねた。農夫たちにとって、いちばんいい季節だった。刈った草は列に並べて乾かし、完全に乾けば冬場の餌にするため積み上げておく。小麦、大麦、ライ麦が畑ですくすくと育ち、高さも穂の大きさも申し分のない生長ぶりだった。仔牛は母乳でまるまると太り、今年は羊毛を売ったらいくら儲かるか、州内のどの農家でも胸算用がはじまっていた。

いまは辛い農作業からつかの間解放される、暇な時季だった。収穫作業が本格化する前に、農夫たちは村の緑地で踊り、競走や運動を楽しむ。

はじめてブーリンの領地に入ったときには、右も左もわからなかったわたしが、いまでは農夫たちのことも、畑でなにを育てているかもわかっていた。食事の時間に村人がやってきて、村の取決めで割り振られた土地をきちんと耕していない者がいると苦情を言っても、すぐに話が呑み込めた。それというのも前日に、そのあたりに馬を走らせて、手入れの行き届いた共同耕地のなかに雑草がはびこる一角があることに気づいたからだった。食事をとりながら、作物を育てるのに使うつもりがないのなら土地は没収する、とその小作人に警告するのはわけもなかった。ホップを栽培する農民や、ブドウを作る農民とも知り合いになった。そこで、よいブドウが収穫できたら、そのときは父に頼んでロンドンにいるフランス人をヒーヴァー城に呼び、ワイン造りを教えてもらう手はずをつける約束をした。

毎日、馬を乗りまわすのは少しも苦ではなかった。わたしは戸外が好きだった。森を抜けるときは小鳥のさえずりに耳を傾け、道の両側の生垣に絡まるスイカズラの花の匂いを嗅いだ。陛下から賜った牝馬のジェスモンドもかわいかった。すぐに駆け出したがるところも、警戒して耳をぴくぴくさせるところも、人参を手に厩にちかづくとわたしに気づいていななくところも愛おしかった。川辺の牧草の瑞々しさ、白や黄色の花が交じってきらきらと輝くさま、小麦畑に燃えるように咲き乱れる赤いポピーも大好きだった。森を眺めたり、のんびりと弧を描き、ヒバリよりも高く空を旋回し、やがて大きな翼の向きを変え飛び去ってゆくノスリ（タカ科の鳥）を眺めるのも好きだった。

すべては埋め草だ。宮廷から離れ、ヘンリーと離れている時間を埋めるための手段だった。でもしだいに、たとえ二度と宮廷に戻れなかったとしても、少なくとも自分が公正なよき領主になるだろうという思いが芽生えてきた。イーデンブリッジ郊外の意欲的な若い農夫たちは、アルファルファ（マメ科の牧草）が売買されていることを知っていたが、誰が栽培し、種はどこで手に入るか知らなかった。そこでわたしはエセックスの父の領地の農夫に手紙を書き、種と助言をもらった。農夫たちはわたしがいるあいだにひとつの畑に種を蒔《ま》き、土壌との相性がよければべつの畑にも作付けすると約束してくれた。わたしはただの若い娘に過ぎないけれど、すばらしいことをしたのだと実感できた。わたしがいなければ、あたらしい作物で儲けている奴がいるのにと愚痴るだけだったろう。わたしの助力で彼らは挑戦でき、それが大きな利益を生み出せば、さらに二人の男たちが成功の階段をのぼることになる。祖父の出世物語を引き合いに出すまでもなく、彼らがどこまで昇りつめるか誰にもわからない。

農夫たちも喜んでいた。馬で畑のようすを見にいくと、彼らは長靴の泥をけり落としながら駆けよってきて、苗の育ち具合を説明してくれた。畑に興味をもつ領主を望んでいたのだろう。そういう主がいなかったあとで、わたしが現れた。作物に興味をもっているのなら、資金を出すよう説得できるかもしれない、と考えているのだ。貯めた金を投資してくれれば、みんなで金持ちになれるという寸法だ。

それを聞いて、わたしは馬上から彼らの日焼けした顔に向かって笑い声をあげた。「お金などありません」

「宮廷の貴婦人ではありませんか」一人が反論した。革の長靴の飾り房や象嵌《ぞうがん》の施された鞍、豪華な衣装、帽子に留めた金のブローチをじっと見つめている。「いま身につけておられるものは、おれの一年の稼ぎより多い」

「わかっています」わたしは答えた。「でも自由に動かすことはできない。身につけるだけです」

「でもお父上がお金を下さるでしょう、あるいはご主人が」もう一人の男が説得にかかった。

「トランプ遊びより、自分の畑に賭けるほうがましじゃありませんか」

「わたしは女です。自分のものなんてない。あなたはどうなの。暮らし向きがよさそうね——奥方が裕福なの?」

彼はそれを聞いておずおずと笑い声をもらした。「女房ですから。暮らし向きは同じです。でも、女房は自分のものなんて持っていない」

「わたしもそれと同じよ。わたしも父と同じように、主人と同じように暮らしている。妻として、娘としてふさわしい装いをする。でも自分自身ではなにも持てない。その意味では、わたしもあなたがたの奥方と同じように貧しいのよ」

「でも、あなたはハワード家のお方で、おれはただの男です」彼は言った。

「ハワード家の女です。ということは、この土地では指折りの有力者かもしれないけれど、あなたたちと同じようにただの女。場合によりけりね」

「というと?」彼は興味津々に尋ねた。

わたしに腹をたて、みるみる険しくなったヘンリーの顔を思い出した。「運任せ」

一五二二年夏

追放の身となってふた月半が過ぎた。六月に入り、ヒーヴァー城の庭に大輪のバラが咲き乱れ、むせかえるような甘い匂いが漂いはじめたころ、アンからの手紙が届いた。

用意は整いました。彼にあなたのことを話しました。あなたが思い焦がれていると。恋心をおおっぴらに表したことで家族から叱責を受け、彼を忘れるよう遠くにやられたと。女が嘆き悲しんでいると思うと興奮するのが、男のひねくれた性《さが》です。それはともかく、もう宮廷に戻っても大丈夫ですよ。わたくしたちはいまウィンザー城にいます。お父さまが、五、六人の供を連れてすぐに戻ってくるように、とおっしゃっています。正餐がはじまる前に、人目に触れぬようまっすぐわたしの部屋に来てください。どう振る舞えばいいか教えます。

ウィンザー城はヘンリーの城のなかでも一、二を争う優美な姿で、ベルベットに映える青白い真珠さながら、緑の丘に鎮座していた。国王の長旗が小塔にはためき、跳ね橋も開いて、荷車を押す行商人やエールを積んだ荷馬車がひっきりなしに行き交っていた。宮廷はまわりから富を吸い上げ、ウィンザーの住人たちも城の食欲を満たせば儲けられることを知っていた。

わたしは脇の扉から忍び込み、知り合いに見つからないようアンの部屋を探した。室内には誰もおらず、腰を落ち着けて待つことにした。予想どおり三時になると、アンが部屋に戻ってきてフードを脱ぎ、わたしの姿に飛びあがって驚いた。

「幽霊かと思った！　びっくりするじゃないの」

「人目につかないように部屋に来いと書いてよこしたのはあなたよ」

「ええ、これまでの経過を知らせたかったの。いま国王と話してきたところよ。馬上槍試合場でパーシー卿の試合を見ていたの。ああ、たまらない《モン・デュー》！　この暑さときたら！」

「なんとおっしゃっていた？」

「パーシー卿が？　ああ、彼はすばらしいわ」

「違うわ、陛下よ」

アンは焦《じ》らすような笑みを浮かべた。「あなたのことを尋ねたわ」

「なんて答えたの？」

「ちょっと待って」アンはベッドにフードを放り投げ、頭を振って髪をほぐした。黒い波のように背中に流れ落ちた髪を片手でひとまとめにして持ち上げ、うなじに風を当てた。「ああ、思い出せないわ。暑すぎて」

アンには人を焦らして喜ぶ悪い癖がある。彼女がフランス語で暑さに文句を言いながら顔を洗い、腕や首すじに水をかけ、また髪を結い直すあいだ、わたしは火の気のない暖炉の前の小さな木の椅子に座り、顔を向けさえしなかった。なにを言おうがしようが、じっと前を向いていた。

「やっと思い出したみたい」アンが根負けして言った。

「かまわなくてよ。正餐で直接お会いするから。陛下が話したいことを話してくれるでしょう。あなたの助けはいらない」

アンはたちまちカッとなった。「いるにきまってるでしょ！　どう振る舞うつもり？　なにを話せばいいかもわからないくせに！」

「彼をわたしに夢中にさせて、スカーフをくれと言わせればいいんでしょ」わたしは冷ややかに応じた。「食事のあと、礼儀正しくおしゃべりすればいいんでしょ」

アンは一歩下がってわたしをまじまじと見つめた。「やけに落ち着いているじゃない」

「考える時間はたっぷりあったもの」わたしは穏やかに答えた。

「それで？」

「自分の欲しいものがわかった」

アンはなにも言わない。

「陛下よ」

アンはうなずいた。「イングランドの女なら誰でもそう。あなたが自分は例外だと言うとは思っていない」

その皮肉にはとりあわなかった。「彼がいなくても生きていけることもわかったわ」

アンの目が細められた。「あなたは破滅よ、ウィリアムが引き取ってくれなければ」

「それにも耐えられるわ。ヒーヴァー城での生活が性にあったの。遠乗りしたり、庭を散歩することがね。三か月ちかく一人で暮らした。生まれてはじめての経験だったわ。それで、宮廷も王妃も陛下も、あなたさえ必要ないとわかった。馬で畑を見てまわるのが楽しかった。小作人たちと話したり、作物を眺めたり、その生長ぶりを見るのが楽しかった」

「小作人みたいに畑仕事をするつもり?」アンは嘲るように笑った。

「小作人と同じくらい幸せになれるわ」わたしはきっぱりと答えた。「陛下を愛している」

――短く息をつく――「ああ、それはもう心から。でも、すべてが裏目に出ても、わたしは小さな農場で幸せに暮らしていける」

アンはベッドの足元の衣装箱から新しいフードを引き出した。鏡の前で髪を撫でつけフードをつける。ドラマチックな面立ちが、たちまちあらたな優雅さをまとった。まちがいなく、本人もその効果を知っている。

「もしわたしがあなたなら、王を手に入れるか入れないか、二つに一つしかない」アンは言った。「そのチャンスが得られるなら、首を賭けてもいい」

「わたしはあの方が欲しい。国王であろうとなかろうと」

アンは肩をすくめた。「それは切り離せないものよ。彼をふつうの男として愛せるものですか。頭に戴いた王冠を忘れられるわけがないわ。あんな方は二人といない。この王国で最高の男よ。匹敵する男を探そうと思ったら、フランソワ王のいるフランスか、カルロス王のいるスペインに行くしかない」

わたしは頭を振った。「スペイン王にもフランス王にもお会いしたけれど、もう一度会いたいとは思わなかったわ」

アンは鏡から離れ、ボディスを少し引き下げ胸の丸みを覗かせた。「だとしたら、あんたは馬鹿よ」そっけなく言う。

身支度が整うと、アンに連れられて王妃の居所に向かった。「迎え入れてはくれるでしょうけど、あたたかい歓迎は期待しないことね」アンが肩越しにうなずくと、王妃の部屋の前に立つ衛兵が敬礼し、両開き扉を押さえてくれた。わたしたちブーリン家の二人の娘は、この城の半分は自分たちのものという態度で部屋に足を踏み入れた。

王妃は、涼しい夜気を求めて開け放った窓辺の腰掛けに座っていた。かたわらで専属の楽士がリュートを奏で歌っていた。侍女たちがまわりにはべり、縫い物をする者もいたが、正餐の呼び声がかかるのをぼんやり待つだけの者もいた。王妃は満足しきっているように見えた。夫の家で心を許した者たちに囲まれ、窓からウィンザーの町並みとその向こうの灰青色の川を眺めている。わたしを見ても表情を変えなかった。失望をあらわにするような教育は受けていないのだ。小さな笑みさえ浮かべた。「あら、ミストレス・ケアリー。お元気になって宮廷にお戻りに?」

わたしは深くお辞儀をした。「王后陛下のお許しがあれば」

「これまでずっと、ご両親の居城《きょじょう》におられたの?」

「はい、ヒーヴァー城におりました、陛下」

「骨休めができたのでしょうね。あのあたりには、羊と牛以外はなにもいないのではなくて?」

わたしはにっこりした。「農業地帯です」うなずいて言う。「でも、することはたくさんありました。馬で畑を見てまわったり、畑仕事をする者たちと話をしたり」

王妃が興味を覚えたのがわかった。長年イングランドに暮らしながら、狩りや遊山や夏の巡幸で行く土地しか知らないのだから。「国王陛下が、あなたに戻るようお命じになったの?」

アンが背後でシッと言ったが、わたしは気に留めなかった。現実離れした愚かな考えかもしれないが、この善良な女の偽りのない目を見ながら、嘘はつきたくなかった。「国王陛下がお召しになりました」恭《うやうや》しく答えた。

王妃はうなずくと、きちんと膝に重ねた手を見おろし、ぽつりと言った。「運がいいのね」

短い沈黙があった。わたしは言いたかった。あなたの夫を愛しているけれど、あなたには及びもつかぬ人間だと自覚している、と。彼女の魂は叩いて叩いて鍛え上げられ、ようやくほんものの音色を奏でるようになった。わたしたちが鉛と錫の混ぜものの白目であるなら、彼女は銀だ。

重厚な両開きの扉が開いた。「国王陛下のおなり！」お触れと同時にヘンリーが入ってきた。「正餐に連れにまいった」言いかけてわたしに気がつき、足を止めた。王妃の物問いたげな視線が、陛下の凍りついた顔からわたしの顔へ、また陛下の顔へと動いた。

「メアリー」彼が大声で言った。

わたしはお辞儀をすることさえ忘れ、ただ顔を見つめていた。

アンのたしなめるような舌打ちも耳に届かなかった。国王は三歩で部屋を横切り、わたしの手をとって胸に当てた。指がダブレット（ぴったりした上着で男の軽装）の刺繍を擦《こす》り、切れ込みを通して絹のシャツに触れた。

「愛しい人」彼がささやいた。「よくぞ戻ってきてくれた」

「もったいないお言葉です……」

「聞いた話では、そなたは戒めのためよそへやられたそうだな。懲りぬうちに呼び戻して、よかったのだろうか？」

「はい。ええ。よかったのです」わたしはしどろもどろだった。

「叱責を受けたのではないのか？」陛下が畳みかけた。

わたしは小さく笑い声をあげ、彼の熱いブルーの瞳を見上げた。「はい。小言を言われましたが、それだけのことですわ」

「宮廷に戻りたかったか？」

「ええ、それは」

王妃が立ち上がった。「では、正餐をとりにまいりましょう、みなさん」彼女がやさしく言うと、ヘンリーが肩越しに妃を見た。彼女はスペインの王女らしく堂々と手を差し出した。長い年月で身についた献身と服従から、ヘンリーは王妃に体を向けた。彼の関心を取り戻す術がわたしにはなかった。いかにも王妃然と立つ彼女の背後にまわり、腰を屈めてドレスの裾を直した。ずんぐりとした体型ながら、王妃は美しかった。顔に疲労を滲ませていても。

「ありがとう、ミストレス・ケアリー」王妃はやさしく言い、夫の腕に軽く手をかけて、わたしたちを正餐の席に誘った。国王は首を傾けて王妃の言葉に耳を貸し、二度と振り返らなかった。


正餐が終わるころ、ジョージが王妃のテーブルにやってきた。ワインと砂糖菓子の並ぶテーブルを、わたしたち侍女が囲んでいた。ジョージは砂糖漬けのスモモを手に持っていた。

「かわいい人《スウィート》に甘いもの《スウィーツ》を」彼は言い、わたしの額に口づけた。

「まあ、ジョージ。手紙をありがとう」

「絶望的な叫びで攻め立てられたからね。最初の週に手紙が三通。そんなに辛かった?」

「最初の週はね。でも、そのあとは慣れたわ。その月の終わりには、田舎暮らしが好きになっていた」

「ぼくたちはこっちで、おまえのために最善を尽くした」

「叔父さまも宮廷に？」わたしは周囲を見まわした。「お見受けしないけれど」

「いや、ロンドンのウルジーのところだ。心配するな、なりゆきは全部ご存じだから。おまえのことは気にかけており、いいかげんわきまえがついたろうと言ってらした」

テーブルの向かいでジェーン・パーカーが身を乗り出した。「侍女になるおつもり？」ジョージに言う。「わたしたちのテーブルについて、婦人用のスツールにお座りだから」

ジョージはやおら立ち上がった。「失礼いたしました、ご婦人がた。お邪魔をするつもりはありませんでした」

五、六人から、邪魔ではないと声があがった。兄はハンサムで、王妃の居所ではいつも歓迎されている。座に加わることに異を唱えたのは、たった一人、皮肉屋の婚約者だけだ。

ジョージは彼女の手を取ってお辞儀した。「ミストレス・パーカー、あなたのもとを去ることを思い出させてくれてありがとう」慇懃な言い方だが、苛立ちもあらわだった。腰を屈めてわたしの唇にキスし、耳打ちした。「成功を祈る、リトル・マリアンヌ。一族の期待を背負っているのだからな」

立ち去ろうとするジョージの手を摑んだ。「待って、ジョージ、訊きたいことがあるの」

兄は振り返った。「なんだ？」

摑んだ手を引っぱって腰を屈めさせ、耳元でささやいた。「彼はわたしを愛していると思う？」

「おっと」ジョージは上体を起こし、言った。「ああ、愛ね」

「そうよ、どう思う?」

彼は肩をすくめた。「それがなにを意味するのだ? 昼は詩に認《したた》め、夜は歌にして口ずさむが、愛なんてものが現実にあるかどうか、はなはだ疑問だね」

「もう、ジョージ!」

「おまえを欲しがっている。それは言える。おまえを手に入れるためならどんな苦労も厭わないだろうさ。それを愛と呼ぶなら、ああ、彼はおまえを愛している」

「それで充分よ」わたしはすっかり満足を覚えた。「わたしを欲しがっている、そしてどんな苦労も厭わない。わたしにはそれが愛に思えるわ」

ハンサムな兄が頭をさげた。「おまえがそう言うなら、メアリー。それで充分だと言うなら」ジョージは顔をあげ、慌てて後じさった。「陛下」

国王が目の前に立っていた。「ジョージ、妹を独り占めさせるわけにはいかん、宮廷中の嫉妬の的だぞ」

「仰せのとおりです」ジョージは宮廷人としての魅力を振り撒いた。「美しい妹が二人もいて、この世に憂いなどありません」

「踊ろうと思ってな。ミストレス・ブーリンをリードしたまえ。わたしはこちらのミストレス・ケアリーを受けもとう」

「喜んで」ジョージは答えた。あたりを捜すまでもなく、指を鳴らしただけで、いつもどおり抜かりなく、アンがかたわらに現れた。

「踊るぞ」ジョージが言った。

陛下が手を振ると、楽士たちがテンポの速いカントリーダンス曲を奏で、八人が輪になり、まずは片方へつぎは反対側へ流れるようにステップを踏んだ。円の向かいにジョージの見慣れた愛しい顔と、その隣りにアンの穏やかな笑顔があった。あたらしい本を熟読するときの顔だ。詩篇を読むときのように、陛下の気分を慎重に推し量ろうとしている。欲望の度合いを見極めようと、陛下からわたしに視線を移し、首を巡らさずに王妃の気持ちも測っていた。王妃がなにを見て、なにを感じているのか探り出そうというのだ。

つい笑みがこぼれた。アンと王妃は好敵手だと、わたしは思っていた。スペイン王女という化粧板の下を覗き込むことは誰にもできない。アンは人並み優れた宮廷人だとはいえ、父親は平民の出だ。そこへいくとキャサリン王妃は生まれながらの王女。言葉を話すようになった瞬間から、口を慎むことを教え込まれた。歩けるようになった瞬間から、足元に気をつけるよう教えられ、富者にも貧者にもやさしく語りかけるよう躾《しつけ》られてきた。富者と貧者両方の助けがいつ必要になるかわからないからだ。アンが生まれる前から、キャサリン王妃はきわめて競争の激しい、きわめて贅沢な宮廷でしのぎを削ってきた。

わたしと国王が寄り添い、熱い欲望を滾《たぎ》らせて見詰め合う姿を見せつけられ、王妃がどう耐えるか見物してやろう、とアンは思っているのだろう。だが、王妃は慎み深い好奇心以上の感情はけっして見せない。曲の終わりに手を叩き、一、二度、大きな声で賛辞を述べた。するとと唐突に踊りは終わり、演奏がやみ、いままでわたしたちを囲み、視線を遮る盾になってくれた踊り手たちもいなくなり、ヘンリーとわたしだけが取り残された。周囲の目に曝され、手を握り合ったまま。陛下はわたしを見つめ、わたしも無言で彼を見上げていた。視線を絡ませたまま、永遠とも思える時が流れた。

「ブラヴォー」王妃の声は落ち着き払い、自信に満ちていた。「とてもすばらしかったわ」


「きっと呼ばれるわ」その晩、部屋で着替えをしながらアンが言った。ドレスを振ってほこりを払い、ベッドの足元の衣装箱に丁寧に畳んでしまい、フードを横に並べると、ベッドの下に靴を並べて置いた。それから寝巻きを着て、鏡の前に座り髪を梳《くしけず》った。ブラシを手渡されたわたしが、腰まである長い髪を梳《と》かすあいだ、アンは目を閉じていた。

「今夜か、あすのうちにはきっと。行くのよ」

「もちろん行くわよ」わたしは答えた。

「いい、自分の身分を忘れてはだめよ」アンは釘を刺した。「戸口とか人目につかないところで、慌ただしくやらせてはだめ。ちゃんとした部屋で、ちゃんとしたベッドでなければ、と言うのよ」

「わかった」

「大切なことなのよ」アンは引き下がらなかった。「もし、娼婦みたいに簡単に手に入ると思われたら、抱くだけ抱いてすぐに忘れられるわ。できれば、もう少し引き伸ばせるといいのだけれど。お手軽な女だと思われたら、一度か二度お声がかかってそれで終わりよ」

わたしはアンのやわらかな髪を摑み、編みはじめた。

「痛い」彼女が悲鳴をあげた。「引っぱらないでよ」

「いろいろ煩《うるさ》いわね」言い返した。「わたしの好きなようにやらせてよ、アン。いままでもまずまずだったでしょ」

「ああ、そのことね」アンは白い肩をすくめ、鏡の中の自分に笑いかけた。「男を惹きつけるぐらい誰にでもできる。難しいのは繫ぎとめることよ」

扉がノックされ、二人ともびくっとした。アンの黒い目が鏡に向けられ、ぽかんと見返すわたしと目が合った。

「陛下じゃないわよね？」

わたしはすでに扉を開けていた。

そこに立っていたのはジョージだった。正餐のときに着ていた赤いスエードの胴衣姿で、切れ込みから上等の白いリネンのシャツを覗かせて、真珠が縫いつけられ刺繡のされた赤い丸帽を黒髪にのせている。

「やった《ヴィヴァ》！　やった《ヴィヴァ》ぞ、マリアンヌ！」ジョージは後ろ手に扉を閉めた。「一緒にワインはどうかとおまえを誘うよう、陛下に言われてきた。こんな遅くに申し訳ない。ヴェネツィアの大使がいま帰ったところなんだ。フランスとの戦争の話でだいぶ盛り上がり、いま陛下の頭にあるのは、イングランドと自分と聖ジョージ（イングランドの守護聖人）だけだ。おまえの好きにしていいんだぞ。ワインを一杯飲んで、この部屋に戻ってきてもいい。おまえの主人はおまえなんだから」

「いくらで?」アンが尋ねた。

ジョージは軽蔑するように眉をつりあげてアンを叱った。「少しは慎みを見せろ。なにも彼女を買おうというのではない。ワインを一杯どうかと誘っているだけだ。値段はあとで決めればいい」

わたしは頭に手をやった。「フード!」大声で言った。「アン、急いで! 髪を編んでちょうだい」

アンは頭を振った。「そのままで行きなさい。肩に髪を垂らしたままで。婚礼の日を迎える娘みたいに見えるわよ。そうじゃなくて、ジョージ? それこそ彼が望むものよ」

ジョージはうなずいた。「そのほうがきれいだ。ボディスを少し緩めるといい」

「淑女でないといけないのよ」

「少しだけさ」と、ジョージ。「男はこれから買うつもりのものを、ちらりと見たいものさ」

アンはボディスのうしろの紐をほどき、骨製のボディスを少し緩めた。それからウェストのところを引っぱり、ボディスがもっと下に、そそる位置にくるよう調整した。ジョージがうなずいた。「完璧だ」

アンはうしろに下がって、父が種付けをする牝馬を見るように、じろじろとわたしを見まわした。「ほかには?」

ジョージは頭を振った。

「体を洗ったほうがいいわ」不意にアンが言った。「腋《わき》の下とあそこは絶対に」

ジョージに助けを求めようと思ったが、彼も真顔でうなずいた。「ああ、そうだな。陛下は臭うものがなによりもお嫌いだ」

「さあ」アンが水差しと洗面器を指した。

「二人とも外に出て」わたしは言った。

ジョージが扉に向かった。「外で待つ」

「それからお尻もね」扉を閉めるときにアンが言い添えた。「念をいれてね、メアリー。すっかりきれいにしておくのよ」

若い貴婦人のものとはとても思えないわたしの言葉が、扉を閉める音で掻き消された。さっさと冷たい水で体を洗って拭いた。アンの花の香りの化粧水を首すじや髪、腿の付け根に振りかける。それから扉を開けた。

「きれいになった？」アンがきつい声で尋ねた。

わたしはうなずいた。

アンは不安げにわたしを見る。「じゃあ、行きなさい。少しは抵抗するのよ。多少のためらいを見せないと。彼の腕にただ倒れ込んではだめよ」

わたしはアンから顔を背けた。彼女はとんでもない思い違いをしているようだ。

「この子だって少しは楽しんでもいいじゃないか」ジョージがやんわりと言った。

アンは食ってかかった。「彼のベッドではだめ」噛み付くように言う。「自分のではなく、彼の快楽のためにいるのだから」

もはやその言葉は耳に入っていなかった。聞こえるのは激しい胸の鼓動だけ、わかっているのは陛下がわたしをお召しになり、そばにいられることだけ。

「さあ」ジョージに向かって言った。「行きましょう」

アンは踵《きびす》を返して部屋に戻った。「起きて待ってるわ」

わたしはためらった。「今夜は戻らないかもしれない」

アンはうなずいた。「そうだといいわね。どっちにしても待っているわ。炉辺で夜が明けるのを眺めている」

わたしがイングランド国王のベッドでぬくぬくと愛されているあいだ、アンが寝室で一人、わたしのために寝ずの番をしている光景が浮かんだ。「あなた、自分だったらよかったと思っているのね」不意に激しい喜びが湧いてきた。

アンはたじろがなかった。「あたりまえじゃない。相手は国王だもの」

「そして、彼はわたしを欲しがっている」その点を強調した。

ジョージは会釈して腕を差し出し、狭い階段をおり、大廊下を抜けて大広間へ向かった。わたしたちは繋ぎ合わされた幽霊のようにそこを抜けた。誰にも見られずに。厨房の下働きが二人、火を落とした暖炉の前で眠り込み、五、六人の男たちがテーブルに突っ伏して眠っていた。

上座のテーブルの脇を通り、国王の私室に通じる扉を抜けた。幅の広い階段があり、美しいタペストリーが掛かっていたが、月光に照らされて色彩は抜け落ちて見えた。謁見の間の入り口には衛兵が二人詰めていたが、黄金の髪を肩に垂らし、自信に満ちた笑みを浮かべたわたしを見ると、脇に控えた。

両開き扉の先の謁見の間を目にして、わたしは驚いた。人で溢れているところしか見たことがなかったからだ。国王の姿をひと目見ようと、人びとはここにやってくる。古参の廷臣に賄賂を贈り、国王の目に留まり、暮らし向きはどうか、望みはなにかと尋ねてもらうことを願い、ここに立つ許可を手に入れるのだ。大きな丸天井の部屋が、一張羅を着込み国王の注意を惹こうと必死の人で溢れていないのを見るのは、はじめてだった。いまはしんと静まり返り、薄闇に包まれている。ジョージがわたしの冷たい指先に手を押しつけた。

前方に王の居所に通じる扉があった。衛兵が二人、槍を交差させて立っていた。「参じるよう陛下から命を受けた」ジョージは手短に言った。

衛兵は槍を一度打ち鳴らして胸の前で捧げ持ち、礼をして扉を開けた。

陛下は毛皮で縁取ったベルベットのローブにくるまり、炉辺に座っていた。扉が開く音で椅子から立ち上がった。

わたしは低く膝を曲げてお辞儀した。「お呼びになりましたか、陛下」

彼の視線はわたしに釘付けだ。「そうだ。来てくれたことに礼を言う。会いたかった……話をしたかった……いささかその……」言葉が途切れた。「そなたが欲しかった」

わたしは一歩踏み出した。この距離ならアンの香水が匂うだろう。頭をつんとそらすと、髪の重みを感じた。彼の視線がわたしの顔から髪へ、また顔に戻った。背後で扉が閉じた。ジョージが無言で出て行ったのだ。ヘンリーは気づきもしない。

「光栄に存じます、国王陛下」わたしはつぶやいた。

彼は頭を振った。苛立っているのではなく、戯れに時間を無駄にできない男の仕草だ。

「そなたが欲しい」陛下ははっきりと繰り返した。まるで女が知る必要があるのはそれだけだと言わんばかりに。「そなたが欲しい。メアリー・ブーリン」

わたしはさらにちかづいた。体を投げ出す。あたたかな吐息を感じ、髪に唇が触れるのを感じた。もう前にもうしろにも動けなかった。

「メアリー」陛下のささやきは欲望で掠《かす》れていた。

「陛下?」

「ヘンリーと呼んでくれ。そなたの口から余の名前を聞きたい」

「ヘンリー」

「余が欲しいか? つまり、男として? 余がそなたの父の領地の農民だとして、それでも余が欲しいか?」わたしの顎に手をあてがって上向かせ、目を見つめた。あかるいブルーの瞳がじっと見おろす。恐る恐る彼の顔に手を当てると、カールした顎ひげのやわらかさが感じられた。わたしに触れられて彼は目を閉じ、顔を横向けてわたしの手に口づけた。

「はい」たとえ茶番でもかまわない。この男がイングランド国王以外の存在だとは想像もできない。わたしがハワードの人間であることを否定できない以上に、自分が国王であることを否定できないはずだ。「もしあなたがただの人間で、わたくしもただの人間であったとしても、あなたを愛します」わたしはささやいた。「あなたがホップ畑の農夫だとしても、わたくしは愛します。わたくしがホップを摘みにきた村娘であっても、愛してくださいますか?」

陛下はわたしを引き寄せ、あたたかい手をボディスに添えた。「愛するとも。そなたがどこにいようと、まことの愛の相手だとわかるだろう。余が誰であろうと、そなたが誰であろうと、そなたを見ればまことの愛の相手だとたちどころにわかるだろう」

最初はやさしく、つぎは激しく、陛下がわたしに口づけた。唇はとてもあたたかだった。手をとって天蓋のあるベッドにわたしを誘い、横たえた。アンが気を利かせて緩めたボディスからこぼれる胸の膨らみに、彼は顔を埋めた。

夜が明けると、わたしは片肘を突いて、鉛枠の窓から白みはじめた空を眺め、アンも日の出を見ているのだと思った。空に光が満ちるのを眺めながら、自分の妹が、国王の愛人に、王妃についで二番目に重要な女になったことを知ったのだ。窓腰掛けに座り、早起きの小鳥がためらいがちにさえずるのを聴きながら、アンはなにを考えているのだろう。国王に選ばれ、一族の野望を背負ったのがわたしであることを、どう思っているのだろう。国王のベッドにいるのが自分ではなくわたしであることを。

考えるまでもなかった。アンはいま、複雑な思いを嚙みしめているはずだ。いつもなら、彼女がわたしに感じさせる思いを。賞賛と嫉妬、誇りと闘争心、愛する妹の成功を見たいという気持ちと、ライバルが躓《つまず》くのを見たいという強烈な願望。

陛下が目を覚ました。「起きているのか?」半分めくれた上掛けの下から尋ねた。

「はい」わたしはとっさに身構えた。部屋を辞するべきなのだろうかと思ったとき、しわくちゃの寝具の下からまず頭が出てきた。笑っていた。

「おはよう、かわいい人。けさの気分はどうだね?」

その笑顔につられて、わたしもほほえみ返していた。「とてもよい気分です」

「楽しい気持ちかね?」

「いままでこんなに幸せだったことはありません」

「ではこちらへ」彼が腕を広げた。わたしは上掛けの下に滑り込み、麝香《じゃこう》の匂いのするあたたかな抱擁に身を任せた。力強い太腿を押し付け、肩に腕をまわし、陛下がわたしの首筋に顔を擦り付けた。

「ああ、ヘンリー」わたしは愚かしくも言った。「ああ、愛しい人」

「ああ、わかっておる」陛下が愛想よく言った。「もう少しこちらへ」

日がすっかり昇るまで陛下のところにいて、召使いたちが起きだしてくる前に自室に戻った。

国王手ずからガウンを着るのを手伝ってくれた。朝の冷え込みのなか、ボディスのうしろの紐を結び、ご自身のクロークで肩をくるんでくれた。陛下が扉を開けると、兄のジョージが窓腰掛けにぐったり座っていた。陛下の姿を目にすると、ジョージは立ち上がり、帽子を手にお辞儀をし、背後にわたしがいるのに気づき、にこやかにほほえんだ。

「ミストレス・ケアリーを部屋に送り届けろ」陛下が命じた。「それから寝室係を呼んでくれ、ジョージ。けさは早くから動きたい」

ジョージはもう一度お辞儀をして、わたしに腕を差し出した。

「それから余と一緒に礼拝に出るがいい」戸口で陛下が言った。「余の礼拝堂に来てもいいぞ」

「光栄に存じます」ジョージは宮廷人が望みうる最高の栄誉を、平素と変わらぬ無頓着さで受け入れた。私室の扉が閉じられるとき、わたしは膝を折っていたが、すぐに謁見の間を抜け、大広間に向かった。

最下層の召使いを避けるには遅すぎて、火を絶やさないために雇われている少年たちが、大広間で大きな丸太を引き摺っていた。床を掃除する少年もいれば、食事をした場所で眠り込んだ兵士たちもいて、目を覚ましてあくびをしながらワインの強さに悪態をついていた。

わたしは陛下のクロークのフードで乱れた髪を隠し、足早にそっと大広間を抜け、王妃の居所へつづく階段を駆けあがった。

ジョージのノックを受けてアンが扉を開き、わたしたちを中に引き入れた。睡眠不足で青ざめ、目は赤かった。嫉妬に苦しむ姉の姿が、わたしには快かった。

「それで?」アンは鋭い口調で訊いた。

わたしはベッドの乱れのない寝具をちらりと見た。「眠らなかったのね」

「眠れるもんですか。あなたも少ししか眠っていないといいけれど」

わたしはあからさまな言葉から顔を背けた。

「さあ、教えてくれ」ジョージが言った。「すべてとどこおりなく運んだかどうか知りたいだけなんだ、メアリー。それに父上も母上もハワード叔父上だって知る必要があることだ。話すことに慣れたほうがいい。個人的な問題ではないのだから」

「この世にこれ以上個人的なことはないわ」

「あなたの場合は違う」アンは冷たく言った。「いつまでぼうっとしてるの。抱かれたの?」

「そうよ」わたしは短く答えた。

「二度以上?」

「ええ」

「ありがたや!」ジョージが言った。「やったぞ。ぼくはもう行かねば。一緒に礼拝に出ようと陛下に言われている」わたしをきつく抱きしめた。「よくやった。あとで話そう。もう行かないと」

ジョージが不注意にも扉をバタンと閉めると、アンは軽く舌を鳴らし、衣装箱に向かった。

「クリーム色のガウンを着るといいわ」とアン。「娼婦に見える必要はないもの。お湯を運ばせるわ。お風呂に入りなさい」片手をあげてわたしの抗議を制した。「いいえ、入るの。つべこべ言わないで。それから髪も洗うのよ。無垢な姿にならなければ、メアリー。そんなふしだらな格好はやめるの。早くガウンを脱いで、王妃と礼拝に行くまでに一時間もないのよ」

わたしはいつもどおりアンの言葉に従った。「でもわたしのために喜んでくれているのでしょ?」ボディスとペチコートを脱ごうと格闘しながら尋ねる。

鏡に映ったアンの顔には激しい嫉妬が浮かんでいたが、まつげを伏せた瞬間に消えた。

「一族のために喜んでいるわ。あなたのことなんて考えたこともない」

国王は礼拝堂を見わたす専用の柱廊《ギャラリー》で、朝の祈りを聴いていた。わたしたちは隣接する王妃の礼拝堂に列になって入った。懸命に耳をそばだてたが、聞こえるのは、礼拝堂で礼拝を執り行う司祭を見守る陛下の前に、書類を差し出して署名を求める書記の声だけだった。陛下は先王の慣習に従い、朝の礼拝を聴きながら政務を執るのだが、それで政務が神聖なものになると考える者が大勢いた。その一方、わたしの叔父のように、国王が仕事をさっさと片づけたがっていると考え、片手間でやっているような印象を受ける者もいた。

わたしは王妃の礼拝堂のクッションに膝を突きながら、クリーム色のガウンが揺れて腿の形がほのかに浮き彫りになるのを見ていた。いまでも脚のあいだの感じやすい部分に、陛下のぬくもりを感じ、唇にキスの味が残っていた。アンにせっつかれてお風呂に入ったのに、陛下の胸から顔や髪に滴り落ちた汗の匂いを嗅ぐことができるような気がした。目を閉じたのは祈るためではなく、官能に浸りたかったからだ。

王妃が隣りにひざまずいていた。顔は厳めしく、重そうな切妻型のフードの下で首はすっと伸びている。ガウンの襟元が少し開いているので、そこから指を入れ、いつも素肌につけている馬《ば》巣《す》織《お》りのシャツ（苦行僧が身につける着心地の悪いシャツ）に触れることができる。厳粛な顔はやつれていた。ロザリオを手にうつむくと、張りのない顎と頬の皮膚がたるみ、きつく閉じた目の下には袋ができた。

礼拝がいつ終わるともなくつづいていた。公文書で気を紛らわせられるヘンリーが羨ましかった。王妃が集中を乱されることはなく、ロザリオを手繰《たぐ》る指がとまることもなく、祈るあいだ目は閉じたままだった。礼拝が終わり、司祭が聖杯を白い布で拭って持ち去るとようやく、王妃はため息をついた。誰にも聞こえないことを耳にしたかのように。それから振り向いて、侍女たちみんなに、わたしにさえ笑顔をくれた。

「さあ、朝食をいただきましょう」王妃は楽しそうに言った。「陛下がご一緒してくださるかもしれません」

陛下の部屋の前にさしかかると、わたしの歩みはつい鈍った。ヘンリーが声もかけずにわたしを行かせるはずがない。扉の前でぐずぐずしていると、わたしの欲望を読みとったように兄のジョージが勢いよく扉を開け、大きな声で言った。「おはよう、わが妹」

ジョージの背後にヘンリーの姿があった。書類からはっと目を上げ、戸口に立っているわたしを認めた。アンが選んでくれたクリーム色のガウンを着て、若々しい顔にかかる豊かな髪をクリーム色の頭飾りで押さえたわたしを。陛下が欲望のため息を洩らすのを聞き、顔が火照《ほて》り、笑みがこぼれた。

「ごきげんよう、陛下。それにお兄さまも」わたしはやさしく言いながら、ヘンリーから片時も目を離さなかった。

陛下は立ち上がり、わたしを招き入れるように手を差し出したが、書記の姿を見て動きをとめた。

「そなたと朝食を共にしよう。王妃にすぐ行くと伝えてくれ。終わったらすぐに行くと、この……この……」曖昧な物言いは、なんのための書類なのかさっぱりわかっていないことを告げていた。

それから、密猟者のカンテラに引き寄せられる鮭のように部屋を横切ってきた。「それで、けさの気分はどうだね？」わたしだけに聞こえるよう、小声で尋ねた。

「元気にしております」陛下の真剣な顔を、いたずらっぽく見上げた。「少し疲れてはおりますが」

この告白に陛下の目が躍った。「あまりよく眠れなかったのか、かわいい人？」

「ほとんど眠れませんでした」

「ベッドが合わなかったのかな？」

言葉に詰まった。即興の言葉遊びはアンほど得意ではない。正直に言うしかなかった。

「陛下、ベッドはとても気に入りましたわ」

「また寝てみたいと思うかね?」

わたしは愉快になり、うまい答を思いついた。「まあ、陛下。すぐにまた寝てみたいと思う自分を持て余しておりますわ」

陛下は頭をのけぞらせて笑い、わたしの手をとって裏返し、掌に唇を押し当てた。「マイ・レディ、そなたは命じるだけでいい。身も心もそなたの僕《しもべ》だ」

うつむいて掌に押しつけられた陛下の口元を見つめ、目が離せなくなった。陛下が顔をあげると、目と目が合った。たがいの中に欲望を読み取った。

「もう行きませんと」わたしは言った。「王妃さまが心配されます」

「あとから行く。かならず」

わたしは彼にほほえみ、踵を返して柱廊を行く侍女たちの列に加わった。急ぎ足の踵がコツコツと石を叩く音が聞こえ、絹のガウンがサラサラと擦れる音が聞こえた。目覚めた体のあらゆる部分で、自分は若く美しく愛されているのだと感じていた。イングランド国王その人に愛されているのだと。

彼は朝食にやってきて、ほほえみながら腰をおろした。王妃はわたしの火照った顔や光沢のあるクリーム色のガウンを一瞥し、顔を背けた。楽士を呼んで食事のあいだ演奏させ、自分の主馬頭を呼んだ。

「きょうは狩りにお出ましに、陛下?」王妃が快活に尋ねた。

「さよう。一緒に来たい者はおるかね？」陛下が言う。

「もちろんおりますよ」王妃はいつもの朗らかな口調で答えた。「マドモアゼル・ブーリン、ミストレス・パーカー、ミストレス・ケアリー、三人とも乗馬が好きでしたね。陛下と遠乗りに行きたいのでは？」

ジェーン・パーカーが、最後に名前が挙がったわたしに意地悪な視線をよこした。知らないのだ。わたしは内心で悦に入った。勝った気でいればいい。知らないのだから。

「ぜひ陛下と遠乗りに行きとうございます」アンがしとやかに言った。「わたくしたち三人とも」


厩の前の広い中庭で、陛下が大型のハンターにまたがり、わたしは厩番の手を借りて、陛下から贈られた馬に乗った。女性用のサイドサドルの角のように飛び出した鞍頭《くらがしら》を右脚でしっかりと挟み、ガウンの裾を直した。どんなにささいなことでも見逃すまいと、アンがいつものようにわたしをじろじろと眺めまわしたが、羽根飾りのついたお洒落なフランスの乗馬帽をかぶった頭を軽く前に倒したので、わたしは胸を撫でおろした。アンも厩番を呼んで鞍にまたがり、わたしの隣りに馬をつけ、陛下に目をやりながら身を乗り出した。

「もし森の奥であなたを抱きたいと言われたら、いやだと言うのよ」アンが耳打ちした。「ハワードの娘であることを忘れないで。ほんもののふしだら女じゃないんだから」

「でも陛下が望むなら……」

「もし望むなら、待てるはずよ」

猟犬係が角笛を鳴らすと、中庭にいた馬がそろって勇み立った。ヘンリーが興奮した少年のように笑いかけてきたので、わたしも笑顔を返した。わたしの牝馬、ジェスモンドはばねのように飛び出し、狩猟頭が跳ね橋を渡っていくあとをトロットで追いかけた。白にぶちのある猟犬の群れが馬のまわりを埋めつくした。よく晴れた日だったが、暑すぎはせず、涼しい風が牧草を揺らしていた。トロットで町を抜けると、干し草作りの農夫たちが草刈り鎌に寄りかかってわたしたちを眺め、鮮やかな色の貴族的な乗馬服に気づくと帽子をとり、国王の旗を目にすると膝を突いた。

わたしは城を振り返った。王妃の居所の窓が開いていて、黒っぽいフードと青白い顔がこちらを見ているのがわかった。正餐の席で顔を合わせるときには、わたしたちが馬を並べ、一日の娯楽に出かけていくところなど見ていないという顔で、ヘンリーやわたしにほほえみかけるのだろう。

猟犬の声の調子がにわかに変わったと思うと、ふいに静かになった。猟犬係が角笛を吹いた。長く大きな音は、犬たちが手がかりを見つけたという合図だ。

「ようし！」ヘンリーが叫び、拍車をあてて馬を走らせた。

「あそこ！」わたしも大きな声をあげた。前方の木立が途切れた空き地に、大きな牡鹿の姿があった。追跡から逃げるために枝角《えだづの》をうしろに倒している。たちまち猟犬たちが牡鹿の背後に集まり、興奮した吠え声のほかはほとんどなにも聞こえなくなった。犬たちは下生えに突っこみ、わたしたちは手綱を引いて待った。猟犬係は不安げにその場からトロットで離れ、木々のあいだを縫うように馬を操って、鹿が飛び出してくるのを待っている。そのとき猟犬係の一人が、鐙《あぶみ》の上に立ち角笛を大きく吹いた。わたしの馬はその音に興奮して棹立ちになり、彼の方に向きを変えた。わたしは無様に鞍頭にしがみつき、たてがみを摑み、泥のなかに転げ落ちさえしなければ、どう見えてもかまわないと思っていた。

牡鹿が飛び出し、命を賭してでこぼこの地面を駆け出し、冠水牧草地《ウォーターメドウ》から川につづく森を目指した。すかさず犬たちがあとを追い、馬たちが猛スピードでつづいた。蹄の音が響き、跳ね上げられた泥が顔に飛んでくるので目を細め、ジェスモンドの首にしがみつき、さらに駆り立てた。帽子が脱げて宙を舞ったかと思うと、目の前に夏の白い花をつけた生垣が現れた。ジェスモンドが力強い後肢《こうし》を畳んで力を蓄え、ひと跳びで垣根を越え、着地するとすぐに体勢を立て直し、最速のギャロップで走り出した。陛下はわたしの前にいて、しだいに距離を縮めつつある牡鹿にじっと注意を向けていた。ピンがはずれて髪が小波のように広がり、顔に風を受け、わたしは箍《たが》が外れたように笑った。ジェスモンドが笑い声を聞きつけて耳をうしろに倒したが、手前にぬかるみのある生垣にちかづくとぴんと前に向けた。ジェスモンドはわたしと同時にそれに気づき、ほんの一瞬だけ動きを止めたが、猫のような跳躍を見せた。四肢がいちどきに地面を離れて垣根を飛び越える。ジェスモンドの蹄が生垣を擦ったとき、押し潰されたスイカズラの芳香が鼻をくすぐった。わたしたちはいっそう速度を増して走りつづけた。前方に小さい茶色の点が見えた。川を渡ろうと力強く泳ぐ牡鹿だ。狩猟頭は必死に笛を吹き、犬が鹿を追って川に入るのをとめようとした。土手を下り、獲物が浅瀬に着いたところでけしかけようという算段らしい。けれども犬たちは興奮しすぎて笛など耳に入らない。猟犬係が飛び出したが、猟犬の半分が川に入ったあとだった。急流に流される犬もいて、川の深いところではなす術がない。ヘンリーは馬をとめ、混乱に拍車がかかるのを眺めていた。

陛下が腹をたてるのではと恐れたが、頭をのけぞらせ、鹿の狡猾さにしてやられたというように笑い出した。

「さあ、行け！」陛下が鹿に向かって叫んだ。「おまえを料理せずとも鹿肉は口に入る！たんまり持ってきておる！」

まわりから笑いが起きた。まるで国王がとびっきりの冗談を言ったように。狩りがうまくいかず王が機嫌を損ねたらどうしようと、みんなひやひやしていたのだ。ほっとした笑顔を眺めていると、たった一人の男のご機嫌とりに汲々とする人生のなんと愚かなことと、胸を衝《つ》かれる思いがした。でもそのとき、わたしに笑いかける陛下を見て、少なくとも自分には、ほかに道はないのだと知った。

陛下は、泥の飛んだ顔ともつれた髪に目を留めた。「野良仕事のあとのようだ」その声から、まわりのみんなも欲望を聞きとったはずだ。

わたしは手袋をはずし、もつれた髪をひねってたくし込もうと無駄な努力をした。それから、顔を横に向けたまま笑みを浮かべ、言葉の裏の隠微な意味は理解したが、応えるつもりのないことを匂わせた。

「どうぞお静かに」わたしはやさしく頼んだ。陛下の真剣な顔の向こうで、ジェーン・パーカーがアブを呑み込んだように息を詰まらせた。これでようやくわかったろう。ブーリン家の人間に示す態度には気をつけたほうがいいことに。

陛下が馬からおり、馬番に手綱を預けてわたしの馬にちかづいてきた。「さあ、おりるのに手を貸してやろう」その声はあたたかく、誘いかけていた。

わたしは鞍頭から膝をはずし、馬の横腹を滑ってその腕に体を預けると、陛下は軽々とわたしを抱え、地面に立たせてくれた。でも、わたしから手を離そうとしない。みなの見ている前でわたしの両頰に口づけた。「そなたは狩りの女王だ」

「花の冠をかぶせましょう」アンが声をあげた。

「そうだな！」陛下はその考えが気に入り、またたく間に廷臣の半分がスイカズラの花輪を編みはじめ、わたしは甘い香りの冠をもつれた金茶色の髪に戴いた。

料理を載せた荷馬車が到着し、陛下のお気に入りの五十人のために天幕が張られ、それ以外の者のために椅子とベンチが置かれた。王妃が婦人用の小型乗馬で到着したとき、国王の左隣りにいたのは夏の花の冠を戴いたわたしだった。

あくる月、イングランドはとうとうフランスとの戦争に突入した。正式に宣戦布告がなされ、スペイン王カルロスがフランスの心臓部に槍のごとく軍隊を送りこみ、同盟を結んだイングランド軍はカレー（英国領一三四七～一五五八）の要塞から南下してパリを目指した。

　戦況を知るため、宮廷はシティの近くにとどまっていたが、夏の疫病がロンドンに蔓延したため、病を忌み嫌うヘンリー王は、ただちに夏の巡幸に出発することを決めた。わたしたちは逃げるようにハンプトン・コートへ移動した。王の命令で、口に入るものはすべて周辺から取り寄せ、ロンドンからのものは受け付けなかった。都の不衛生な地区に住む商人や貿易商、画家たちの随行は禁止した。川のほとりに建つ清潔な宮殿なら、疫病から免れられるはずだとヘンリー王は考えていた。

　フランスからの知らせはよく、シティからの知らせは悪かった。ウルジー枢機卿の計らいで、巡幸はまず南に向かい、それから西を目指した。有力者たちの邸宅を泊まり歩き、仮装舞踏会や晩餐会、狩りに遊山に馬上槍試合に興じながら、ヘンリー王は少年に戻ったように移りゆく景色に心を奪われていた。通り道に住む廷臣たちは、恐るべき散財ではなく最上の喜びであるかのように王をもてなさねばならなかった。美しい田園を王妃は王と並んで馬を走らせ、疲れると輿《こし》に乗って移動した。夜になればわたしが呼ばれることもあったが、昼のあいだは、陛下の心遣いも愛情も王妃に向いていた。彼女の甥を王に戴くスペインだけが、ヨーロッパで唯一の同盟国であり、彼女の実家との緊密な関係がイングランド軍を勝利に導くのだ。けれども、キャサリン王妃は夫にとって戦中時の同盟国以上の存在だった。わたしがどれほど歓ばせようと、彼はキャサリン妃のもの――かわいい甘ったれのゴールデンボーイなのだ。わたしやほかの女をいくら自室に呼ぼうとも、二人の揺るぎない愛情が脅かされることはなかった。それははるか昔、この王がもっと愚かで身勝手で、しかもまだ皇太子ではなかったころに、すでに皇太子妃であった彼女とのあいだに芽生えた愛情だ。

一五二二年冬

クリスマスのあいだ、宮廷はグリニッジ宮殿に置かれ、十二日間にわたり、昼も夜も豪勢な宴が繰り広げられた。クリスマスの祝宴局長――サー・ウィリアム・アーミティッジ――は日夜頭を絞って趣向を凝らした。午前中は戸外で過ごし、ボートレースや馬上槍試合、アーチェリーの試合、熊いじめ、闘犬や闘鶏、軽業師や火食い奇術師などの旅回りの一座を見物し、広間で上等のワインやエールやスモールビア（ビール粕を洗った水などから造る弱いビール）とともに豪華な午餐をとった。毎日、マジパンで飾りをつけた芸術品のようなプディングが供された。午後は気晴らしに散歩をしたり歓談したり、踊りや仮面劇に興じた。それぞれに役が割り振られ、衣装があてがわれた。できるだけ楽しく振る舞うことが、わたしたちの使命だった。冬のあいだ、国王の笑い声が途切れることはなく、王妃のほほえみも絶えることはなかった。

フランスへの進軍は決着のつかないまま、冬の到来で終わりをみた。だれもが春になればふたたび戦闘が始まり、イングランドとスペインが手を携えて敵に立ち向かうことを予想していた。イングランドの国王とスペイン出身の王妃は、そのクリスマスの時期、あらゆる意味で固く結ばれ、週に一度はかならず二人きりで食事をし、その晩王は后のベッドで眠った。でも、それ以外の夜はかならず、アンとわたしの部屋にジョージが現れ、こう言うのだった。「陛下がお呼びだ」するとわたしはいとしい人のもとへ、わたしの王のもとへ駆け出していく。

そのまま朝を迎えることはなかった。クリスマスにグリニッジ宮殿に招かれたヨーロッパ各国の大使たちの前で、王が妃にそんな仕打ちをするはずがなかった。スペイン大使はとりわけ礼儀にうるさい人で、王妃とも懇意だった。宮廷でのわたしの役割を知っていたので、彼はわたしを嫌っていた。わたしだって、頬を紅潮させ髪を振り乱して国王の私室から出たとたん、彼と鉢合わせはしたくない。大使が礼拝にやってくる数時間前に、陛下のあたたかなベッドから抜け出し、大あくびのジョージと自室に戻るほうがはるかにましだ。

アンはいつも起きて待っていた。エールをあたため、暖炉に火を熾《おこ》して部屋もあたためておいてくれる。わたしがベッドに飛び込むと、ウールのショールで肩をくるんでくれ、隣りに座ってもつれた髪を梳《と》かしてくれる。ジョージはそのあいだに薪を足し、自分のカップに口をつける。

「疲れる仕事だな、これは」ジョージが言った。「おかげで午後になると居眠りがでる。目を開けていられないんだ」

「わたしだって、午餐のあと、いつもアンにベッドに連れていってもらってるわ、まるで子どもみたいに」わたしも恨めしげに言った。

「だったらどうしたいの?」と、アン。「王妃みたいにやつれ果てたい?」

「たしかに王妃は潑剌としてはいない」ジョージもうなずいた。「具合が悪いのかな?」

「たんに歳のせいよ」アンが冷ややかに言った。「いつもいつも幸せそうにしているのだもの。さぞ疲れるでしょうね。ヘンリーはさぞ楽しんでおられるのでしょうね?」

「さあ、どうかしら」わたしが気取って言ったので、三人とも笑い声をあげた。

「クリスマスに特別な贈り物をやろうと言われた?」アンが尋ねる。「あるいはジョージにでも? わたしたちの誰かに?」

わたしは頭を振った。「なにも言われてないわ」

「ハワード叔父さまが、わが家の紋章入りの金の杯を、あなたから陛下にお渡しするようにと送ってきたわ。戸棚に安全にしまってある。かなり値が張るものよ。見返りがあればいいのだけれど」

うとうとしながらうなずいた。「そういえば、びっくりさせることがあると言ってたわ」

たちまち二人が身構えた。「あした造船所に連れていきたいって」

アンはばかにするように眉根を寄せた。「贈り物をくださるという意味かと思ったわ。わたしたちみんな行くの? 宮廷中が?」

「ほんの数人よ」わたしはしだいに眠りに引き込まれていった。アンがベッドを出て動きまわり、衣装箱からわたしの服を取り出し、朝着るために並べているのがわかった。

「赤い服がいいわね」と、アン。「白鳥の胸羽の縁取りのある赤いケープを貸してあげるわ。川のほとりは冷えるから」

「ありがとう、アン」

「あら、あなたのために言っているなんて思わないで。一族の発展のためにやっているの。あなた一人のためなんかではないわ」

その声の冷ややかさに肩を丸めたが、疲れすぎていて言い返す元気もなかった。ジョージがカップを置き、椅子から立ち上がる気配がした。それからアンの額にやさしく口づけた。

「大変な仕事だが、やるだけの価値はある」ジョージが静かに言った。「おやすみ、アンナマリア――おまえは自分の務めを果たせ、ぼくは自分の持ち場に戻る」

アンの蠱惑的な笑い声が聞こえた。「グリニッジの娼婦とは高貴なお役目よね、お兄さま。またあした会いましょう」


アンのケープはわたしの赤い乗馬服にぴったりで、そのうえフランス製の粋な乗馬用の帽子も貸してくれた。ヘンリー、アン、わたし、ジョージ、夫のウィリアム、ほかにも五、六人の供と一緒に川沿いに馬を進め、国王の新しい船を建造中の造船所に向かった。晴れた冬の日で、川面は陽光を浴びて煌めき、両岸は水鳥や、温暖なウォーターメドウで越冬するためロシアから渡ってきた雁《がん》の啼き声で賑々《にぎにぎ》しかった。ガアガアという絶え間ない啼き声に、アヒルやシギやダイシャクシギの啼き声が重なりその騒々しいこと。わたしたちは数人ずつのグループで川沿いを走った。わたしの馬は陛下の大型のハンターと張り合い、両脇をアンとジョージが固めた。ドックがちかくなると、陛下がキャンターからトロットに落とし、最後は常歩《なみあし》にした。

わたしたちの姿を見た親方が出て来て、帽子を脱ぎ陛下にお辞儀をした。

「乗馬のついでに様子を見にきた」陛下が馬の背から笑いかけた。

「光栄でございます、国王陛下」

「それで進み具合は？」陛下は鞍からおり、控えていた馬番に手綱を預けた。それからわたしを抱えおろし、手をとって乾ドックに導いた。

「さて、あの船をどう思う？」巨大な木製ローラーに載った建造中の船のオーク材の側面を見上げ、陛下が言った。「とりわけ美しい船になると思わぬか？」

「美しく危険な船です」わたしは銃眼を見ながら言った。「これほどのものは、フランスにはありません」

「いかにも」陛下が誇らしげに言う。「昨年、これと同じような美船が三隻あったら、港に逃げ帰るフランス軍を壊滅し、いまごろは名実ともにイングランドとフランスの王となっておったろう」

わたしは口ごもった。「フランス軍はとても手ごわいと聞いています」思い切って言った。

「そして、フランソワ王は勇猛果敢だと」

「見かけだけだ」機嫌を損ねたようだった。「虚仮威《こけおど》しにすぎぬ。余がカレーから攻め、スペインのカルロスが南で待ちうける。二人でフランスを分け合うのだ」それから船大工に顔を向けた。「いつ完成する?」

「春には」船大工が答えた。

「製図工は来ているか?」

船大工はうなずいた。「まいっております」

「そなたのスケッチを描かせたいのだ、ミストレス・ケアリー。少しのあいだポーズをとってくれるか?」

うれしくて顔が赤らんだ。「もちろんですわ、陛下がお望みなら」

陛下が船大工にうなずくと、彼は平甲板から下の波止場に向かって叫び、やがて男が走ってきた。わたしは陛下の手を借りてはしごをおり、鋸《のこぎり》で挽《ひ》かれたばかりの厚板の山に腰をおろした。ホームスパンの服を着た若者が手早くわたしの顔を描いた。

「その絵をどうなさるおつもりですか?」唇に笑みを浮かべたまま尋ねた。

「あとのお楽しみだ」

絵描きが紙を置いた。「もうけっこうです」

陛下が手を差し出してわたしを立たせた。「では、いとしい人よ、城に帰って食事をとろう。ウォーターメドウを城までギャロップしよう」

馬番たちは馬が風邪をひかないよう歩きまわらせていた。陛下はわたしを鞍に乗せ、自分の馬にまたがった。肩越しにみなの準備がよいかたしかめる。パーシー卿がアンの馬の腹帯を締めており、アンは馬上から思わせぶりな笑みを向けていた。太陽が冬の冷たい空を淡い黄色に染めるなか、グリニッジ宮殿へと戻っていった。

クリスマスの正餐は一日中つづき、その晩はきっと召されると思っていた。ところが王は妃のもとを訪れると知らせがあり、王が取り巻きと酒を飲み終え、王妃のベッドにお越しになるまで、ほかの侍女たちと一緒に待つことになった。

アンが縫いかけのシャツをわたしに押しつけ、隣りに腰をおろした。わたしの広がったスカートの上に座ったので、アンが動かないかぎり立ち上がれなかった。「もう、放っておいてよ」声をひそめて言った。

「その惨めったらしい顔をなんとかしなさい」アンも小声で返した。「楽しそうに縫い物をするの。犬をけしかけられた熊みたいにむっつりしていたら、どんな男もあなたを欲しがらないわ」

「でも、クリスマスの夜を彼女と過ごすなんて……」

アンがうなずいた。「理由を知りたい？」

「ええ」

「どこかの卑しい占い師が、今夜男の子に恵まれると彼に言ったの。妃が秋には子を産んでくれることを期待してるの。男ときたら、なんて馬鹿なのかしら」

「占い師？」

「そうよ。王子が生まれると予言したの。ほかの女をすべて捨てれば。誰がお金を出したのか、尋ねてまわる必要もない」

「どういうこと？」

「わたしの推測だと、その占い師をさかさにして揺すったら、ポケットからシーモア家の金貨が転がり落ちてくるでしょうね。でも、もう遅い。あとの祭りよ。王は今夜から十二夜（降誕日から十二日目の祝日の前夜祭）が終わるまで、ずっと王妃のベッドで過ごすでしょうね。だから陛下がお勤めを果たすためにそばを通りかかったら、自分が失ったものを思い出させてやりなさい」

わたしは縫い物の上に屈み込んだ。シャツの裾に落ちた涙を指で拭うのを、アンに見られた。

「馬鹿ね」ぞんざいな言い方だ。「取り戻せばいいのよ」

「彼が王妃と寝るなんて耐えられない」わたしは小声で言った。「王妃のことも、いとしい人と呼ぶのかしら？」

「でしょうね」アンは容赦なかった。「いちいち言い方を変えるほど機転の利く男はそういないから。でも、お勤めを果たしたあと、また周囲を見まわすでしょうから、そのとき視線を捉えてにっこりほほえめば、またあなたに白羽の矢が立つわ」

「心が張り裂けそうなのに、どうすればほほえむことができるの？」

アンはくすりと笑った。「まったく悲劇のヒロインね！　心が張り裂けていても笑えるのは、あなたが女で、宮廷人で、ハワードの人間だから。その三つを備えた人間は、この世でもっとも人を欺くことに長《た》けているから。シーッ――おなりよ」

最初にジョージが現れて、わたしに軽く笑ってみせてから王妃の足元にひざまずいた。王妃は頬をバラ色に染めて手を差し出した。国王がやってくるせいで喜びに顔が輝いていた。陛下がわたしの夫のウィリアムとともに現れた。パーシー卿の肩に手をかけている。立ち上がりお辞儀をするアンとわたしの前を通り過ぎるとき、陛下は軽くうなずいただけだった。まっすぐ王妃のもとに行き、唇にキスし、先に立って私室に入っていった。小間使いたちもあとにつづいたが、まもなく出てきて扉を閉めた。わたしたちは沈黙のうちに取り残された。

ウィリアムがあたりを見まわして、わたしにほほえみかけた。「これはこれは、妻どの」楽しげに言った。「いまの居所にまだいるつもり？　それとももう一度、ぼくをベッドの供にしてくれるつもりはあるかな？」

「それは王妃と叔父の命令しだいだ」ジョージがかたい口調で答えた。ベルトに差した剣へと手を滑らせた。「マリアンヌは自分で選べるわけではない。きみも承知のように」

ウィリアムは挑発には乗らず、わたしに悲しげな笑みをよこした。「落ち着けよ、ジョージ。わざわざ説明してもらうまでもない。百も承知だ」

わたしは顔を背けた。パーシー卿がアンをアルコーブに連れ込んでなにか話しかけ、アンが蠱惑的な笑い声をあげた。わたしが見ているのに気づいて、アンが大きな声で言った。

「パーシー卿がわたしにソネットを書いてくださっているのよ、メアリー。韻を踏んでいないって、教えてさしあげて」

「まだ途中だもの」パーシー卿が反論した。「一行目を聞かせただけなのに、きみときたら手厳しすぎる」

「『麗しき人――そなたは蔑《さげす》みをもって我を遇し――』」

「すばらしい書き出しだと思いますわ」わたしは元気づけるように言った。「あとはどうつづくのです、パーシー卿?」

「どう考えてもよい書き出しとは言えないな」と、ジョージ。「求愛の歌を〝蔑み〟などという言葉ではじめるとは、ひどすぎる。もっとやさしくはじめないと」

「ブーリンの娘にやさしさを示されたら、そのほうが驚きだ」ウィリアムの口調には棘があった。「もちろん求愛者によるだろうが。でもそれを言うなら――ノーサンバーランドのパーシーなら、やさしくもしてもらえるだろう」

アンはおよそやさしくない目で義弟を睨んだが、ヘンリー・パーシーは詩作に夢中だったので、ウィリアムの言葉は耳に入っていなかった。「さてつぎの行だけれど、まだできていない。なんたらかんたら、なんたらかんたら、とつづいて、わが痛み、となる」

「すごい! 〝蔑み〟と〝痛み〟、韻を踏んでるじゃないか!」ジョージが嫌味たらしく言った。「だんだんわかってきたぞ」

「でも詩を書くなら、イメージを膨らませなければだめよ」アンがヘンリー・パーシーに言う。「恋人に詩を捧げるのなら、彼女をなにかに喩えて、その喩えにひねりを利かせ、洒落た結末につなげるの」

「どうやって?」パーシーが問い返した。「きみをなにかに喩えることはできない。きみはきみだ。きみをなにに喩えればいいのだ?」

「うまいじゃないか!」ジョージは満足そうに言った。「なあ、パーシー、きみには詩作より会話のほうが向いている。ぼくがきみなら、片膝を突き、彼女の耳元でささやく。散文に徹すれば、道は開ける」

パーシーはにやりと笑ってアンの手を取った。「夜の星よ」

「なんたらかんたら、なんたらかんたら、わが喜びよ」アンがすかさず応じた。

「ワインでも飲もう」ウィリアムが口を挟んだ。「目もくらみそうなウィットにはついていけない。誰かサイコロをやらないか?」

「やろう」ウィリアムがわたしに絡んでくる前に、ジョージが名乗り出た。「いくら賭ける?」

「では、二クラウン」と、ウィリアム。「ギャンブルのつけを負う相手として、きみを敵にまわしたくはないからね、ブーリン」

「ほかの理由でも同じさ」ジョージは甘い声で言った。「とくにこちらのパーシー卿が、闘いについて勇ましい詩を書いてくれるときにはね」

「なんたらかんたら、なんたらかんたらでは、勇ましくなりようがないわね」アンが言った。

「それに彼の詩は、それ以上進まないのよ」

「ぼくはまだ見習いの身だからね」パーシーが威厳をもって言った。「恋人見習いで詩人見習い、そんなぼくをきみはすげなく扱う。『麗しき人――そなたは蔑みをもって我を遇し――』まさに、真実だ」

アンは笑い声をあげ、手を差し伸べてキスを受けた。ウィリアムはポケットからサイコロを取り出し、テーブルに転がした。わたしはワインをついでグラスをウィリアムのかたわらに置いた。愛する男が隣りの部屋で妻と床入りしており、わたしは自分の夫に給仕することで不思議と慰められていた。わたしは厄介者なのだろう。このままずっとこちら側にいることになるのだろうか。

真夜中までサイコロ遊びをつづけていたが、陛下は出てこなかった。

「どう思う?」ウィリアムがジョージに訊いた。「陛下が王妃と朝まで過ごすおつもりなら、ぼくたちも寝室にさがっていいのではないかな」

「行きましょう」アンが有無を言わせずわたしの手を摑んだ。

「もう?」パーシーが懇願するように言う。「でも、星は夜に瞬くものだよ」

「夜明けとともに消えるものよ」アンが言い返す。「この星は、闇に姿を隠すの」

わたしはアンとともに立ち上がった。夫が少しのあいだわたしを見つめる。「おやすみのキスをしてくれ、妻どの」

わたしはためらい、それから彼のそばに行った。夫は頰におざなりのキスを受けると思っていたようだが、わたしは屈み込んで唇にキスした。唇が触れたとき、彼が反応したのがわかった。「おやすみなさい、旦那さま。それからクリスマスおめでとう」

「おやすみ、妻どの。今夜きみと一緒なら、ぼくのベッドはさぞあたたかいだろうに」

わたしはうなずいた。言えることはなにもなかった。そんなつもりはなかったのに、王妃の私室の閉じた扉に目がいった。わたしの崇拝する男が、この扉の向こうで妻の腕に抱かれて眠っている。

「男はみな、最後は妻のもとに戻るんだろうな」ウィリアムが静かに言った。

「そのとおり」ジョージはテーブルに積まれた勝利金を掻き集めて帽子で受け、上着のポケットに落とした。「隣り同士で埋葬されるのだから、生前どう思っていようとね。ぼくの身になってくれ。ジェーン・パーカーと一緒に塵になるんだぜ」

ウィリアムまでもが笑い声をあげた。

「いつの予定なのだ？」パーシーが訊いた。「きみの幸せな婚礼は」

「夏至を過ぎたあたりさ。ぼくの忍耐力がそこまでもてばの話だが」

「持参金はたっぷりだろう」ウィリアムが言った。

「それがなんだ？」パーシーが声を荒らげた。「愛こそがすべてではないか」

「いかにも王国屈指の富をもつ男の台詞だ」ジョージが皮肉たっぷりに言う。

アンがパーシーに手を差し伸べた。「お気になさらないで、閣下。わたくしも同じ考えです。愛こそがすべて。少なくとも、わたくしはそう思います」

「嘘ばっかり」うしろで扉が閉まるや、わたしは口を開いた。

アンが小さく笑った。「問題はわたしが誰に言ったかよ、なにを言ったかではなく」

「ノーサンバーランドのパーシー？　ノーサンバーランドのパーシーを相手に、愛のある結婚の話をしたということ？」

「そのとおりよ。あなたは好きなだけ、自分の夫に間の抜けた笑顔を見せていなさい、メアリー。わたしは、あなたよりはるかにいい結婚をしてみせる」

一五二三年春

新年を迎えてから数週間のあいだ、王妃はふたたび若さを取り戻したように見えた。温室でバラが花開くように、顔色もよく口元にはいつも笑みがこぼれていた。ガウンのしたにいつも着ていた馬巣織りのシャツをやめ、隠しようがなかった首や肩のざらつきは、喜びが擦り落としてくれたのか消え去っていた。変化の原因を王妃は誰にも明かさなかったが、小間使いたちのあいだでは、月のものが来ず、占い師の見立てが正しかったとささやかれた。王妃は身籠ったのだ。

これまで何度も産み月を迎えられなかったことを考えれば、王妃が私室の祈禱台に膝を突き、聖母マリアの像を仰ぎ見ているのももっともなことだった。毎朝そこで、片手をお腹に当て、もう片方を祈禱書に置き、目を閉じ恍惚とした表情を浮かべていた。奇跡は起こるものだ。きっと王妃に奇跡が起きているのだろう。

小間使いたちは、二月に入っても王妃の下着がまだきれいなままだと噂しあった。国王に告げる日もまぢかだろう。すでに彼は吉報を待つ男の表情をしており、わたしなど眼中になかった。わたしは王の前で踊り、彼の妻に付き添い、侍女たちの含み笑いに耐え、ただのブーリン家の娘に戻った。もはや寵姫ではなかった。

「耐えられないわ」アンに言った。わたしたちは王妃の居所の炉辺に座っていた。ほかの人たちは犬の散歩に出たが、わたしとアンは残った。川から霧が出て、底冷えのする日だった。毛皮の裏地がついたガウンを着ていても体がぶるぶると震えた。陛下がわきを通り過ぎて王妃の部屋に入っていったあのクリスマスの夜以来、わたしは体調がすぐれなかった。あれから一度も召されていない。

「堪《こら》えているみたいね」アンは満足げに言った。「それが国王を愛するということよ」

「ほかにどうしようがある？」我ながら哀れな声だ。手暗がりなので窓腰掛けに移動した。王妃の手伝いで貧者のためにシャツを縫っていた。それが年寄りの労働者たちのものだからといって、手抜きが認められるわけではなかった。縫い目を確認して不ぞろいな仕上がりだと思ったら、王妃はにっこり笑ってやり直しを命じるだろう。

「もし王妃に子どもが生まれ、それが男の子だったら、ウィリアム・ケアリーのところに戻って自分の家族を作ればいいのよ」と、アン。「王は妃の言いなりになるだろうから、あなたの栄光の日々も終わり。その他大勢になるのよ」

「陛下はわたしを愛している」自分の耳にも頼りない声に聞こえた。「その他大勢ではないわ」

顔を背け、窓の外を見た。ベッドの下の埃のように、川霧が深く立ち込めている。

アンは乾いた笑い声をあげた。「あなたはいつもその他大勢だったわ」けんもほろろに言う。「ハワード家の娘みたいなのは大勢いるのよ。育ちがよくて、躾が行き届いていて、美人で若くてたくさん子どもを産める。なかには運がいいのもいるだろうと、次々にテーブルに載せられる。手に取られては捨てられても、たいした痛手は受けない。いつだって別の〝ハワード家の娘〟が控えていて、いつだってつぎの娼婦が育てられている。あなたは生まれる前からその他大勢だった。あなたが見限られてウィリアムのもとに戻ったら、また国王を誘惑する〝ハワード家の娘〟を見つけ出し、もう一度踊りがはじまる。失うものなんてなにもないわ」

「わたしには失うものがあるわ！」わたしは声を荒らげた。

アンは首を傾《かし》げてわたしをじっと見つめた。子どもじみた情熱にどれぐらい本物が混ざっているのかを見極めようと。「そうね。たぶん。あなたには失うものがある。純潔、初恋、信頼。心が張り裂けそうなのね。その傷が癒えることはないのでしょうね。愚かでかわいそうなマリアンヌ」やさしく言う。「一人の男の命令で、もう一人の男を歓ばせ、あとに残るのは胸の痛みだけ」

「それで、わたしの後釜は誰？」苦痛を嘲りに変えて尋ねた。「国王のベッドに送られる次の〝ハワード家の娘〟は誰だと思うの？　ちょっと待って——もう一人のブーリンの娘？」

アンは含みのある視線をこちらに向け、黒いまつげを伏せた。「わたしではない。わたしには自分の計画があるもの。手に取られ、捨てられるような危険は冒さないわ」

「わたしにはそうしろと言ったじゃない！」

「あなたにはね。わたしはあなたのような人生は送らない。あなたは言われるまま。決められたところにお嫁にいって、命じられるままベッドに向かう。わたしは違う。わが道を行くわ」

「わたしだってわが道を行く」

アンは疑わしげな笑みをよこした。

「ヒーヴァー城に戻って、そこで暮らすわ。宮廷にはとどまらない。捨てられたら、ヒーヴァー城に戻ればいい。最後にはその道が残っているわ」

王妃の居所に通じる扉が開き、小間使いが王妃のベッドのシーツを抱えて出てきた。

「シーツを変えろとお命じになるのは、今週、これで二度目よ」侍女の誰かが苛立たしげに言った。

アンとわたしはすばやく視線を交わした。「汚れたの？」アンが尋ねた。

小間使いは無礼にもアンを見返した。「王妃のシーツがですか？　イングランド王妃の寝具を見せろとおっしゃるのですか？」

アンは長い指をハンドバッグに伸ばし、銀貨を手渡した。小間使いは勝ち誇った笑みを浮かべ、銀貨をポケットにしまった。「少しも汚れておりません」

アンはそれ以上追及せず、わたしは小間使いのために扉を押さえてやった。

「ご親切に」べつの小間使いが、召使いに気を遣うわたしに驚いた顔で言い、うなずいた。

「汗が臭うのですよ、お気の毒に」小間使いはそっとつぶやいた。

「なんですって？」わたしは訊きかえした。フランスのスパイが大金を払ってでも手に入れたいと願い、あらゆる廷臣が喉から手が出るほど欲しがっている情報が、向こうから転がり込んできたことがにわかには信じられなかった。「王妃は寝汗をかかれているの？　更年期に入られたと？」

「たとえまだでも、時間の問題です」小間使いは答えた。「お気の毒に」

大広間に行くと、召使いが正餐のために架台式テーブルを用意している横で、父がジョージと話し込んでいた。わたしに気づくと手招きした。

「お父さま」わたしは膝を折った。

父はわたしの額にそっけないキスをした。「娘よ。なにか用だったのか？」

わたしの名前すら忘れてしまったのではと、一瞬ぎょっとした。「王妃は身籠っておられません。けさ、月のものがありました。この数か月なかったのは年齢《とし》のせいでしょう」

「ありがたや！」ジョージは大喜びだ。「クラウン金貨を賭けよう。これはいい知らせだ」

「最高だ」と、父。「われわれにとっては最高であり、イングランドにとっては最悪の知らせだ。王には伝わったのか？」

わたしは頭を振った。「月のものがはじまったのはきょうの午後です。まだ陛下にはお会いになっていません」

父はうなずいた。「われわれが先に知ったわけだな。ほかに知っている者は？」

わたしは肩をすくめた。「王妃の下着をとりかえる小間使いと、それを買収している者。たぶんウルジー、でしょうね。おそらくフランス人も」

「王に伝える役につくなら急がないとな。わたしから言ったほうが？」

ジョージは頭を振った。「あまりに個人的なことです。メアリーにやらせたら？」

「失望の瞬間に立ち会わせることになる」父は思いを巡らせた。「やめたほうがいいだろう」

「ならばアンです」と、ジョージ。「メアリーを思い出してもらうには、ぼくらのうちの誰かが話をしないと」

「アンならできるだろう」父もうなずいた。「あれならネズミの臭いからイタチを遠ざけることができる」

「アンなら庭にいます」わたしは言った。「アーチェリーの射撃場に」

わたしたち三人は大広間から明るい春の日差しのもとに出た。黄色いラッパズイセンが寒風に吹かれ、太陽に向かって揺れていた。射撃場には数人の宮廷人が集い、そのなかにアンがいた。わたしたちの見ている前で、アンは前に進み出て的を狙い、弓を引いた。弓の弦《つる》が鳴り、ズンと音がして矢が的の中心に当たった。ぱらぱらと拍手が起こった。ヘンリー・パーシーが的からアンの矢を抜き、わが物顔で自分の矢筒に納めた。

アンは笑いながら矢を返してと手を差し出し、ふとこちらに視線を向けわたしたちに気づいた。すぐさま仲間から離れ、やってきた。

「お父さま」

「アン」父はわたしのときよりあたたかくアンにキスをした。

「王妃に月経が始まった」ジョージが直截に言った。「陛下にはおまえから話すのがいいと思う」

「メアリーではなく？」

「メアリーがさもしく見られる」父は答えた。「部屋付きのメイドから秘密を聞き出し、おまるを空けるのをこっそり覗いていたようにな」

自分もさもしく見られるのはごめんだと抗議するかと思ったが、アンは肩をすくめただけだった。ハワード家の野望に奉仕するには、犠牲が伴うのを知っているのだ。

「それからいま一度、メアリーが確実に王の目に入るようにするのだ」父は言った。「王妃に嫌気がさした王の気持ちを捉えるのは、メアリーでなければならん」

アンがうなずいた。「もちろんですわ」その声に棘があることに気づいたのはわたしだけだった。「メアリーでなければ」

その日の晩、いつものように王は妃の居所を訪れ、炉辺でくつろいでいた。わたしたち三人は王の姿を眺め、家庭的なくつろぎにうんざりしているにちがいないと思った。とはいえ王妃は夫を楽しませる術に長けていた。トランプやサイコロが用意され、王妃は最新の本に通じ、興味深い話題について反論も擁護もできた。学識豊かな訪問者や、諸国を巡った訪問者がつねにいて、王は会話を楽しむことができた。最高の音楽があり、ヘンリー王はすぐれた音楽を愛してやまなかった。トマス・モアは王妃のお気に入りで、ときどき三人連れ立っては城の屋上に出て、夜空を眺めた。モアと王は聖書の解釈について論じ、平民でも読めるような英訳聖書編纂の夢を語り合った。そしてまた、見目麗しい女たちがいた。王妃は賢明にも王国屈指の美女ばかりを揃えていた。

この晩も例外ではなく、王妃は異国の大使をもてなすように王をもてなした。ひとしきり王妃とおしゃべりした後、王は乞われて自作の曲を披露した。ソプラノのパートを歌える者はおらぬか、という王の言葉に、アンがしぶしぶという風情で進み出て、むろん完璧に歌いあげた。二人はアンコールにも応え、ご満悦だった。王はアンの手にキスし、王妃は二人の歌い手のためにワインを持ってこさせた。

手に軽く触れただけで、アンは王を二人きりの世界に引きずり込んだ。そのことに気づいたのは、王妃とブーリン家の人間だけだった。王妃は楽士にもう一曲演奏するよう頼んだ。姉がまた別の女に言い寄る夫を睨むのを、人に気取られないだけの才覚が王妃にはあった。姉が王の腕にもたれる姿に、わたしがどんな反応を示すか興味があったのだろう、王妃が一瞥をくれたので、そつのない笑みを返した。

「一人前の宮廷人に成長しつつあるようだね、わが妻どの」ウィリアム・ケアリーが言った。

「わたしが?」

「はじめて宮廷にあがったとき、きみはフランス宮廷の色に染まらぬ初々しい少女だった。それがいまでは魂まで金箔で覆われようとしている。なにをするにも下心があるのだろう?」

弁解しようと思ったが、そのときアンがなにごとかを告げ、陛下が王妃を振り返った。アンは陛下の袖に軽く手を触れ、またなにか言った。ウィリアムの言葉はもはや耳に届かず、わたしは夫から顔を背け、自分の愛する男を見つめた。陛下の体から力が半分抜けてしまったかのように、肩ががくりと落ちた。裏切られたという目で王妃を見つめる顔は、子どものように無防備だった。アンは陛下の姿がほかの人の目に入らないよう体の向きを変え、その一方でジョージが王妃のもとに進み出て、踊ってもいいかとお伺いをたてた。国王の耳に悲報を吹きこむアンから注意をそらすためだ。

耐えられないと思った。踊りましょうと賑やかに騒ぐ女たちから離れ、アンを押しのけてヘンリーのかたわらに立った。その顔は青ざめ、目は悲痛の色を湛えていた。わたしは両手を取り、つぶやいた。「ああ、陛下」

陛下がこちらを見た。「そなたも知っていたのか? 侍女たちはみな?」

「そうだと思います」アンが答えた。「王妃さまが陛下に切り出せなかったのも無理はありませんわ。お気の毒に、最後の希望だったのですもの。陛下にとっても最後の機会」

陛下がわたしの手をぎゅっと握った。「占い師によれば……」

「存じております」わたしは静かに言った。「買収されていたのでしょう」

アンはそっと姿を消し、二人きりになった。

「だから妃と床入りし、懸命に励み、願をかけたのに……」

「わたくしも祈りました」小声で言った。「お二人のために。陛下に若君が恵まれますことを、心の底から願っておりました、ヘンリーさま。神の前で、王妃さまが陛下にお世継ぎをお与えになりますようにと」

「だがもう無理だ」陛下が口をへの字にした。欲しいものを手に入れられない駄々っ子のようだ。

「ええ、そうですわね」わたしはうなずいた。「望みは潰《つい》えました」

陛下はやにわに手を放し、背を向けた。大股でやってくる王に、踊り手たちが道を空ける。廷臣たちに笑みを振りまく王妃に歩み寄り、みんなに聞こえる声で言った。「体調がよくないそうだな、マダム。そなた自身の口から聞きたかった」

とっさに王妃はわたしを見た。鋭いまなざしが、きわめて個人的な秘密をよくも洩らした、と咎めている。わたしはわずかに頭を振った。王妃は踊り手たちのなかにアンの姿を捜し、ジョージと踊る彼女を見つけた。アンは穏やかに見返した。

「申し訳ありません、陛下」王妃は毅然と応じた。「このことを話し合うのにもっとふさわしい時を待とうと思っておりました」

「すぐにも知らせて欲しかった」陛下は責めるように言った。「体調がすぐれないのなら退席し、一人で休むがいい」

状況をただちに把握した王妃の側近は、隣りの者にすばやく耳打ちしていた。だが大半はその場に立ち尽くし、不意に気分を害した国王と、青ざめた顔で耐え忍ぶ王妃とを見つめるだけだった。

王は踵を返し、まるで犬を呼ぶように指を鳴らし、取り巻きを呼び集めた。ジョージ、ヘンリー・パーシー、ウィリアム、チャールズ、フランシスの面々が、無言で王妃の居所を後にした。ただ一人、兄のジョージだけが王妃に深くお辞儀をしたことに、わたしは慰められた。王妃も無言で彼らを見送り、立ち上がって私室に引き揚げた。

耳障りな音を奏でていた楽士たちが演奏をやめ、指示を求めてあたりを見まわしていた。

「さっさと行きなさい」急にいたたまれなくなり、わたしは声を荒らげた。「今夜はもう誰も踊ったり歌ったりしない。それがわからないの？　音楽はもういらない。誰も踊りたくないのよ」

ジェーン・パーカーが驚きの目でわたしを見た。「あなたは喜んでいるとばかり思っていたわ。王妃と王が仲違いすれば、拾い上げてもらえるじゃない。ドブに捨てられた腐ったリンゴみたいにね」

「あなたはもう少し道理をわきまえているとばかり思っていたわ」アンが厳しい口調で言っ

た。「未来の義理の妹によくもそんなことが言えるわね！　もっと口のきき方に気をつけなければ、わが家では歓迎されなくてよ」

ジェーンがアンに譲歩することはなかった。「婚約を破棄することはできないわ。ジョージとわたしは教会で式を挙げたも同然よ。あとは日取りを決めるだけ。わたしを歓迎しようが憎もうが好きにすればいいわ、ミス・アン。でも、わたしを追い払うことはできないわよ。わたしたちは証人の前で誓いを交わしたのだから」

「それがなんだっていうの！」わたしは叫んだ。「それがどうしたっていうのよ！」踵を返し、自室に走って戻った。アンがあとを追って部屋に入ってきた。

「どうしたの？」アンがそっけなく尋ねた。「陛下はわたしたちに腹をたてているの？」

「違うわ、そうなってもおかしくないけれど。王妃の秘密を密告するような汚い真似をしたのですもの」

「ああ、そうね」アンは少しも動じずにうなずいた。「でも、わたしたちに腹をたててはいないのでしょ？」

「傷ついていらっしゃるの」

アンは扉に向かった。

「どこに行くの？」とわたしは呼びかけた。

「お風呂の用意をしてもらうの」アンは答えた。「体を洗いなさい」

「ちょっと、アン」苛立って言った。「陛下は人生で最悪の知らせを聞いたばかりなのよ。

これ以上ないほど機嫌を損ねておいでだわ。今夜わたしをお召しになるはずがない。体はあす洗うわ、そうしなければならないのなら」

アンは頭を振った。「一か八かの賭けはしない」アンは言った。「今夜洗うのよ」

アンの読みははずれたが、わずか一日の誤差だった。翌日、王妃が侍女たちと部屋で過ごしているあいだ、わたしは兄や兄の友人たちとともに、国王と正餐の席に着いた。それは楽しい晩で、音楽や踊りや賭け事をして過ごした。そしてその晩、わたしはふたたび国王のベッドにいた。

ついにヘンリーとわたしは離れがたい間柄になった。二人が恋人同士だということは、宮廷や王妃はもちろん、わたしたちが食事をするのを、ロンドンから見物に来る平民たちですら知るところとなった。わたしは王の黄金の腕輪をつけ、王のハンターに乗って狩りに出かけた。耳にはダイヤモンドのピアスをつけ、ガウンを三着新調し、一着は金糸で織られたものだった。ある朝、ベッドのなかで彼が言った。

「造船所で絵描きに描かせたそなたの肖像画がどうなったか、知りたいとは思わぬか?」

「すっかり忘れておりましたわ」

「キスしてくれれば、描かせたわけを教えてやろう」ヘンリーが気だるく言った。

彼はベッドの上で枕にもたれていた。朝も遅かったが、ベッドを囲むカーテンは引かれたままで、召使いが火を熾したりお湯を運んできたり、おまるを空けたりしても、目には触れない。わたしは這うように彼にちかづいた。髪を黄金と青銅色のヴェールのように顔に垂らし、丸い胸をあたたかな胸に押し付ける。唇を重ね、顎ひげのあたたかく官能的な匂いを吸いこみ、やさしく肌を刺すひげの感触を味わい、いっそう強く唇を押しつけると、彼の欲望のうめきを聞くというより感じた。

顔をあげ、彼の目に笑いかける。「さあ、キスしましたわ」掠《かす》れた声でささやく。たがいの欲望が高まってゆくのがわかった。「どうして絵描きにわたくしを描かせたのですか？」

「あとで見せてやろう。礼拝のあとで。馬で川沿いを飛ばし、余の新しい船とそなたの肖像画を同時に見せてやる」

「船が完成したのですか？」ずっとそばにいたかったが、陛下は上掛けをはぎ、起き上がろうとした。

「ああ。来週中には進水できるだろう」ベッドのカーテンを少し開け、ジョージを呼ぶよう召使いに命じた。わたしはローブとマントを急いで着て、彼の手を借りベッドから出た。頬にキスされた。「朝食は后ととる。そのあと、船を見に行こう」

美しい朝だった。わたしは陛下から賜った黄色いベルベットで仕立てた乗馬服に身を包んでいた。隣りにはわたしの古いガウンを着たアンが馬を並べていた。わたしのお古を着る姉を見て、激しい喜びを感じた。と同時にアンのセンスに舌を巻いていた。相反する思いを抱くのはいつものことだ。アンはわたしのガウンをフランス風に短く仕立て直し、スカートのあまった布で作ったフランス風の帽子をかぶり、とても小粋だった。ノーサンバーランドのヘンリー・パーシーはアンに釘付けだったが、アンは王の取り巻きに一様に魅力を振り撒いていた。一行は全部で九名。ヘンリーとわたしが並んで先頭をきり、アンはわたしのうしろでパーシーとウィリアム・ノリスに挟まれている。ジョージとジェーンのむっつりと黙りこんだ相性の悪いカップルがつづき、さらにフランシス・ウェストンとウィリアム・ブレトンが控え、笑い声をあげ冗談を飛ばしていた。わたしたちの前には先導役の馬番が二人、列の背後を四人の騎兵が固めていた。

川に沿って馬を進めた。満ち潮で白い波頭が岸に打ちつけ、陸を目指して飛んでくるカモメが啼きながら旋回し、春の日差しに翼を銀色に輝かせていた。低木の並木は若葉を芽吹かせ、土手の日だまりのサクラソウは、バターのような淡い黄色の花をつけていた。泥が固まった川沿いの道を、馬はキャンターで快調に飛ばしていった。手綱を操りながら、陛下はわたしのために自作の愛の歌を歌い、二度目にはわたしも声を合わせた。わたしがハーモニーをつけると、陛下は笑い声をあげた。わたしにアンほどの才能はないけれど、そんなことはどうでもよかった。その日はなにも気にならなかった。愛する人と一緒に明るい日差しのもと、乗馬を楽しんでいる。彼は幸せそうで、その目に映るわたしも幸せだった。

思いのほか早く造船所に着き、がっかりだった。陛下手ずからわたしを鞍からおろし、足が地面につくと抱きしめてすばやいキスをした。

「いとしい人。驚かせたいことがある」

わたしを振り向かせ、美しい船が目に入るよう自分は脇に寄った。船は進水の準備が整い、軍船に特有の高い船尾楼甲板と船首を備えた高速船だった。

「あそこを」全体の姿に目を奪われ、細かい部分が目に入らないわたしを見て陛下は言った。派手な装飾の船首に、金色のエナメル塗料の装飾文字で船名が記されていた。〝メアリー・ブーリン号〟。

わたしはただ見つめていた。自分の名前は読み取れるが、意味がわからない。びっくり仰天するわたしを、陛下は笑わずにじっと見守っていた。驚きが当惑に変わり、腑に落ちてゆく様子を。

「わたくしの名をおつけになったのですか？」自分の声が震えているのがわかった。身に余る名誉だ。船を、これほどの船を、自分の名前が冠された船を持つには、自分があまりに若く、ちっぽけだと感じた。わたしが国王の愛人であることを、世界中が知ることになる。誰も否定できない。

「そうだ、いとしい人」彼がほほえむ。わたしが喜ぶのを期待しているのだ。

陛下はわたしの冷たい手を肘の下にたくし込み、船にちかづいていった。船首像が誇らしげな美しい女の横顔を見せ、テムズ川の下流を、その先の海を、フランスを見据えていた。それはわたしだった。唇をわずかに開いてほほえみ、冒険を待ちわびている女の顔だ。ハワード家の手駒ではなく、自分の意志をもつ勇敢な美しい女だ。

「わたくし?」乾ドックの横腹に打ちつける波の音に、声が掻き消される。

ヘンリーが耳元に口を寄せたので、冷たい頬にあたたかな吐息を感じた。

「そなただ」陛下は言った。「美しい像だ、そなたのように。満足かね、メアリー?」

振り向くと両腕がまわされ、わたしは爪先立ちになってあたたかな首筋に顔を埋め、顎ひげと髪の甘い香りを吸い込んだ。「ああ、ヘンリーさま」わたしはささやいた。自分の顔に喜びのかけらもなく、恐怖がくっきりと刻まれているのを、彼に見られたくなかった。

「満足かね?」陛下は促した。まるでわたしが写本で、そっくり中身を読み取ろうといわんばかりに、顎に手を添えて顔を上向かせた。「大いなる名誉のはずだ」

「わかっております」わたしは震える唇で笑みを作った。「感謝いたします」

「そなたが進水させるのだ。来週」

わたしはためらった。「王妃さまではなく?」

国王が建造した最新の、最高の船を進水させる役割を王妃から奪うことに、わたしは恐れおののいていた。むろんわたしがやらねばならない。わたしの名前が刻まれた船を、王妃がどうやって進水させるというのだろう?

「ヘンリーは十三年連れ添った妃をいともあっさり退けた。「いや、妃ではない。そなただ」

わたしはなんとか笑みを浮かべ、それがほんものらしく見えることを願った。あまりにも速く、あまりにも遠くまで来てしまった。この道の先に待ち受けているのは、けさ感じたような屈託のない喜びではなく、もっと暗くもっと恐ろしいものだ。ともに馬を走らせ、声をあわせて歌を歌っても、わたしたちはただの男とその恋人ではない。わたしの名前が国王の船に刻まれ、わたしがそれを来週進水させたら、イングランド王妃に公然と反旗を翻すことになる。スペイン大使のみならず、スペインそのものを敵にまわすのだ。わたしは宮廷で強大な力をもち、シーモア家の脅威となる。国王の寵愛を受けて高く昇れば昇るほど、わたしを呑み込もうとする危険は大きくなる。わたしは十五歳の娘にすぎない。そういう野心を楽しむ余裕はまだなかった。

わたしの不安を読みとったように、アンが隣りに来た。「妹には身に余る光栄を授けてくださいました、陛下」如才なく言葉を継いだ。「気品に満ちた美しい船ですわ、陛下が名前をとった女性と同じように。そして力強い船——陛下ご自身のように。神がこの美しい船を祝福し、われらの敵の前に送り出すことを祈ります。それが誰であろうと」

ヘンリーは賛辞に笑みを浮かべた。「この船は強運に守られるはずだ。天使の顔《かんばせ》に導かれるのだからな」

「今年、フランスとの戦に出陣することになりそうですか?」ジョージが尋ねながらわたしの手を取り、こっそり指をつねって廷臣としての務めを思い出させた。

陛下は厳しい顔でうなずいた。「まちがいなく。それにスペイン国王が余と歩調を合わせるなら、余の計画どおりこちらはフランス北部を攻め、彼が南部を攻める。さすれば、フランスの横暴をかならずや抑え込める。この夏にはやり遂げてみせよう、絶対に」

「スペイン人を信用できればですけれど」アンがおもねるように言った。

ヘンリーの顔が暗くなった。「われわれを頼みとしているのは向こうのほうだ。カルロスはそのことを肝に銘ずるべきだ。家族や血縁関係の問題ではないのだ。王妃が余に失望したからといって、まずなによりイングランドの王妃であることを忘れてはならない。スペイン王女という立場は二の次だ。第一に忠義を尽くすべきは余である」

アンはうなずいた。「祖国とのあいだで引き裂かれるのはさぞお辛いことでしょう。ブーリン一族が生粋のイングランド人であることを神に感謝しますわ」

「そちのガウンはフランス風だがな」ヘンリーがユーモアを交えて言った。

アンは笑い返した。「ガウンはガウンですわ。メアリーの黄色いベルベットのガウンと同じです。でもその下に、心が引き裂かれることのない、ほんものの忠臣がいることは、誰より陛下がご存じのはず」

陛下はわたしに笑いかけ、わたしは彼を見上げた。「これほど忠実な心に報いることはわが喜びだ」

涙が込み上げ、気づかれないよう瞬きして払おうとしたが、まつげに一粒残った。ヘンリーは腰を屈め、その涙に口づけた。「かわいい人」やさしく言う。「わがいとしきイングランドのバラよ」

宮廷中がこぞってメアリー・ブーリン号の進水を見物に行ったが、王妃だけは体調不良を理由にあとに残った。スペイン大使もやってきて船体が水に浮かぶのを見届けたが、船名にわだかまりを覚えたとしても、口には出さなかった。

父は自分自身とわたしと国王に対し、ひそかな怒りを滾《たぎ》らせていた。一族にとっての類まれな名誉には、代償が伴うことを知ったからだ。ヘンリーは侮りがたい君主だ。叔父と父が家名を使われた栄誉に謝意を示すと、陛下は二人の貢献に礼を述べた。ブーリンの名を冠する船が海をわたり、ブーリンの名を世に知らしめるのだから、船の装備にかかる費用を負担したいだろう、と。

「これでまた賭け金がつりあがるわけだな」船がローラーのうえを滑り、テムズ川に進水するのを見守りながら、ジョージが楽しそうに言った。

「これ以上あがりようがある？」わたしは笑みを浮かべたまま言った。「わたしは人生を賭けているのよ」

無料でふるまわれたエールでほろ酔い加減の船大工たちが、帽子を振りながら歓声をあげた。アンがほほえみ、手を振り返す。ジョージがわたしにほほえんだ。風が彼の帽子の羽根をそよがせ、黒い巻き毛を揺らした。「おまえが王の寵愛を受けつづけるためには、父上の財産が必要となった。賭けのテーブルに載せられるのは、おまえの心や幸せだけではないのさ、かわいい妹、ブーリン家の富もだ。ぼくたちは、王を恋煩いの愚か者と見ていたわけだが、どうやらあちらは、こっちを金蔓《かねづる》と見ているようだ。賭け金はつりあがる。父上と叔父上はこの投資から見返りを期待するはずだ。当てがはずれたらどうなることやら」

わたしはジョージからアンに視線を移した。廷臣たちから少し離れたところで、いつもどおりヘンリー・パーシーをかたわらにはべらせている。はしけに曳航《えいこう》された船が川の真ん中に出て向きを変え、流れに逆らって桟橋に戻り、水上で船体に装備を施せるよう係留されるのを、二人は眺めていた。

アンが振り向いてほほえんだ。「あら、きょうのクイーンね」からかい口調で言った。

わたしは軽く顔をしかめた。「意地悪言わないで、アン。ジョージにさんざん言われたもの」

ヘンリー・パーシーがわたしの手に口づけた。金色の髪を見下ろしながら、自分が高いところまで昇りつめたことをあらためて思い知らされた。彼はノーサンバーランド公爵の嫡男、ヘンリー・パーシーだ。この王国で、彼ほど輝かしい未来と財産を有している男はほかにいない。国王についでイングランドで二番目に裕福な父をもつ、そんな男がいま頭を垂れ、わたしの手に口づけしている。

「アンはあなたに意地悪を言ったりしませんよ」彼は笑みを浮かべながら顔をあげた。「さあ、食事に行きましょう。グリニッジの料理人たちが明け方から来て用意をしたそうです。陛下もおいでになるから、一緒に行きませんか」

わたしはためらった。つねに形式を重んじる王妃はグリニッジに残り、腹部に痛みを、胸に恐れを抱いて暗い部屋で臥している。波止場にいるのは、廷臣のなかでもお祭り騒ぎの好きな男女だけ。だれも序列など気にかけない。勝者が優先されること以外は。「もちろんですわ」わたしは答えた。「喜んで」

ヘンリー・パーシー卿が反対の腕をアンに差し出した。「二人ともぼくがいただいていいかな？」

「聖書はそれを禁じているはずよ」アンが挑むように言った。「姉妹のどちらかを選んだら、最初に決めたほうと添い遂げよ、と聖書は教えているわ。それを守らぬのは大罪を犯すことだ、と」

ヘンリー・パーシー卿は笑い声をあげた。「お目こぼしを受けられるさ」彼は言った。「教皇が特免を授けてくださる。こんな姉妹を前にして、どちらか一方を選べる男がいると思うかい？」

帰途についたのは、たそがれ時、薄灰色の春の空に星が瞬きはじめるころだった。陛下と馬を並べて手をつなぎ、側対歩《アンブル》でゆっくりと川岸の引き船道を進んだ。宮殿のアーチを潜り、扉が開かれた玄関に到着すると、陛下は手綱を引いて馬を止め、わたしを鞍から抱えおろし、耳元でささやいた。「ずっとそなたが王妃であればよかったのに。川岸に設営された天幕の、一日だけの王妃でなく」

「なんと言われたのだ？」叔父が問いただした。

わたしは法廷で尋問を受ける囚人のように、叔父の前に立たされていた。ハワード家の屋敷で、サリー伯爵であるハワード叔父、それに父とジョージがテーブルの向こうに座っていた。部屋の奥には、わたしを背後から見守るようにアンと母が控えていた。わたしだけが、恥さらしの子どものように、年長者の前に立たされている。

「陛下は、わたしがずっと王妃であればいいのに、とおっしゃいました」信頼を裏切ったアンを恨みながら、小声で答えた。恋人同士の語らいを冷徹に分析しようとする叔父と父を恨みながら。

「どういう意味だと思う?」

「さあ」わたしはむっつりと答えた。「ただの甘い言葉です」

「今回の出費への見返りが必要なのだ」叔父は苛立たしげに言った。「おまえに領地を与えると言わなかったのか? あるいはジョージに? われわれに?」

「おまえからそれとなく匂わせられないか?」父が言う。「ジョージが近々に結婚することを、念押ししたらいい」

わたしは無言でジョージに助けを求めた。

「問題は、陛下がそういうことをとても警戒していることです」ジョージが助け船を出してくれた。「誰もが彼に望みごとをする。毎朝、礼拝に出るため私室から一歩出ると、頼みごとをする連中がずらっと並んでいるのですよ。陛下がこのメアリーをお気に召したのは、そんなふうでないからでしょう。彼女がなにかを求めたことは一度もなかったと思います」

「メアリーは大変な値打ちのあるダイヤモンドを耳につけていますわ」母が背後から鋭い口調で言った。アンもうなずいた。

「でも、メアリーが望んだのではありません。陛下が自分の意志で下さったのです。期待をしていない相手に、気前よくふるまうのがお好きなのです。メアリーには自分のやり方でやらせるべきだと思います。彼を愛する才能がありますから」

唇を噛んで言いたくなる気持ちを抑えた。わたしにはたしかに彼を愛する才能がある。それがわたしの唯一の才能だ。この一族、この強力な一派は、わたしの才能をさらなる利益のために利用しようというのだ。ジョージの剣術の才能や、父の語学の才能を利用するように。

「来週、宮廷はロンドンに移る」父が言った。「王はスペイン大使にお会いになる予定だ。フランスとの戦に備えてスペインの協力が必要なときに、メアリーにさらなる便宜を図ってくれる見込みはほとんどあるまい」

「では協調路線《ワーク・フォー・ピース》をとろう」叔父が残忍な声音で言った。

「そうしよう。わたしは仲裁者《ピースメイカー》だからな」父が答えた。「祝福された、そうだろう？」

行幸はいつも盛大な見物だった。祭りと市日《いちび》と馬上槍試合を合わせたようなものだ。采配を振るのはウルジー枢機卿で、宮廷でも地方でも、すべてが彼の命令どおりに動いた。一五一三年の対仏戦争で施物官（王の物品の流通を決め実行する役）として働き、イングランド軍が夜、喉を渇かせたり腹をすかせたりする事態に至らないよう気を配った実績があった。彼には、行幸に際し細部まで目を光らせて事態を把握する力があり、夏の巡幸中、国王の一行をもてなすことを栄誉と思う領主がどこにいるかを見極める政治的分析力も備え、ヘンリー王を煩わせることなく、すべてに如才なく立ち回った。まるで空から物資や召使いや家臣が降ってくるごとく、若き王は愉悦に浸っていた。

行列の順番を決めるのも枢機卿だった。先頭を行くのは小姓たちで、行列に加わる全領主の三角旗のついた長旗を頭上に掲げている。舞いあがった土埃を落ち着かせるための間隔をおいて、最高のハンターに乗った国王が行く。浮き彫り加工のされた赤い革の鞍に、国王ならではの飾り馬具、頭上にはご自身の長旗がはためき、その日選ばれた取り巻きたちが脇を固めた。夫のウィリアム・ケアリー、ウルジー枢機卿、わたしの父、そのあとを残りの側近たちがつづき、ぐずぐず遅れたり拍車をあてて急いだり、思いのままに行列のなかで位置を入れ替わっていた。騎兵がその周囲をゆるく取り囲み、敬礼の姿勢で槍を捧げ持っていた。彼らは王を守るためでなく――だれがこんな王を傷つけようと思うだろう?――小さな町や村に入るたび集まって歓声をあげ、ぽかんと見とれる人びとを押し戻すためにいるのだった。

また間隔をおいて王妃の列がつづいた。頑丈な愛馬の鞍のうえですっと背筋を伸ばし、ガウンの分厚い生地が見苦しく襞を重ね、頭にはピンで留めた帽子が載っている。まぶしい日差しに目を細めていた。具合が悪いのだ。それがわかるのは、けさ、彼女が馬に乗るときにそばにいて、鞍におさまったとたん押し殺した悲鳴をあげるのを聞いたからだ。

王妃の行列のうしろには宮廷のほかのメンバーがつづき、騎乗の者もいれば馬車に乗る者もいて、歌を歌ったり、舞い上がる土埃から喉を守るためエールを飲んだりしていた。誰もが祝祭日の浮かれ気分を共有していた。グリニッジを離れ、社交の季節を迎えるロンドンに向かっているのだ。今年なにが起きるのか、誰にわかるだろう？

　ヨーク・プレイスの王妃の居所はこぢんまりとしているので、荷解きをしてすっかり整頓するのに二、三日しかかからなかった。通常どおり、国王は側近たちをつれて毎朝王妃のもとを訪れ、そのなかにはヘンリー・パーシー卿もいた。卿とアンは窓腰掛けに並んで座り、顔を寄せ合って詩作に励んでいた。アンの指導のもとで学べば偉大な詩人になれる、と彼は断言し、あなたになにか学べるわけはないし、あなたのような薄のろのために時間と知識を無駄に使わせるのはなにかの策略だろう、とアンは切り返した。

　ケントの小さな城とエセックスのわずかな畑地しかもたないブーリン家の娘が、ノーサンバーランド公の嫡男を薄のろと呼ぶのは、さすがに言いすぎだと思うが、ヘンリー・パーシーは笑い飛ばし、アンは教師として厳しすぎる、偉大なる才能は、なんと言われようと世に出るものだ、と言い返した。

「枢機卿がお呼びですわ」わたしはヘンリー卿に声をかけた。彼はやおら立ち上がり、アンの手に別れの接吻をし、ウルジー枢機卿を捜しにいった。アンは二人で書いた詩の紙を掻き集め、文箱《ふばこ》にしまった。

「彼にはほんとうに詩人の才能がないの？」わたしは尋ねた。

　アンは笑みを浮かべて肩をすくめた。「当代随一の詩人、トマス・ワイアットとはいかないけれどね」

「彼も恋をすればワイアットになれる?」

「彼は独り身だもの」アンは言った。「聡明な女には理想的な相手よ」

「高望みよ、いくらあなたでも」

「あら、そうかしら。もしわたしが望んで、彼もおなじ思いならかまわないでしょ」

「お父さまに頼んで公爵に話してもらったら?」わたしは皮肉交じりに言った。「公爵はなんとおっしゃるかしら」

アンは窓の外に視線を転じた。ヨーク・プレイスの美しい芝生が眼下に広がり、その先に煌めく川がわずかに見える。「お父さまには頼まないわ。自力でなんとかするつもりよ」

わたしは笑い出しそうになったが、そこでアンが本気だと気づいた。「アン、これはあなたが自力でどうにかできる問題ではないわ。ヘンリー卿はまだ若いし、あなたもまだ十七歳、自分たちで決められることではないわ。彼のお父さまには誰か腹づもりがあるだろうし、お父さまと叔父さまだって、あなたに縁談を用意しているはず。わたしたちは平民とは違うのよ。ブーリン家の娘なの。導かれるまま、命じられたとおりにしなければ。わたしを見てよ!」

「ええ、見てるわ!」アンは秘めていた思いを爆発させ、食ってかかってきた。「まだ子どものときに結婚して、いまでは国王の愛妾。わたしの半分も賢くないくせに! 教養だってわたしの半分もないくせに! でも、あなたは宮廷の中心で、わたしはただの女。あなたの侍女にならざるをえない。あなたに仕えるなんていやよ、メアリー。屈辱以外のなにものでもない」

「あなたに頼んだことなんか……」わたしは口ごもった。

「あなたにお風呂に入り、髪を洗えと言ったのは誰？」アンは怒りにまかせて言った。

「服を選んで、王の気を惹く手伝いをしたのは誰？　愚鈍で気のきいた言葉を返せないあなたを、千回も助けたのは誰？」

「あなたよ。でも、わたし……」

「あなたよ。でも、アン……」

「それなのに、わたしが得るものはなに？　わたしには、国王の寵を示す領地をもらえる夫もいない。妹が国王の妾であるために、高い地位をもらえる夫もいない。これからだって、なんの利益も得られない。あなたがどれほど出世しようと、わたしにはなにもない。自分で居場所を見つけるしかないの」

「居場所は見つけられると思うわ」弱々しく言った。「それは否定しない。わたしが言いたいのは、あなたが公爵夫人になれるとは思えないということ」

「それをあなたが決めるっていうの？」アンは吐き捨てるように言った。「可能なら王子を儲け、軍を召集できたら戦争を仕掛けるという大事な仕事から、王の気持ちをそらすことしかできないあなたに？」

「わたしが決めるなんて言っていない」小声で答えた。「ただ、まわりが黙って見ていないと言っただけよ」

「既成事実ができてしまえば、誰にも手出しはできない」アンは頭をつんとそらせて言った。「そうなるまでは、誰にも気づかれないようにする」

獲物を狙うヘビの素早さで、アンはわたしの手をぎゅっと握った。その手を背中に捻《ひね》りあげたので、わたしは動きを封じられ、悲鳴をあげるしかなかった。「アン！　やめて！　ほんとうに痛いわ！」

「そう、じゃあ聞きなさい」アンが耳元で囁いた。「よく聞くのよ、メアリー。わたしは自分の好きにする。あなたに邪魔されたくないの。わたしから告げるときがくるまで、誰にも知らないし、すべてが明るみに出たときにはもう遅いのよ」

「彼にあなたを愛させるつもり？」

不意にアンが手を放したので、わたしは痛む肘と腕を押さえた。

「わたしと結婚させるつもりよ」アンは平然と答えた。「もしひと言でも洩らしたら、あなたを殺すわよ」

わたしはアンの動向を気をつけて見守った。どんなふうに彼の気を惹くのかを。あたらしい年を迎えてからグリニッジで過ごした数か月は、つねに積極的だったのに、陽光とともにヨーク・プレイスに到着すると、アンはにわかに引き籠もるようになった。アンが引けば引くほど、彼は追ってきた。彼が部屋に入ってくると、アンは顔をあげて的を射る矢のような笑みを投げかけた。誘いかけ、求める。つぎの瞬間、顔をそむけ、二度と彼を見ようとしない。

ヘンリー・パーシーはウルジー枢機卿の側近の一人で、枢機卿が国王や王妃のもとを訪ねているあいだ、控えていなければならない。有体に言えば、王妃の居所でぶらぶらしているだけだ。話しかけてくる女と軽口をたたくものの、彼の目にアンしか見えていないのはあきらかだった。アンは彼の目の前を通り過ぎ、彼に踊りを申し込まれてもほかの男と踊り、手袋を落として彼に拾わせるものの、そばに座っても口をきこうとせず、これ以上手伝うことはできないと詩を突っ返した。

積極的に動いていたときにも彼女に迷いはなかったが、撤退するのにも迷いはなかった。彼女の心を取り戻す術がわからず、若き貴族は途方に暮れるばかりだった。

パーシーが相談にやってきた。「ミストレス・ケアリー、姉上を怒らすようなことを、ぼくはなにかしたのでしょうか？」

「いいえ、そうではないと思います」

「以前はとても魅力的な笑顔を向けてくれたのに、いまでは冷たくあしらわれている」

わたしは思いを巡らせた。こういうことについて、わたしはひどく疎かった。一方にほんとうの答がある。アンは太公望よろしく、釣り糸にかかった魚のようにあなたを扱っているのだ、と。でも、口が裂けても言えない。もう一方には、アンがわたしに言わせたがっている答があった。わたしはヘンリー・パーシーの不安げな童顔を、心からの同情をこめて見つめた。それからブーリン家のほほえみを浮かべ、ハワード家の答を口にした。「実を言えば、閣下、アンはやさしくしすぎるのが怖いのだと思いますわ」

彼の信頼しきった若々しい顔に、希望が躍るのが見えた。「やさしくしすぎる？」

「アンはとてもやさしかった、そうではありませんでした、閣下？」

彼はうなずいた。「ああ、そうです。ぼくは彼女の奴隷だ」

「アンはあなたを好きになりすぎるのが怖いのだと思うのです」

彼はわたしの口から言葉を奪い取るように身を乗り出した。「好きになりすぎる？」

「心の平穏を乱すくらいに」ごく小さな声で答えた。

彼はぱっと立ち上がり、二歩離れ、戻ってきた。「ぼくを欲しているかもしれないと？」

わたしはほほえみを浮かべ、少し顔をそむけた。嘘をつくことに嫌気がさしていることを気取られないように。簡単に引き下がる男ではなかった。わたしの前に膝を突き、顔を覗き込んだ。

「教えてください、ミストレス・ケアリー。もういく晩も眠れないのです。何日も食べていません。ぼくの心は苛《さいな》まれています。彼女はぼくを愛していると思いますか、ぼくを愛しているかもしれないと思いますか。後生だから、教えてください」

「わたしには申し上げられません」ほんとうに、言えなかった。嘘をつけば喉につかえてしまうだろう。「ご自分でお訊きにならなければ」

ビーグル犬に追われた野ウサギがシダの茂みから飛び出すように、彼はぱっと立ち上がった。「そうします！　そうしますとも！　彼女はどこです？」

「庭でボウリングをしていますわ」

彼にはそれ以上なにも必要なかった。扉を乱暴に開け、駆け出していった。ブーツの足音から、石の階段をおり、庭に通じる扉へ向かうのがわかった。部屋の向こうに座っていたジェーン・パーカーが顔をあげた。

「また一人征服したの？」彼女がいつもながら的外れなことを言った。

わたしは彼女に倣って毒気のある笑みを向けた。「欲望を引き寄せる女もいるわ。そうではないのもいるけれど」そっけなく答えた。

ヘンリー・パーシーはボウリング用の芝生にいるアンを見つけた。アンは慎み深く、わざとサー・トマス・ワイアットに負けている。

「あなたにソネットを捧げましょう」ワイアットが言った。「これほど優雅に勝利を捧げてくれたお礼に」

「いえ、いえ、これは公正な試合ですわ」

「もし金を賭けていたら、財布を出しているところですよ。ブーリン一族が負けるのは、勝ってもなにも得られないときだけですからね」

アンは笑みを浮かべた。「それではつぎは、財産を賭けていただくわ。だって――あなたを油断させせましたもの」

「わたしには差し出せる財産などありません。心のほかには」

声で。

「ぼくと散歩しませんか?」ヘンリー・パーシーが口を挟んだ。意図したよりずっと大きな

アンは気づかなかったというように、少しびくりとしてみせた。「まあ! ヘンリー卿!」

「こちらのご婦人はボウリングの最中ですよ」サー・トマスが言った。

アンは二人に笑いかけた。「こてんぱんに負かされてしまいましたから、少し歩いて戦略を練ってまいりましょう」そう言って、ヘンリー・パーシー卿の腕に手を預けた。

パーシー卿はアンを芝地から連れ出し、イチイの木陰のベンチに向かい、曲がりくねった道を歩き出した。

「ミス・アン」

「濡れていて座れませんわ」

すぐさま彼は豪華なクロークを脱ぎ、石のベンチに広げて敷いた。

「ミス・アン……」

「だめ、冷えるわ」アンはきっぱり言い、ベンチから立ち上がった。

「ミス・アン!」彼は少し怒ったように声を張りあげた。

アンは少し間をおいて、誘いかけるような笑みを向けた。

「閣下?」

「あなたがなぜ冷たくなったのか、その理由をどうしても知りたい」

アンはためらい、それから媚を売るふりはやめて、真剣で愛らしい表情を向けた。「冷た

くするつもりはありませんでした」ゆっくりと口を開いた。「慎重になっただけです」

「なにに？」彼は問いただした。「ぼくは身が引き裂かれる思いだった！」

「あなたを苦しめるつもりなんてありませんでした。少し身を引こうとしただけ、それだけのことです」

「なぜ？」彼はささやき声で訊いた。

アンは庭を見おろし、その先の川を見やった。「そのほうがわたしにとって、わたしたちにとってよいことだと思いました」静かに答えた。「友人として親密になりすぎましたわ、それで、不安になったのです」

パーシーは一歩アンから離れると、すぐにまた戻ってきた。「あなたを一瞬でも不安にさせたりしない。友人同士のままでいると約束しろとおっしゃるなら、約束します。噂の的になりたくないとおっしゃるのなら」

アンは黒く煌めく目を彼に向けた。「わたしたちが恋をしていると、誰にも噂させないと約束してくださいますか？」

無言のまま、彼は頭を振った。もちろん彼には約束できない。噂好きの宮廷人の口に戸はたてられない。

「わたしたちが恋に落ちることはない、と約束してくれますか？」

パーシーはためらった。「もちろんぼくはあなたを愛しています、ミストレス・アン。宮廷風な意味でも。礼儀上も」

それを聞いて嬉しいというように、アンはほほえんだ。「戯れの恋ごっこにすぎないことは承知しています。わたくしにとってもそうですわ。でも立派な殿方と嫁入り前の娘にとって、それは危険な〝ごっこ遊び〟です。似合いの二人だとすぐに噂する人たちが、まわりに大勢いる場合はよけいに」

「そんなことを言っているのですか？」

「わたしたちが踊っているのを見て。あなたがわたくしを見つめるのを見て。わたくしがあなたに笑いかけるのを見て」

「ほかにはどんなことを？」ヘンリー・パーシーはアンの言葉に陶然としていた。

「あなたがわたくしを愛していると、噂していますわ。そしてわたくしもあなたを。おたがいに夢中になっていると、噂していますわ。本人たちは、〝ごっこ遊び〟のつもりなのに」

「なんと」はたと思い当たり、彼は言った。「なんとまあ、まさにそういうことだ！」

「まあ、閣下！　なにをおっしゃってるの？」

「ぼくが言いたいのは、自分が愚かだったということです。何か月も前からあなたを愛していたのに、そのあいだずっと、ただの遊びだと思っていた。あなたもぼくをからかっているだけだと。なんでもないことだと思っていたのです」

アンは彼をやさしい目で見つめた。「わたくしにとって、なんでもないことではありませんでした」

黒い瞳に捉えられ、青年は身動きがとれなくなった。「アン、いとしい人」

アンの唇に、思わずキスしたくなるような、抗うことのできない笑みが浮かんだ。「ヘンリー、わたくしのヘンリー」

彼が小さな一歩を踏み出し、アンのウェストに手をまわして引き寄せた。アンもなすがまま、誘いかけるように一歩踏み出した。彼がうつむくと同時にアンが顔を仰向け、二人の唇がはじめて触れあった。

「ああ、言ってください」アンはささやいた。「いま、この瞬間に言ってください、言って、ヘンリー」

「ぼくと結婚してください」彼は言った。

「うまくいったわ」その晩、寝室で、アンはさも楽しそうに報告した。浴槽を運ばせてあったので、わたしたちは交代でお湯につかり、たがいの背中を流しあい、髪を洗いあった。清潔に関してはフランスの娼婦ほどに厳しいアンだが、その日はふだんの十倍もうるさかった。まるで不潔な学童を相手にするようにわたしの手と足の指を点検し、象牙の耳かきを使えと命じた。わたしが痛がるのもかまわず、シラミ取りの櫛でたんねんに髪を梳いた。

「それで？　なにがうまくいったの？」わたしは床に滴《しずく》をたらしながらシーツを体に巻きつけ、むっつりと尋ねた。四人のメイドが入ってきて、大きな木製の浴槽を運び出せるようバケツにお湯を汲み出した。浴槽の内側を覆っていたシーツはぐっしょりと重かった。お風呂をたてるだけのことに、これだけの労力がかかるのだ。「ただいちゃついているのかと思ったわ」

「彼が申し込んだのよ」アンは言った。メイドたちが扉の向こうに消えるのを待ち、シーツをきつく胸に巻きつけて鏡の前に座った。

ノックがあった。

「今度は誰？」わたしは憤慨した声をあげた。

「ぼくだ」ジョージの声がした。

「お風呂に入ってるの」

「入ってもらったら」アンは黒髪に櫛を入れはじめた。「もつれた髪を梳《と》きほぐしてもらえるわ」

ジョージはぶらぶらと入ってくると、水浸しになった床と、半裸の二人を見て黒い眉を吊り上げた。アンは濡れた髪を肩に垂らしている。

「これは仮面劇か？　きみたちは人魚？」

「アンがお風呂に入ったほうがいいって。また」

アンが櫛を差し出すと、ジョージは黙って受け取った。

「髪を梳かしてちょうだい」いたずらっぽく上目遣いに見る。「メアリーはきつく引っ張るから」ジョージはおとなしくアンのうしろに立ち、黒い髪をひと房ずつ手にとって櫛を入れはじめた。自分の牝馬のたてがみを梳くように丁寧に梳かす。アンは目を閉じ、彼の手に身を委ねた。

「まさかシラミ」アンははっとして訊いた。

「いまのところは見つからない」ジョージはヴェネツィアの理髪師のように馴れ馴れしく答えた。

「それで、なにがうまくいったの?」わたしは話を戻した。

「彼を手に入れたのよ」アンはあからさまに言った。「ヘンリー・パーシー。わたしを愛しているわ、わたしと結婚したいと言ったわ。あなたとジョージに婚約の証人になってもらいたいの。指輪をもらったら、そのときはもう教会で司祭を前に結婚したのと同じで、取り消すことはできない。わたしは公爵夫人になるのよ」

「なんとまあ」ジョージは櫛を宙に浮かせたまま、凍りついた。「アン！　たしかなのか?」

「わたしがへまをすると思う?」アンはそっけなく答えた。

「いや」ジョージも認めた。「それにしても。ノーサンバーランド公爵夫人だぞ！　なんてこった、アン、イングランド北部はほとんどおまえのものになる」

アンは笑みを浮かべながら、鏡のなかの自分にうなずいた。

「ということは、ぼくたちはこの国で最有力の一族になるということだ！　ヨーロッパでも指折りの一族に！　メアリーが王のベッドをあたため、おまえがその最有力の家臣の妻になれば、ハワード家は頂点を極め、蹴落とされることはなくなるだろう」ジョージは言葉を切り、つぎの段階に考えをめぐらした。

「それでもし、メアリーが王の子を身籠り、それが男の子で、後ろ盾にノーサンバーランドがいれば、王位を継ぐことができるかもしれないぞ。そうなったらぼくはイングランド国王の伯父になるのだ」

「そうよ」アンがすらすらと言った。「それはわたしも考えていたわ」

わたしは自分の姉の顔を見つめたまま、なにも言えなかった。

「ハワードの一族が玉座につく」ジョージは独り言のようにつぶやいた。「ノーサンバーランドとハワードが手を結ぶ。そういうことだろう？　結婚によって結びついた両家が、世継ぎの誕生によってますます栄えるのだ。メアリーが世継ぎを産み、アンがパーシー家の力をもってその子の未来を輝かしいものにする」

「わたしには無理だと思っていたでしょ」アンがわたしに指を突きつけた。

わたしはうなずいた。「高望みがすぎると思っていたわ」

「よく覚えておきなさいな」アンは釘を刺した。「わたしが狙いを定めたら、はずすことはないのだから」

「よく覚えておくわ」

「でも、パーシーのほうはどうなんだ？」ジョージが水を差した。「彼が勘当されたら？　そうなったらおまえは、尾羽《おは》打ち枯らした元公爵の嫡男の妻という、ひどい立場になるのだぞ」

アンは頭を振った。「そんなことにはならないわ。彼はとても大切にされているもの。でも、みんなに協力してもらわないと。お父さまにもハワード叔父さまにも。彼のお父さまに、釣り合いのとれた家柄だと納得してもらわないと。そうすればこの婚約を認めてくださるはずよ」

「できることはするが、パーシー家のプライドは、ちょっとやそっとのものではないぞ、アン。ウルジーが横槍を入れなければ、メアリー・タルボットと結婚させるつもりだったんだ。その代わりにおまえが望まれるとは思わない」

「あなたの望みは財産だけなの？」わたしは尋ねた。

「あら、爵位もよ」アンは露骨に答えた。

「本気で訊いてるのよ。彼のことをどう思ってるの？」

アンはこの質問をはぐらかすのではないかと思った。パーシー卿の少年のような崇拝の情を、切って捨てるきつい冗談を言うのではないかと。でも、彼女は首を傾げ、洗いたての髪が暗い川のようにジョージの指の間を流れた。

「ああ、自分が愚かだとわかっているわ！　彼がまだほんの少年、それも思慮に欠けた少年だとわかっているわ。でもあの人といると、わたしも少女に戻ったような気がするの。なにも恐れずに愛し合う、若い二人になれるの。彼といると向こう見ずになれる！　彼といるとうっとりするの！　まるで恋に落ちたように！」

鏡が割れるように、ハワードの冷たい呪縛が粉々に解け、すべてが本来の明るさを取り戻したようだった。わたしは笑いながらアンの手を取り、顔を覗き込んだ。「すばらしいでしょう？　恋に落ちるって？　この世でいちばんすばらしいことだと思わない？」

アンは手を引っ込めた。「ちょっと、あっちへ行ってよ、メアリー。あなたってほんとうに子どもなんだから。でも、そうよ！　すばらしいこと？　そのとおりよ！　にやにや笑うのはやめて、虫唾《むしず》が走る」

ジョージがアンの黒髪を頭頂で結いあげ、鏡のなかの顔に見入った。「恋に落ちたアン・ブーリン」思案ありげに言う。「誰がそんなこと信じる？」

「この国で王に次ぐ男だからこそ」アンが言い切る。「自分と一族になにがもたらされるか、忘れたことはない」

ジョージはうなずいた。「それはわかっている、アンナマリア。おまえが高いところを望むことは、みんながわかっていた。でもパーシー家とは！　そこまでとは思っていなかった」

アンは自分の影を取り調べるように身を乗り出した。それから両手で顔を包んだ。「これはわたしの初恋。生まれてはじめての恋」

「どうか神よ、それが最初で最後となりますように」ジョージが急に真顔になって言った。

鏡越しにアンは彼と目を合わせた。「どうか神さま」アンはつぶやいた。「ヘンリー・パーシー以外に望むものはありません。あの人さえいれば、わたしは満足です。ああ――ジョージ、自分でも不思議よ。ヘンリー・パーシーを自分のものにできたら、それだけでいい」

アンの呼び出しに応じて、ヘンリー・パーシーは翌日の正午に王妃の居所にやってきた。

彼女が考え抜いて決めた時間だ。侍女たちはみな礼拝へ出かけ、部屋にはわたしたちだけしかいなかった。部屋に入ってきて室内を見まわしたパーシーは、静まり返ってほかには誰もいないことに驚いていた。アンが立ち上がり、彼の両手をとった。わたしの目には、彼は求愛の対象というより、狩りの獲物に見えた。

「いとしい方」アンの声を聞いて、パーシーの緊張がほぐれ、勇気が戻ってきたようだ。

「アン」彼はやさしく応じた。

パーシーはズボンの内ポケットから指輪を取り出した。窓腰掛けに座っていたわたしからも、赤いルビーの煌めきが見えた——貞淑な女の象徴だ。

「あなたに」パーシーはやさしい声で言った。

アンは彼の手をとった。「証人の前で結婚の誓いをしてくださる?」

パーシーは少し息を詰まらせた。「ああ、する」

アンはまばゆいばかりの笑みを浮かべた。「では、そうなさって」

パーシーはすがるような目でジョージとわたしを見た。やめろと言って欲しいのだろうか。ジョージもわたしも、励ますように笑いかけた。ブーリン家の笑み。二匹の陽気なヘビのような。

「わたくし、ヘンリー・パーシーは、汝、アン・ブーリンを正式な結婚をした妻とします」

アンの手をとって言った。

「わたくし、アン・ブーリンは、汝、ヘンリー・パーシーを正式な結婚をした夫とします」

アンの声は彼のよりもしっかりしていた。

パーシーはアンの左手の薬指を摘《つま》んだ。「この指輪をもって汝に約束します」厳《おごそ》かに言い、アンの指にそれを滑らせた。指輪は大きすぎた。アンは落ちないようこぶしを握った。

「この指輪をもって、汝を夫とします」

パーシーはアンに口づけた。わたしに顔を向けたとき、アンの目は欲望で曇っていた。

「二人きりにして」アンが低い声で言った。

二人きりの時が二時間過ぎて、石の廊下に礼拝から戻った王妃と侍女たちの足音が響いた。わたしとジョージは「ブーリン！」という合図のリズムで扉を強く叩いた。いくら気だるい時を過ごしていたとしても、これなら飛び起きるだろう。扉を開けると、アンとヘンリー・パーシーは恋歌《マドリガル》を作っていた。アンがリュートを弾き、パーシーが二人で書いた詩を歌う。顔を寄せ、架台に載せた手書きの楽譜に見入っていた、その親密さを別にすれば、二人の様子はこれまでの三か月とおなじだった。

わたしとジョージが侍女たちとともに入っていくと、アンはほほえんだ。

「こんなにきれいな曲を作ったのよ。午前中いっぱいかかったわ」アンが甘い声で言った。

「それでなんという曲なんだ？」ジョージが尋ねた。

「『楽しく、愉快に』」アンが答えた。「『楽しく、愉快に前に進もう』というの」

その晩、寝室を抜け出したのはアンだった。宮殿のタワーベルが午前零時を告げたとき、ドレスの上に黒いクロークを羽織って扉に向かった。

「こんな夜中にどこに行くつもり？」わたしは呆れて尋ねた。

アンは黒いフードの下から青白い顔を向けた。「夫のところ」

「アン、だめよ」わたしはあ然として言った。「見つかったらおしまいよ」

「わたしたちは神の御前で、証人を前に婚約したのよ。結婚したのと同じことでしょう？」

「そうね」わたしはしぶしぶうなずいた。

「結婚は完了しなければ、覆されることもあるでしょう？」

「そうね」

「だから急いでいるの。ヘンリーとわたしが誓いを交わし、床入りも完了したとなったら、いくらパーシー家でもなかったことにはできないわ」

わたしはベッドの上に膝を突き、思いとどまらせようとした。「でもアン、誰かに見つかったら！」

「大丈夫よ」

「真夜中に密会したことが、パーシー家の人に知られたら！」

アンは肩をすくめた。「どこでどうやったかは問題ではないでしょう。すんでしまえば」

「でもご破算になったら――」アンに睨みつけられて言葉を切った。たった一歩で部屋を横切ってくると、わたしの寝巻きの襟もとを摑み、首を締めあげた。「だからやるのよ」アンは声を殺して言った。「あなたってどうしようもない間抜けね。ご破算にならないためにやるのよ。なかったことだと、誰にも言わせないために。決定的なものにするために。誓いを交わして床入りする。否定の余地なく完了するのよ。さあ眠りなさい。真夜中過ぎには戻るわ。夜が明けるずっと前にね。でも、もう行かなくちゃ」

わたしはうなずいた。アンの手が扉の掛け金にかかるまでなにも言わなかった。「でも、アン、彼を愛しているの?」好奇心から尋ねた。

顔はフードに隠れていたが、笑った口元だけは見えた。「自分でも馬鹿みたいだけど、彼の手がたまらなく恋しいの」

それから、アンは扉を開き、出ていった。

一五二三年夏

五月祭の祝宴はすべてウルジー枢機卿がお膳立てした。王妃の侍女たちは白い衣装に身を包んで屋形船に乗りこみ、黒ずくめのフランスの掠奪者に襲われる。そこへイングランドの自由民の救援隊が緑の装束に身を固め船で駆けつけ、にぎやかな救出戦がはじまる。手桶で水をかけ、豚の膀胱の水風船で応酬する。緑色の小旗で飾られた王室用屋形船は、緑の森《グリーンウッド》の色の旗を翻し、精巧に模された大砲から水爆弾を放ってフランスの掠奪者を水中へと蹴散らす。彼らは、そのために雇われたテムズ川の船頭たちに助けられ、その後は戦闘に加わることはできない。

ずぶ濡れになりながらも、仮面と帽子をつけてロビン・フッドに扮した夫を見て、王妃は少女のように笑い転げていた。隣りに座るわたしに、彼がバラを投げたのも見ていた。

ヨーク・プレイスに戻ると、枢機卿自ら川岸に出てわたしたちを出迎えた。庭園の木々の陰に楽士たちが隠れている。みなより頭ひとつ高く、黄金の髪をしたロビン・フッドがわたしをダンスに誘った。彼がわたしの手を取って自分の緑の胴衣の胸に当て、わたしがバラをフードに挿しても、王妃の微笑は揺らがなかった。

枢機卿の料理人たちは、ここぞとばかり腕をふるった。詰め物をした孔雀に白鳥、鶩鳥に鶏はもちろん、鹿のもも肉に加え、王の好物である鯉を含め四種類の魚のローストが供された。砂糖菓子は五月祭の捧げもので、花やブーケをかたどったマジパンは、どれも食べるのが惜しいほど美しかった。食事がすむころには夕暮れ時で、ぐんと冷え込んできた。楽士たちが奏でる不気味な小曲に誘われて、わたしたちは闇に閉ざされる庭園から大広間へと移った。

室内は改装されていた。枢機卿は部屋を緑の布で覆い、隅々に満開の花をつけた大枝をしつらえていた。中央には、ひとつは国王の、もうひとつは王妃のための玉座が置かれ、国王つきの少年聖歌隊が両陛下の御前で歌い踊った。わたしたちもみな着席して、子どもたちの仮面劇を鑑賞し、それからダンスに移った。

真夜中まで浮かれ騒いだあと、王妃が立ち上がり、侍女たちに退室の指示を出した。王妃について歩いていると、王にガウンを摑まれた。

「こちらへ」せっぱ詰まった口調で王が言った。

王妃がお辞儀をしようと振り向いたとき、わたしのガウンの裾に手をかけている国王と、ためらうわたしが目に入ったはずだが、少しも動じず、スペイン式の威厳に満ちたお辞儀をした。

「おやすみなさい、陛下」王妃は甘く低い声で言った。「おやすみなさい、ミストレス・ケアリー」

わたしは腰を落としてお辞儀をした。「おやすみなさいませ、王后陛下」頭を下げたままつぶやくように言った。そのままもっと下へ、床の下へ、地下深くへ落ちてしまいたいと思った。顔をあげたとき火照った頰を見られないように。

体を起こすと王妃の姿は消えていた。王は見送りもせず、あとは若い人たちで楽しみなさい、とうるさい母親が引き揚げ、せいせいした若者といった感じだ。「さあ、音楽を」楽しそうに言う。「それからワインも」

あたりを見まわすと、侍女たちもみな引き揚げたあとだった。ジョージが励ますようにわたしにほほえみかけた。

「おどおどするな」彼が小声で言う。

わたしがためらっていると、ヘンリーがゴブレットを手にこちらを向いた。「五月の女王に！」王の言葉ならオランダ語の謎かけでも復唱する廷臣たちが、従順に唱えた。「五月の女王に！」わたしに向かってグラスを掲げた。

ヘンリーはわたしの手を取り、キャサリン王妃が座っていた玉座に導いた。足が重かった。王妃の座に座る心構えはまだできていなかった。

陛下にせかされ、ゆっくりと段を上って振り向くと、子どもたちの無邪気な顔と、側近たちの含みのある笑顔が目に入った。

「五月の女王のために踊ろうではないか！」ヘンリーは言うと、一人の娘とペアになり、わたしの前で踊りはじめた。王妃の玉座に座るわたしは、王妃の夫が踊り、パートナーとふざけあうのを眺めながら、王妃とおなじ寛大な仮面のような笑みを顔に貼り付けていた。

五月祭の翌日、アンが白い顔をして部屋に入ってきた。

「これを見て！」怒気を含んだ声で言い、一枚の紙をベッドに放り投げた。

アンへ、きょうは会えない。枢機卿にすっかり知られて、釈明を求められている。でも絶対にきみを諦めるものか。

「たいへんだわ」わたしは小さな声で言った。「枢機卿に知られてしまったのね。陛下の耳にも入るわ」

「だからなんだっていうの?」アンは気の立った毒蛇のように言い返した。「みんなに知られたってかまわない。だって正式な婚約だもの。どうして知られたらまずいの?」

わたしは手のなかで震える手紙を見つめた。「どういうこと? きみを諦めるものかって。ちゃんとした婚約なら、諦めるもなにもない。問題ないはずでしょ」

アンは三歩で部屋を横切り、壁際で踵を返してまた三歩戻り、塔に閉じ込められたライオンさながら歩き回った。「どういう意味なのかわからない」吐き捨てるように言う。「まったく馬鹿なんだから」

「愛していると言ったじゃない」

「それとこれとはべつよ。馬鹿は馬鹿」アンは急に思い立ったようだ。「彼のところに行くわ。そばについていてあげなければ。へこたれないように」

「だめ。待っているべきよ」

アンは衣装箱を開けてクロークを引っぱり出した。

そのとき、扉が激しく叩かれて、わたしたちは凍りついた。アンはさっとクロークを脱いで箱に押し込み、落ち着き払ってその上に座った。朝からずっとそうしていたかのように。わたしが扉を開けた。ウルジー枢機卿のお仕着せを着た使用人が立っていた。

「ミストレス・アンはこちらに?」

庭を見つめて物思いに耽るアンの姿が見えるよう、扉をもう少し開けた。枢機卿の赤い旗をつけた屋形船が、庭の先に舫《もや》ってあるのが見えた。

「枢機卿が謁見室におられますので、お越し願えませんか」使用人が言った。

アンは頭を巡らせ、無言で彼を見据えた。

「いますぐに。閣下がすぐに来ていただくようにと」

尊大な命令にも、アンはいきり立たなかった。この王国を動かしているのはウルジー枢機卿であり、その口から出た言葉は王の言葉とおなじ重みをもつことを、わたし同様アンも承知していた。アンは鏡に姿を映し、頬を抓《つね》って赤みをつけ、まず上唇をそれから下唇を嚙んだ。

「わたしも行きましょうか？」わたしは声をかけた。

「ええ、一緒に来てちょうだい」アンは早口で言った。「あなたの耳は王の耳ですもの。王が同席しておられれば――お心を和らげてさしあげて」

「わたしからはなにもお願いできないわ」わたしはあわてて囁いた。

危機的な状況にあっても、アンは人を見下したような笑みをよこした。「そんなことわかっているわよ」

わたしたちは使用人について大広間を抜け、ヘンリーの謁見室に入った。めずらしく人がいなかった。ヘンリーは側近をお供に狩りに出かけていた。扉の前には緋色のお仕着せの男たちがおり、わたしたちを通すとふたたび入り口を固めた。枢機卿閣下から、誰も通すなと命じられているのだ。

「ミストレス・アン」枢機卿が言った。「わたしはきょう頭の痛くなる知らせを受けた」

アンは動揺の色も見せず両手を重ねて静かに立っていた。「それを伺い残念に思います、閣下」淀みなく応える。

「なんでも、わたしの小姓、ノーサンバーランドの若きヘンリーが、そなたの友情と、わたしが与えた自由をいいことに、王妃の居所に入り浸り、愛だの恋だの囁いていると」

アンは頭を振ったが、枢機卿は口を挟む隙を与えなかった。

「わたしはきょう、彼に言い聞かせた。そんな気まぐれは、北部諸州を受け継ぐ人物にふさわしくない、とな。その結婚は、父君や国王やわたしの問題でもある、と。乳搾りの娘と干し草の山で転げ回ろうが、誰もなんとも思わぬ農家の青年とはちがう。あれほど有力な貴族の子弟の結婚は、政治問題でもある」そこで枢機卿は言葉を切った。「そして、この王国で政策を決定するのは国王とこのわたしだ」

「パーシーさまは、わたくしの手を取って結婚をお申し込みになり、わたくしも承諾いたしました」アンは落ち着いて言った。真珠のネックレスからさがる金の〝B〟が、胸の鼓動に合わせ小刻みに動いていた。「わたくしたちは婚約しました、枢機卿閣下。この縁組が閣下のお気に召さないのは残念ですが、すでに決まったことです。なかったことにはできません」

枢機卿は膨らんだ帽子の下から鋭い一瞥をくれた。

「ヘンリー卿は、父君と国王の意向に従うと言っておる。これは好意から出た助言だ、ミストレス・ブーリン。神によってそなたより高位に位置づけられた人びとに、盾つくような愚は犯さぬことだ」

アンは色を失った。「パーシーさまは、そのようなことは言っておられません。お父上の意向に屈するなんて、まさか」

「そなたの意向にではなく？　どこからそんな考えが出てくるのか。いいかね、ヘンリー卿はそう言ったのだ、ミストレス・アン。このささやかな問題は、国王と公爵の手に委ねられた」

「パーシーさまはお約束になりました。わたくしたちの婚約は整ったのです」アンは激しい口調で言った。

「それは、将来《デ・フトウロ》の婚約であろう」枢機卿が断じた。「もし可能なら、将来結婚しようという約束だ」

「事実《デ・ファクト》です」アンはきっぱりと言い返した。「証人の前でなされた婚約で、しかも結婚は完了しています」

「なんと」警告のしるしに、ずんぐりした指が一本立てられた。重量感のある枢機卿の指輪が光り、この男こそイングランドの精神的指導者であることをアンに思い出させた。「口に出すのも憚《はばか》られる。なんと無分別な。わたしがデ・フトゥロだと言えばそうなのだよ、ミストレス・アン。わたしの言うことに誤りはない。たしかな保証もなく男に身を任せるとは、愚かとしか言いようがない。身を捧げた挙句に捨てられたら身の破滅。この先誰とも結婚は望めまい」

アンはわたしを横目で盗み見た。王国でも名だたる姦婦の姉に純潔を説く皮肉に、ウルジーも気づいているはずだが、その視線が揺らぐことはなかった。

「ヘンリー卿への愛が、そなたにそのような嘘をつかせるのだとしたら、不届き千万であるぞ、ミストレス・ブーリン」

アンは高まるパニックを抑えつけようと必死だった。「枢機卿閣下」声がわずかに震えていた。「わたくしはよきノーサンバーランド公爵夫人になります。貧しい者たちを気にかけ、北部で正義が行われるように計らいます。イングランドをスコットランド人から守りましょう。永遠にあなたの忠実な友でおります。終世ご恩は忘れません」

枢機卿はほほえんだ。これまでに提供された賄賂に比べれば、アンの好意などなにほどのものでもないと言いたげに。「そなたは快活な公爵夫人になるだろう。ノーサンバーランドでなくとも。それはそなたの父上が決めること。そなたの嫁ぎ先を選ぶのは父上だが、国王とわたしにも多少の口出しをする権利がある。安心したまえ、わが心の娘よ。そなたの望みはしかと聞いた。心に留めておく」彼は笑いを隠そうともしなかった。「公爵夫人になりたいというそなたの望みは」

枢機卿が手を差し出したので、アンは進み出てお辞儀し、指輪に口づけせざるをえなかった。それから後ろ向きに歩いて部屋を出た。

扉が目の前で閉まっても、アンは無言だった。踵を返し、庭園につづく石の階段をおり、曲がりくねった小道を抜け、バラに囲まれた東屋《あずまや》に腰を据えるまで、アンはひと言も口をきかなかった。石のベンチを囲むように蔓を這わせたバラは、太陽に向かって白と真紅の花を咲かせていた。

「どうすればいい？」アンは言った。「考えるのよ！　なにか考えるのよ！」

なにも思い浮かばない、と言いかけ、アンが自問自答しているのだと気づいた。「ノーサンバーランド公の裏をかくことができる？　メアリーを使って王に訴えでる？」アンは何度も頭を振った。「メアリーは信用できない。きっとしくじる」

侮辱された怒りを、唇を噛んで耐えた。アンが芝生の上を行ったり来たりするたびに、スカートが揺れて高い踵の靴が見え隠れした。わたしはベンチに腰を落ち着けたまま、その動きを目で追っていた。

「ジョージをやって、ヘンリーの心を固めさせる？」アンはまた踵を返した。「お父さまだって、叔父さまだって」矢継ぎ早に言う。「わたしの出世に関心があるはずよ。国王にとりなしてくれるかもしれない。枢機卿を説得してくれるかもしれない。ノーサンバーランド公の心を惹く持参金を用意してくれるかもしれない。わたしが公爵夫人になることを望んでいるはずだもの」不意に結論に達し、うなずいた。「わたしの味方をしてくれる。ノーサンバーランド公がロンドンにいらしたときに、婚約が取り交わされ、結婚は完了したと伝えてくれるわ」

ロンドンのハワード屋敷で家族会議が開かれた。母と父が上座に座り、ハワード叔父がそのあいだに陣取った。わたしとジョージはアンの不名誉を共に担い、部屋の奥に立っていた。いま、法廷に呼び出された罪人のように、テーブルの前に立たされているのはアンだけだ。だが、わたしとちがい下を向いてはいなかった。頭を高くそびやかし、黒い眉の片方をわずかに吊り上げ、一歩も引かずに叔父を見返していた。

「おまえがドレスの趣味ばかりか、フランスのしきたりまで身につけてきたのは実に遺憾だ。おまえの悪い噂は聞きたくないと釘を刺しておいたはずだ。ところが、おまえがパーシーの息子と不道徳な関係を結んだという噂を耳にした」

「わたくしは自分の夫とベッドを共にしただけです」アンは平然と答えた。

叔父は母を一瞥した。

「そのようなことをいま一度でも口にしたら、おまえは鞭で打たれてヒーヴァー城へ送られ、二度と宮廷には戻れなくなるのですよ」母が静かに言った。「不名誉の烙印を押されるくらいなら、わたくしの足元で息絶えてくれたほうがまし。お父さまと叔父さまの前でそんな口をきくとは、恥を知りなさい。自分で自分の顔に泥を塗っている。わたくしたちに憎まれるよう、自分から仕向けているのですよ」

うしろにいるので顔は見えないが、アンがガウンを握り締めているのがわかった。溺れる者が藁をも摑もうとするように。

「この不幸な過ちをみなが忘れ去るまで、ヒーヴァーに行っておれ」叔父が結論を下した。

「お言葉ですが」アンが鋭い口調で言い返した。「不幸な過ちを犯したのはわたしではなく、叔父さまたちのほうです。ヘンリー卿とわたしは結婚したのです。彼はわたしの味方をしてくれます。叔父さまとお父さまには、彼の父上に、枢機卿に、国王にこの結婚を公にするよう圧力をかけていただきたいのです。そうしてくだされば、わたしはノーサンバーランド公爵夫人となり、叔父さまがたはイングランド最大の公爵領にハワード家の娘を送りこむことになるのです。苦労のし甲斐があると思いますわ。もしわたしが公爵夫人となり、メアリーが息子を儲ければ、その子はノーサンバーランド公の甥で、国王の庶子となるのです。その子を王位に就けることもできます」

叔父はアンを睨み付けた。「王は二年前、もっと他愛もないことを口にしたバッキンガム公を処刑したのだぞ」彼は声をひそめた。「ほかならぬわたしの父が、死刑執行令状に署名したのだ。国王は世継ぎ問題に無頓着ではけっしてない。今後二度とそのようなことを口走るでない。さもないと、生涯をヒーヴァーではなく女子修道院で送ることになる。本気で言っておるのだ、アン。おまえの愚行で、わが一族を危険に曝すことは断じて許さん」

叔父の静かな怒りに、アンはすっかり胆を冷やした。小さく息を呑み、立て直しを図った。

「これ以上は申しません」と、ささやいた。「でも、うまくいくはずです」

「いくはずがない」父がにべもなく言った。「ノーサンバーランド公はおまえを認めない。それにウルジーも、われわれがそこまで高く昇ることを望まないだろう。そして王は、ウルジーの言いなりだ」

「ヘンリー卿は約束してくれたのです」アンは激しい口調で言った。

叔父は頭を振り、立ち上がろうとした。会議は終わりだ。

「待って」アンが必死で食い下がった。「きっとできます。誓ってもいい。叔父さまたちがわたしの味方になって、ヘンリー・パーシーがついてくれれば、枢機卿も国王も、彼のお父上も認めざるをえなくなります」

叔父は一瞬たりとも逡巡しなかった。「認めるはずがない。おまえがそこまで愚かだったとは。ウルジーに盾つくことなどできない。この国にウルジーと渡りあえる人間などいないのだ。それにウルジーを敵にまわす危険を冒すつもりもない。王のベッドからメアリーを追い出し、シーモア家の娘を送り込むだろう。われわれがおまえを支持すれば、メアリーのために重ねた努力が水の泡となる。これはメアリーにとっての好機なのだ。おまえにとってではなく。おまえに邪魔させるわけにはいかん。夏のあいだ、いや一年ほど、おまえを宮廷から去らせる」

彼女は茫然とした。「でも、彼を愛しているのに」

沈黙が訪れた。

「そうよ」彼女が言った。「彼を愛している」

「それがどうした」父が言った。「おまえの結婚は家族の事業であり、決めるのはわれわれだ。おまえは宮廷からさがり、少なくとも一年はヒーヴァー城に籠っておれ。運がよいと思えよ。もし彼に手紙を送ったり、彼からきた手紙に返事を出したり、会いにいったりしたら、そのときは女子修道院に送り込む。これは決定事項だ」

「これぐらいですんでよかったじゃないか」ジョージが無理に明るく言った。わたしたち兄妹はヨーク・プレイスに帰る船に乗るため、川に向かっていた。ハワードのお仕着せ姿の使用人が前に立って物乞いや物売りを追い払い、もう一人が背後を固めていた。アンは通りの雑踏にも気づかず、ぼんやりと歩いていた。

荷車に積んだ品を売る人びとがいる。田舎から運んできたパンや果物、生きたアヒルや鶏が山と積んであった。早口と機転でまさるロンドンの太った主婦を相手に、田舎の男や女たちは少しでも多く食い扶持を稼ごうとゆっくり、慎重に応対していた。通俗物語や俗謡の小冊子と楽譜を売る呼び売り商人がおり、既製の靴を掲げて、どんな足にも合うと客を誘う靴直しがいた。花売りにクレソン売り、ぶらぶら歩く小姓に煙突掃除人がいた。市場に出入りする使用人たち、どの商店の前にも店主の女房がいて、スツールにでっぷりした腰を据え、通行人に笑いかけ、いいものがあるよ、寄っていってよ、と声をかけていた。

あいだに挟まってアンとわたしの腕を握るジョージが、太針さながら、商売のタペストリーを掻い潜ってゆく。アンが感情を爆発させる前に、家に連れて帰ろうと必死なのだ。

「うまくいったとぼくは思うな」ジョージが宥《なだ》める口調で言った。

桟橋まで来ると、ハワード家の使用人が船を呼んだ。「ヨーク・プレイスまで」ジョージがぶっきらぼうに言う。

うまい具合に潮の流れに乗り、船は川上に向かって快走した。街から出るゴミが溜まった川岸を、アンはぼんやり見ていた。

ヨーク・プレイスの桟橋でわたしたちがおりると、ハワード家の使用人が船の上からお辞儀し、そのままシティに戻っていった。ジョージはアンとわたしを急かしてわたしたちの部屋に入り、扉を閉めた。

アンは体をくるっとまわし、ヤマネコみたいにジョージに飛びかかった。彼はその両手首を摑み、ねじ伏せた。

「うまくいったですって！」彼女が叫ぶ。「うまくいった！　愛する男を失い、評判まで失ったというのに？　みんなに忘れられ、田舎で朽ち果てていくだけだというのに？　うまくいったですって！　実の父親に味方してもらえず、実の母親からは、足元で息絶えてくれたほうがまし、と言われたのに？　おかしいんじゃないの、馬鹿たれ！　正気なの？　それとも、ただのぼんくらの、考えなしの、脳味噌が腐った大間抜け？」

彼に手首を摑まれてもなお、アンは彼の顔を引っ掻こうとした。高い踵で彼の足を踏み潰さないよう、わたしは彼女を羽交い絞めにして後じさった。酔っ払いの喧嘩みたいに三人してよろめき、わたしは彼女に振り回されてベッドの脚にぶつかったが、彼女にしがみつく腕は緩めず、ジョージは顔を守ろうと彼女の手を摑んだままだった。まるでアンにとり憑いた悪魔と戦っている気がした――その悪魔がわたしたちをこの狭い部屋に押し込め、姉を苦しめ正気を失わせ、わたしたちを残酷な戦いに駆り立てているのだ。

「頼むから気を鎮めてくれ」ジョージが彼女の爪を避けながら叫んだ。

「気を鎮めろ?」彼女が叫ぶ。「どうやったら気が鎮まるのよ!」

「おまえは負けたんだ」ジョージがにべもなく言った。「いまさら戦ってもはじまらない、アン。おまえは負けた」

彼女がふっと静かになったが、ジョージもわたしも油断せず手を放しはしなかった。彼女は呆けたように彼を見つめ、それからのけぞり、激しく笑い出した。

「気を鎮めろですって!」大声で叫ぶ。「よく言うわよ! そうでなくたって、わたしは静かに死んでゆくのに。ヒーヴァー城に一人取り残されて、静かに朽ち果てていくんだわ。二度と彼には会えない!」

彼女は悲痛な声をあげ、戦う気力を失い、泣き崩れた。ジョージが摑んでいた手首を放し、抱きとめた。アンはその首に腕をまわし、胸に顔を埋めた。激しくしゃくりあげながら、意味不明なことを叫んでいた。わたしの頰にも涙が伝うのを感じるうち、彼女が繰り返し叫ぶ言葉が聞き取れるようになった。「ああ、神よ、彼を愛していました。彼を愛していた。彼しかいない、愛したのは彼だけ」

叔父たちは時間を無駄にしなかった。アンの服が詰められ、馬に鞍が載せられると、ジョージが付き添ってその日のうちにヒーヴァー城に向かった。彼女が去ったことを、ヘンリー・パーシー卿の耳に入れる者はいなかった。彼はアンに手紙を送った。神出鬼没の母が、落ち着き払ってその手紙を読み、火にくべた。

「なんと言ってよこしたのですか?」わたしは落ち着いて尋ねた。

「永遠の愛ですって」母が吐き捨てるように言った。

「アンが去ったことを、彼に知らせなくていいのですか?」

母は肩をすくめた。「いずれは知ることになります。けさ、父君が彼に会っているはずです」

わたしはうなずいた。昼ごろにもう一通届いた。乱れた文字でアンの名が記されていた。字が滲んでいるのは涙の跡だろう。母が固い表情で封を切り、また火に投げ込んだ。

「ヘンリー卿からですか?」わたしは尋ねた。

母はうなずいた。

わたしは炉辺から立ち上がり、窓腰掛けに座った。「そろそろ行かないと」

母が振り向いた。「あなたはここにいなさい」きつい口調だった。

昔から母には絶対服従だった。それはいまも変わらない。「わかりました、お母さま。庭を散歩するのもいけませんか?」

「だめです。部屋から出さないようにと、あなたのお父さまと叔父さまから言われています。ノーサンバーランド公がヘンリー・パーシーを説得するまで」

「邪魔をするつもりはありませんわ。庭を散歩するだけ」

「彼に言付《ことづ》けをするかもしれない」

「しません! お母さまならよくご存じのはずではありませんか。わたしがなんでも言われたとおりにしてきたことは。わたしが十二のときに結婚させたのは、あなたでしょう、マダム。それから二年して、たった十四の年に、その結婚に終止符を打たせた。十五の誕生日を迎える前に、王のベッドに送り込まれました。家族に言われたとおりにしてきたことは、あなたがよくご存じでしょう？　自分自身の自由のために闘うことのできなかったわたしが、姉の自由のために闘えるでしょうか！」

母はうなずいた。「それはよいことなのですよ。そもそもこの世に女の自由などないのだから、闘おうが闘うまいがあなたの好きにすればいい。それで、アンはどうなったかしらね」

「はい、ヒーヴァー城にやられました。でも、あそこでなら、自由に歩き回れますわ」

母が驚いた顔をした。「羨ましがっているようね」

「あそこの暮らしは好きです。宮廷より好きだと思ったこともあります。でも、あなたはアンに心が張り裂ける思いをさせました」

「家族のためになるのなら、心が張り裂けるぐらい、魂が張り裂けるぐらいなんでもない」母が冷ややかに言った。「あの子が子どものころにそうしておくべきだった。フランスの宮廷で服従する習慣を教え込まれたと思っていたけれど、やり方が手ぬるかったようね。だからいま、教え込んでいるのです」

扉にノックがあり、みすぼらしいなりの男が不安げに戸口に立った。

「ミストレス・アン・ブーリンにお手紙です」男が言った。「信書です。ご本人がお読みになるのを見届けるようにと、若君から言われております」

わたしはためらい、母をちらっと見ると小さくうなずいたので、ノーサンバーランドの紋章の赤い封印を切り、手紙を開いた。

わが妻へ

たがいに交わした約束をあなたが守るなら、ぼくも誓って破りません。あなたがぼくを見捨てないのなら、ぼくもあなたを見捨てない。父はひどく立腹しており、枢機卿もそうです。ぼくたちのことが不安でならない。でも、ぼくたちの気持ちさえぐらつかなければ、彼らも認めざるをえません。手紙をください。約束を守るとひと言、そうしたらぼくも守ります。

ヘンリー

「返事をいただきたいとおっしゃっています」男が言った。

「そとで待っていなさい」母が言い、男の面前で扉を閉めた。母がわたしに言った。「返事を書きなさい」

「筆跡がちがうと見破られます」無駄とは知りながら言った。

母がわたしの前に紙を置き、ペンを手に握らせ、口述した。

ヘンリー卿へ

あなたに手紙を書くことを禁じられているので、メアリーに書いてもらいます。もう駄目です。彼らがわたしたちを結婚させるはずはなく、あなたを諦めるしかありません。わたくしのために枢機卿やお父上に盾つくのはおやめください。お二人に、諦めますと申し上げました。あれはデ・フトゥロの婚約であり、わたしたちのどちらをも縛るものではありません。あなたがなさった約束からあなたを解放してさしあげます。わたくしも自分のした約束から自由になります。

「あなたはこれで、二人に心張り裂ける思いをさせるのですね」わたしは言い、まだ乾かぬインクに砂をかけた。

「そうね」母が冷たく言った。「でも、若い心はすぐに癒えるものよ。イングランドの半分を所有する心なら、愛に鼓動を弾ませるのが愚かだと知る分別を備えているはずです」

一五二三年冬

アンが去ったためブーリン家の娘はわたし一人となり、王妃が夏をメアリー王女と過ごすと決めたので、巡幸の行列の先頭で国王と馬を並べたのはこのわたしだった。乗馬に狩りに夜毎の踊りにとすばらしい夏を過ごし、十一月にグリニッジに戻ったとき、わたしは陛下に告げた。月のものがとまり、子を身籠った、と。

またたく間にすべてが変化した。あたらしい部屋と侍女を与えられ、ほんの少しでも体を冷やしてはならないと、陛下から厚い毛皮のクロークを賜った。助産師、薬師《くすし》、占い師が出入りし、おなじ質問が彼らにぶつけられた。「子どもは男児か?」

おおかたが、「イエス」と答えて金貨を与えられた。変わり者が一人、二人、「ノー」と答え、王の不興を買った。母がわたしのガウンのひもを緩め、わたしは夜半に王のベッドに向かうことが叶わなくなった。暗闇に一人横たわり、お腹の子が男の子でありますようにと祈るしかなかった。

わたしの日増しに大きくなっていくお腹を、王妃は悲しみに翳《かげ》る瞳で見つめていた。王妃の月のものもとまっていたが、懐妊のためでないことはあきらかだ。クリスマスの祝宴と仮面劇とダンスのあいだ、王妃はほほえみを絶やさず、ヘンリーの好む贅沢な贈り物をした。十二夜の仮面劇のあと、クリスマスの飾り付けが取り払われるなか、王妃は王に二人だけで話がしたいと切り出し、なんとか勇気を掻き集め陛下の目を見ながら、もはや子どもを産めなくなったことを告げた。

「自分の口から言いおったぞ」その晩、ヘンリーは憤然とわたしに言った。わたしは陛下の部屋で毛皮のクロークに包まれ、温めたワインを手に、燃えさかる暖炉の前で、素足をお尻の下にたくしこんでいた。「一瞬の恥じらいもなく、余に言いおったのだ！」

わたしはなにも言わなかった。四十路《よそじ》ちかい女の月経がとまることは恥でもなんでもない、とヘンリーに言うのはわたしの役目ではない。祈りの力で出産がかなうならば、二人には六人の子どもがいて、しかも全員が男児であったはずだということを、陛下以上によく知る者はいない。でも、彼はいまそれを忘れていた。頭にあるのは、妻が自分に与えるべきものを与えなかったということだけで、わたしは、彼がまた怒りに我を忘れるのを目の当たりにした。

「おかわいそうな王妃《プア》さま」わたしはつぶやいた。

ヘンリーはわたしを睨んだ。「裕福な女《リッチ》だ」わたしの言葉を正す。「ヨーロッパ屈指の裕福な男の妻だ。押しも押されもせぬイングランド王妃ではないか。それなのに、たった一人の子でしかそれに報いることができない。しかも女だ」

わたしはうなずいた。ヘンリーと言い争ってもなんの意味もない。

陛下はわたしのほうに身を乗り出し、手をお腹の膨らみにあてがった。「たとえ余の息子がここにいても、その子はケアリーの名を名乗る。それがイングランドになんの役にたつ？余になんの得がある？」

「でも、みなが陛下の子だと知ることになります。みなが、わたしとのあいだに子を儲けることができたと」

「だが、余には嫡出の息子が必要なのだ」陛下は熱っぽい口調でつづけた。まるでわたしや王妃やほかのどんな女でも、望みをかければ息子を産めると言いたげに。「息子が必要なのだ、メアリー。イングランドは余の世継ぎを必要としておる」

一五二四年春

追放されて以来、アンは週に一度は手紙をよこした。わたしは自分が書き送った絶望的な手紙を思い出した。あのとき、アンが返事をくれなかったことも、もちろん憶えている。でも、いま宮廷にいるのはわたしで、外の暗闇にいるのは彼女だ。わたしは寛大にもアンにたびたび返事を書いて勝利を味わい、妊娠のことやヘンリーが喜んでいることも忘れずに書き送った。

ブーリン方の祖母が、アンの話し相手としてヒーヴァー城に呼ばれた。フランス宮廷仕込みの洗練された若い女と、ほとんど無一文の夫が名士へと昇りつめるのを見届けた賢明な老婦人は、屋根の上の二匹の猫のように朝から晩まで喧嘩をし、たがいの生活をこのうえなく惨めなものにしていた。

宮廷に戻れなければ、わたし、おかしくなってしまう。

アンが書いてよこした。

ブーリンおばあさまがヘーゼルナッツを素手で割って、殻をあちこちにまき散らすので、足元で蝸牛《かたつむり》の殻みたいにバリバリと音をたてます。それに毎日、一緒に庭を散歩させられるのよ。たとえ雨でも。雨水が肌にいいと思い込んでいて、イングランド女性の肌が並外れてきれいなのはそのせいだと言うの。おばあさまの日に焼けて古い革みたいになった肌を見たら、室内にいるほうがよっぽどいいと思うわ。

体臭がひどいのに、自分ではちっとも気づいていないの。この前、お風呂を用意するよう言いつけたのだけれど、召使いの話によると、おばあさまは丸椅子に腰かけて、足を洗わせるだけでいいと言い張るんですって。正餐の席でも鼻歌を歌い、自分では気づいていないの。おまけに昔ながらに家を開放して、トンブリッジの物乞いからイーデンブリッジの農夫まで誰かれかまわず広間に入れ、わたしたちが食事するところを見せるべきだと言うのよ。まるでわたしたちが国王で、ばらまく以外にお金の使い道がないと言わんばかりにね。

お願い、お願いだから、叔父さまとお父さまに伝えてちょうだい。わたしは宮廷に戻る準備ができています、と。言いつけに従うからなにも心配はいらない、と。ここから逃げられるならなんでもするつもりよ。

わたしはすぐに返事を書いた。

じきに宮廷に戻ってこられるわ。きっと。ヘンリー卿が不本意ながらレディ・メアリー・タルボットと婚約したから。誓いをしたとき泣いていたという話よ。彼はいま長旗を掲げノーサンバーランドの家来を引きつれ、スコットランドとの国境を守っているわ。イングランド軍がこの夏に再度同盟国スペインとともにフランスを攻め、去年の夏に着手した仕事をやり終えるあいだ、パーシー一族はノーサンバーランドの安全を守らねばならないからよ。

ジョージがジェーン・パーカーと今月ついに式を挙げることになったの。あなたが出席できるようお母さまに頼んでみるわ。だめだと言うはずがないと思う。

体調は悪くないけれど、とても疲れるわ。赤ん坊はどんどん大きくなって、夜眠ろうとすると動いたり蹴飛ばしたりするのよ。ヘンリーは、これ以上ないほどやさしくしてくれて、男の子だったらいいと、彼もわたしも思っているわ。

あなたがここにいてくれればいいのに。ヘンリーは男の子を切望しているわ。もし女の子だったらと思うと怖くなる。子どもを男の子にする方法があればいいのに。アスパラガスのことは言わないで。アスパラガスのことならなんでも知っているわ。食事のたびに出てくるのよ。

王妃にいつも見られているわ。お腹は隠せないほど大きくなり、誰もが陛下の子だと知っている。ウィリアムに第一子の誕生を祝う言葉をかける人はいないわ。誰もが知っていて、沈黙の壁ができているみたい。わたし以外のみんなが安心できる沈黙の壁がね。自分が馬鹿に思えるときがあるの。大きなお腹を突き出して、息を切らせて階段をのぼり、夫からは他人を見るような目で見られ、笑いかけられる。

そして王妃さま……

毎朝毎晩、王妃の礼拝堂で祈らずにすめばどんなにいいか。王妃はなにを祈っているのかしら。望みはすっかりなくなったというのに。あなたにそばにいてほしい。あなたの毒舌ですら恋しいわ。

メアリー

ジョージとジェーン・パーカーは、グリニッジの小さな礼拝堂でようやく式を挙げた。アンは式に参列することを許されたが、ひと目につかない奥の仕切り席に押しこめられ、披露宴には出席できなかった。肝心なのは、式が午前中に執り行われるため、アンが前日ヒーヴァーからやってきて、ジョージとわたしと夕食を共にし、夜明けまでおしゃべりできることだった。

長い分娩に備える助産師のように、夜通しおしゃべりできる準備を整えた。ジョージがワインとエールとスモールビアを持ち込み、わたしはこっそり厨房へ行き、パンと肉、チーズと果物をもらってきた。お腹がへるのは七か月の赤ん坊のせいだと考えた料理番は、嬉々として大皿に食事を用意してくれた。

アンは短くした乗馬服姿で現れた。十七という年よりも大人びて見え、洗練されて、肌が白く見えた。「雨のなかを年寄りの魔女と歩いているのよ」アンは顔をゆがめて言った。苦悩がこれまでになかった静謐《せいひつ》さを与えていた。辛い教訓を学んだようだ。人生の好機は、熟したサクランボのように膝に落ちてくるものではないことを知ったのだ。そして、愛した青年を忘れてはいなかった。ヘンリー・パーシーを。

「彼の夢を見るわ」アンはそっけない口調で言った。「出てこなければいいのに。これほど意味のない不幸ってないわ。もう飽き飽きよ。おかしく聞こえるでしょう？　でも、不幸でいるのにうんざりしてしまった」

わたしはジョージの表情を窺った。アンを見つめる顔には同情が溢れていた。

「彼の結婚式はいつ？」アンが寂しげに訊いた。

「来月だ」と、ジョージ。

アンはうなずいた。「じゃあ、それで終わりね。彼女が死ねば別だけれど、もちろん」

「彼女が死ねば、あなたと結婚できるわね」わたしは希望をこめて言った。

アンは肩をすくめた。「馬鹿ね。いつの日かメアリー・タルボットが急死することを願って、彼を待つなんてできない。汚名が濯《そそ》がれれば、わたしはまたカードの一枚に戻るのよ。あなたが男の子を産んだらよけいにそうなる。わたしは国王の庶子の伯母になるのだから」

望まれているのは男子だけだということを赤ん坊に聞かれたくなくて、思わず両手をお腹にあてていた。「ケアリー姓を名乗るのよ」

「でも、子どもが男の子で、健康で、力強くて、金髪だったら？」

「ヘンリーと名づけるわ」力強い金髪の赤ん坊を腕に抱く自分を思い描き、笑みを浮かべた。

「陛下もその子のためにちゃんと取り計らってくれるわ」

「そして、ぼくらもみな出世する」ジョージが言った。「国王の息子の伯父と伯母として。その子には小規模な公爵領か、あるいは伯爵領が与えられるだろう。たぶんね」

「それであなたは、ジョージ？」と、アン。「楽しんでいる？　この楽しい楽しい夜を？　酒場に繰り出してべろんべろんに酔っ払いたいのじゃなくて？　ここで腹ぼての女と、傷ついた女の相手をするのでなく」

ジョージはワインを注ぎ、陰気な顔つきでカップを眺めていた。「腹ぼて女と傷ついた女が、いまのぼくの気分にはぴったりさ。自分の人生を救うために踊ったり歌ったりはできない。不快きわまる女じゃないか？　ぼくのいとしい人はさ？　ぼくの未来の妻は？　ほんとうのことを言ってくれよ。そう思うのはぼくだけじゃないだろう？　彼女にはどこかぞっとさせられるところがある」

「馬鹿なこと言わないの」わたしはきっぱりと言った。「彼女は不快きわまる女ではないわ」

「あの女は、わたしの神経を逆なでする、いつだって」アンが辛辣に言った。「くだらないおしゃべりや、危険なスキャンダルや噂話の輪にはいつもいる。なんにでも聞き耳をたてて、人を観察している。人の悪いところばかり考えている」

「そうなんだ」ジョージはむっつりと言った。「いやはや！　そんな女がぼくの妻になるんだからな！」

「初夜には驚かせてくれるかもしれないわよ」アンがワインを飲みながら、いたずらっぽい声で言った。

「なんだって?」ジョージが聞き返す。

アンはカップ越しに片方の眉を吊り上げた。「はじめてにしてはなんでも知りすぎている。既婚女性のあれこれに深い知識をおもちだわ。既婚女性や娼婦についてね」

ジョージは驚いて口をぽかんと開けた。「はじめてじゃないなんて言わないでくれよ！　生娘でないなら、結婚は取りやめだ！」

アンは頭を振った。「そんなことしたら相手に失礼よ。できるわけないでしょ。でも、あの人はいつも目を光らせ、聞き耳をたてている。臆面もなく質問したり覗いたりね。彼女がシーモア家の娘の一人とひそひそやっているのを聞いたことがあるわ。国王と寝ている女のことで——あなたじゃないわよ——」アンはすばやくわたしに言った。「——ずいぶん世慣れたことを言っていたわ。口を開けてキスするだとか、舌をからめてどうのとか、王の上になるとか下になるとか、手をどこにやるだとか、忘れられないような歓びを与えるにはどうすればいいかだとか」

「それで、彼女はフランス流の技巧を知っているのか?」ジョージは愕然として尋ねた。

「やったことがあるような口ぶりだったわよ」アンはジョージの驚きようを楽しんでいた。

「なんてことだ！」ジョージはワインを注ぎ足し、瓶をわたしに振ってみせた。「思ったより幸せな夫になれそうだ。手をどこにやる、だって？　それで、それはどこにやればよろしいんですか、ミストレス・アンナマリア？　きみはぼくのいとしい未来の妻ともども、その会話を聞いていたようだからね？」

「あら、わたしに訊かないでよ」と、アン。「わたしは処女だもの。誰にでも訊いてみてごらんなさい。お母さまでもお父さまでも、叔父さまにでも。ウルジー卿にでも訊いてみてよ、あの人がそれを認証したんだから。わたしは処女、正真正銘、公式に認められた処女なのよ。ウルジーが、ヨーク大司教その人が、わたしは処女だと言ったの。これ以上の処女なんてほかにいないでしょ」

「おまえに逐一報告するさ」ジョージはさっきより楽しげに言った。「ヒーヴァーに手紙を書くよ、アン、その手紙をブーリンのばあさんに読んで聞かせてやるといい」

　婚礼の朝、ジョージは花嫁と同じくらい白い顔をしていた。それが前夜の深酒のせいでないと知っているのは、アンとわたしだけだった。ジェーン・パーカーが祭壇に向かってきても、彼は笑顔を見せなかったが、彼女が二人分の笑顔を振りまいていた。

わたしはお腹に手をあてながら、長い時間が経ったことを思い知った。祭壇の前に立ち、すべてを捨ててウィリアム・ケアリーに添い遂げると誓ったあのときから。彼がわたしに小さくほほえみかけた。ほんの四年前、手を握りあい希望に溢れていたあのとき、こんなことになるとは予想もしていなかった、と彼も思っているのだろうか。

ヘンリー王は最前列にいて、わたしの兄が妻を娶《めと》るのを見守っていた。わが一族は、わたしの大きなお腹のおかげでうまくやっているのだ。わたしの結婚式のとき、王は遅れて参列し、それもブーリン家に敬意を払うというより友人のウィリアムのために出席したのだった。ところがいま彼は列席者の先頭にいて、新郎新婦が祭壇から振り向き、通路をこちらに歩いてくるのを見守り、それからわたしと一緒に参列者を宴の席へと案内した。母はわたしがブーリン家の一人娘であるかのようにほほえみかけた。アンは、礼拝堂の横の扉からそっと抜け出し、馬に乗り、使用人を供にヒーヴァー城に戻った。

わたしは、アンがただ一人、ヒーヴァー城に馬を走らせる姿を思い描いた。番小屋のある門から見る城は、月明かりを浴び、玩具のようにかわいらしく見えるだろう。木々のあいだを縫うように走ると跳ね橋に着く。跳ね橋がきしみながらおりてきて、馬がこわごわと板の上を歩くと蹄が虚ろな音をたてる。濠のじめじめした臭い、中庭に一歩入ると串に刺した肉が焼ける匂いが漂ってくる。中庭に月光は降り注ぎ、夜空を背景に切妻壁が浮かび上がる。仮面劇そのままの宮廷の偽りの王妃ではなく、ヒーヴァー城の領主でいられたら、どんなにいいだろう。お腹にいるのは嫡出の息子であり、窓から身を乗り出して領地を見渡し、たとえ小さな荘園でも、いつかこの子のものになるのだと思えたら、どんなにいいだろう。

でも現実には、わたしはいまをときめくブーリン、富と国王の寵に浴すブーリン家の一員だ。自分の息子がどれほどの土地を所有することになるのか見当もつかず、どれほどの高みまで昇りつめるか想像もできない、ブーリン家の一員だ。

一五二四年夏

六月は丸々ひと月宮廷から身をひき、出産に備えることになった。分厚いタペストリーが掛けられた薄暗い部屋をあてがわれ、赤ん坊が無事生まれてからも六週間後まで、光を見ることも新鮮な空気を吸うこともできない。全部でふた月半、わたしは幽閉の身だ。付き添いは母と助産師二人、給仕をするメイドが二人、それを手伝う小間使い一人だった。部屋の外では、二人の薬師が昼夜交代で呼ばれるのを待っていた。

「アンを呼んでもらえませんか？」暗い部屋を目にしたとき、わたしは母に尋ねた。

母は眉をよせた。「お父さまがヒーヴァー城にいるようにと命じたのです」

「ねえ、お願い。これから先は長いし、アンに話し相手になってもらいたいのです」

「顔を見に来させることはできます」母はきっぱりと言った。「でも、王の息子の誕生に立ち会わせるわけにはいきません」

「娘かもしれないわ」わたしは釘を刺した。

母はわたしのお腹の上で十字を切った。「神よ、男児でありますように」

アンが訪ねてくるのが嬉しくて、わたしはそれ以上なにも言わなかった。アンは一日だけのつもりでやってきて、二晩泊まっていった。ヒーヴァーで退屈し、ブーリンの祖母に怒っていたので、そこから逃げ出せるのなら、暗い部屋で、王家の非嫡出子のために小さな寝巻きを縫って時間を潰す妹のところでもかまわなかったのだ。

「農園のほうには行った？」わたしは尋ねた。

「いいえ。馬で通りすぎたけど」

「苺の育ち具合はどうかしら？」

アンは肩をすくめた。

「ではピーター家の農場は？　羊の毛の刈り取りには行った？」

「まさか」

「今年はどんな牧草を育てているか知ってる？」

「知らないわ」

「アン、あなた一日なにをしているの？」

「読書。音楽の練習。何曲か歌を作ったわ。毎日乗馬もしている。庭を散歩している。田舎でほかになにをするって言うの？」

「わたしはあちこち農場を見てまわるわ」

アンは眉を吊り上げた。「そんなのいつ見ても同じじゃない。草が伸びるだけで」

「なにを読んだの？」

「神学。マルティン・ルターって聞いたことある？」

「もちろんあるわ」憤慨して言った。「異端者で、著作が禁書になっていることぐらい知っているわよ」

アンは秘密めいた笑いを浮かべた。「必ずしも異端者というわけじゃない。見解の相違ね。彼の本や、彼と同じように考える人の書いた本を読んでいたわ」

「人に言わないほうがいいわよ。お父さまやお母さまに禁書を読んでいることを知られたら、またフランスに送られる。やっかい払いされるわよ」

アンは肩をすくめた。「誰もわたしのことなんか気にかけないわよ。あなたの栄光の影に隠れているもの。この家で注意を集める方法はたったひとつ、国王のベッドに潜り込むことよ。この一家に愛されるには、娼婦にならないとね」

アンの毒のある言葉もまるで気にならず、わたしは膨らんだお腹に手を当ててほほえみかけた。「わたしに皮肉を言ってもしょうがないわ。わたしがここにいるのは星の巡り合わせだもの。だからあなたも、ヘンリー・パーシーをたきつけて、辱めを受ける必要はなかったのよ」

一瞬、アンの美しい顔から仮面がはがれおち、恋い焦がれる女の目になった。「彼から便りはある？」

わたしは頭を振った。「たとえ書いてくださったとしても、わたしの手元には届かないわ。

まだスコットランド人と戦っているのでしょう」

アンは唇を嚙みしめて、うめき声を抑え込んだ。「ああ、どうしよう、彼が怪我をしたり、殺されたりしたら?」

お腹の赤ん坊が動くのがわかり、あたたかな手を緩めた胸飾りにあてがった。「アン、もうあなたとは関係のない人よ」

アンは目をしばたたき熱い眼差しを隠した。「わたしには関係のない人」

「もう奥方のいる身よ。宮廷に戻りたいのなら、彼のことは忘れないと」

アンはわたしのお腹を指差した。「そこが問題なのよ」歯に衣着せぬ言い方だ。「この一族の連中の頭にあるのは、あなたが王の息子を宿しているかもしれないということだけ。お父さまに五、六通は手紙を書いたけれど、たったの一度、書記に書かせた返事が来ただけよ。わたしのことなんて考えていない。気にもかけてないわ。みんなの頭にあるのはあなたと、その大きなお腹だけよ」

「じきにわかるわ」努めて落ち着いた声を出したが、内心は怖かった。もし生まれたのが女の子で、健康でかわいらしかったら、子種があるということだから、ヘンリーはそれで満足すればいいのだ。でも、彼はただの男ではない。彼は世の中に、健康な赤ん坊を作ることができると知らしめねばならない。男児を産ませることができると知らしめねばならない。

子どもは女の子だった。この十か月間、願い、祈りをささやき、ヒーヴァーとロッチフォードの教会で特別に礼拝を行ったにもかかわらず、子どもは女の子だった。
でも、わたしの女の子だ。小さなカエルのような掌の、精巧な人形のようだった。深い深いブルーの瞳は、ヒーヴァー城で真夜中に見る空の色だ。頭を縁取るぽやぽやした黒髪は、ヘンリーの赤みがかった金髪とは似ても似つかない。でも、口元はそっくり。思わずキスしたくなるバラの蕾の唇だった。あくびをすると、的外れな賛辞に退屈したときの王そっくりになる。泣くときは、憤慨してピンクに染まった頬にほんとうに涙をこぼす。自分の権利を否定された君主のように。腕に抱いて乳を含ませると、吸い付く力の強さに驚かされる。仔羊のようにお腹が膨れると、蜂蜜酒のジョッキの横で伸びている酔っ払いのように眠りこける。

わたしは赤子をいつも抱いていた。乳母はいたけれど、お乳を飲ませないと乳房が張ると言い訳して、いつもかたわらに寝かせていた。わたしは夢中になった。全身全霊で赤子に恋をした。たとえ男の子だったとしても、これ以上夢中になれるとは思えなかった。

出産室のほの暗い平穏に包まれたわたしを訪れたヘンリーでさえ、彼女を見たとたんとろけそうになった。揺り籠から抱き上げ、小さく完璧に整った顔や手や、ずっしりと刺繍を刺したガウンから覗く小さな足に目を瞠《みは》った。「エリザベスと呼ぼう」ヘンリーは、やさしく揺すりながら言った。

「わたくしが名前をつけてもよろしいでしょうか」わたしは大胆にもそう切り出した。

「エリザベスは気に入らないのか？」

「別の名前を考えていました」

ヘンリーは肩をすくめた。とどのつまりは女の名前だ。大したことではない。「好きにしろ。そなたが好きなように名づければいい。しかし、かわいい子ではないか?」

陛下は褒美として金貨の袋とダイヤモンドの首飾りをくださった。それから本を何冊か、自身が物した神学の論文と、ウルジー枢機卿が推薦した難解な本を持ってきてくださった。わたしはお礼を言ったが、本はわきにやり、アンに送って概要を書いてもらおうと考えた。話題にのぼったときにうまく言い繕えるように。

格式ばった訪問がはじまり、はじめは暖炉の両側の椅子にそれぞれ腰をおろしていたが、やがて彼がわたしをベッドに誘い、並んで横たわり、やさしく甘く口づけを交わした。そのうちに求められたので、産後礼拝がすんでいないことをほのめかした。わたしはまだ清められていないのだ。おずおずと胴着に手を伸ばすと、陛下は吐息をついてわたしの手をとり、自らのこわばりに押しつけた。彼はどうしてほしいのだろう。誰か教えてくれないだろうか。でも、陛下はわたしの手を導き、耳元でそれを囁いた。それからひとしきりわたしのぎこちない愛撫にあわせて体を動かしたあと、ため息をついてぐったりと横たわった。

「これでよかったのでしょうか」わたしはおずおずと尋ねた。

陛下はこちらを向いて、やさしい笑みを浮かべた。「いとしい人、これだけ長いあいだ待ったのだから、たとえこのような形であっても、そなたを抱けるのは大きな喜びだ。礼拝に行っても告解する必要はないぞ——罪はすべて余にある。だが、そなたにならば聖人ですら惑わされるだろう」

「あの子を愛していらっしゃいますか？」問いつめるように尋ねた。

陛下は鷹揚に、気だるそうに笑った。「あたりまえだ。母親と同じくらいかわいいからな」

ややあって起きあがり、着衣の乱れを直した。いまなおわたしを魅了する、いたずらっぽい笑顔をくれたが、わたしの関心の半分は揺り籠のなかの赤ん坊に、もう半分は母乳で張った乳房に向いていた。

「産後礼拝がすんだら、もっとちかい部屋に移ってくるがいい。いつもちかくにいてもらいたい」

わたしはほほえんだ。甘美な瞬間だった。イングランド国王が、わたしと一緒にいたいと言っている。いつもそばにいてほしいと。

「男児が欲しい」有無を言わせぬ言い方だった。

子どもが女の子だったために、父はわたしに腹をたてていた――と、母は言った――が、外界の話はひどく遠くに感じられた。叔父も失望していたが、表には出さなかった。わたしは申し訳なさそうにうなずいたが、感じるのは圧倒的な喜びだけだった。けさ目を覚ましたあの子が、わたしを真剣に見つめた。母親だとわかっているのだ。わたしはそう確信した。父も叔父も出産室に入ることは許されず、陛下も一人ではやってこなかった。ここはわたしたちの避難所であり、男の謀略も欺瞞も入り込めない場所だ。

いつもながらくつろいだ優雅さであっさり慣習を破り、ジョージがやってきた。「ここではおぞましいことはなにも起きていないよな?」そう言いながら、扉から端正な顔を覗かせた。

「なにも起きてないわよ」わたしは笑顔で迎え入れ、キスを受けようと頰を差し出した。ジョージはかがみこんで唇に深々とキスをした。「ああ、なんと美味な、わが妹、若き母親、禁じられた喜びがいっせいに湧き上がる。もう一度キスしておくれ——ヘンリーにするように」

「あっちへ行って」兄を押しやった。「赤ちゃんを見てよ」

ジョージはわたしの腕の中で寝ている娘を覗きこんだ。「きれいな髪だ。名前は決めたのか?」

扉が閉まっているのをたしかめた。ジョージは信頼できる相手だ。「キャサリンと名づけたいの」

「ちょっと変じゃないか」

「どうして。わたしは彼女の侍女だったのよ」

「でも、彼女の夫の子どもだぞ」

わたしはくすくす笑った。この喜びを抑えておくことはできなかった。「もうジョージ、そんなことわかっているわ。でも、お側にお仕えするようになったときから、ずっと王妃さまをお慕いしているのよ。尊敬していることを示したいの——これまでのいきさつはどうであれ」

それでもジョージは懐疑的だった。「わかってくれると思うか？　馬鹿にされたと思うんじゃないか？」

その言葉にショックを受けて、わたしはキャサリンを抱いた手に力をこめた。「わたしが勝とうと思っていないことは、王妃さまがよくご存じだわ」

「おい、どうして泣くんだ？」ジョージがあわてた。「泣く理由はないだろう、メアリー。泣かないでくれ、お乳が固まってしまうぞ」

「泣いてない」頬に伝う涙は無視して言った。「泣くつもりはないわよ」

「わかった、やめてくれ」ジョージが焦れて言う。「やめてくれ、メアリー。いつ母上が入ってくるかもしれないし、おまえを動揺させたとみんなに責められる。そもそもぼくはここにいてはいけない人間だ。外に出られる日まで待ち、王妃にじかに訊いてみたらどうだ？賛辞と受け取ってくれるかどうか。ぼくに言えるのはそれだけだ」

「そうね」わたしはにわかに明るい気分になった。「そうなれば、ちゃんと説明できるかもしれないものね」

「でも、泣いてはならない」ジョージが釘を刺した。「彼女は王妃だ。涙はお好きではない。おまえも彼女が泣くところは見たことがないだろう、この四年間、昼も夜も側にいて」

わたしはしばし考えた。「ないわ」ゆっくりと答えた。「この四年間、王妃さまが涙を流したところは一度も見ていない」

「これからもないだろうな」ジョージは満足げに言った。「感情に流される女ではないんだ。強烈な意志をもったお方だよ」

あと一人の訪問者は夫のウィリアム・ケアリーだった。なんともやさしいことに、ヒーヴァーから取り寄せた早摘みの苺をお土産に。

「故郷の味だ」彼はやさしく言った。

「ありがとう」

彼は揺り籠にちらっと目をやった。「女の子で、丈夫な子だと聞いた」

「そうよ」彼の口調のそっけなさに、わたしはひやりとした。

「それでなんと名づけるつもりだ？　ぼくの名字以外に？　ぼくの名字を名乗るんだろう？　フィッツロイとかなんとか、王家の庶子だとわかるような名前はつかないんだろう？」

わたしは舌を噛み、うつむいた。「気分を害されたのなら謝ります、ご主人さま」従順に言った。

ウィリアムはうなずいた。「それで名前は？」

「ケアリーです。キャサリン・ケアリーと名づけたいと思っています」

「お好きにどうぞ、マダム。ぼくは五つの土地の管理権と騎士の爵位を賜った。いまではぼくはサー・ウィリアム、きみはレディ・ケアリーだ。収入は二倍以上になった。知っていたか？」

「いいえ」

「ぼくは最高の恩恵を受けている。もしきみが男の子を産んでいたら、ぼくはアイルランドかフランスの領地を期待していたろう。ケアリー卿と呼ばれていたかもしれない。男の庶子を儲ければ、ぼくらがどこまで昇りつめるか、誰にわかる？」

わたしは答えなかった。ウィリアムの口調は穏やかだったが、言葉の端々に鋭い棘があった。イングランドでもっとも有名な〝寝取られ男〟になって得た幸運を祝ってほしいと言っているわけがない。

「ぼくは宮廷でのしあがるつもりだった」ウィリアムは苦々しげにつづけた。「王がぼくを側近に加えたとき、運が上昇していたときには。きみの父上のようになりたかった。大局を見通せる政治家に。ヨーロッパの主要な宮廷で論争し、次々と問題を片付け、当然のように自国の利益を勝ち取る外交官に。だが、このぼくは、自分ではなにもしないで十倍もの見返りを得ている始末だ。王が妻をベッドに連れ込むのを、見て見ぬふりをするだけで」

わたしは目を伏せて黙っていた。顔をあげると、ウィリアムが笑っている。皮肉と悲しみが綯《な》い交《ま》ぜになった歪んだ笑みだった。「ああ、かわいい妻よ」やさしく言った。「時間がたりなかったね、そうだろう？　床入りはあまりうまくいかなかったし、頻繁でもなかった。思いやりはおろか、欲望すら学べなかった。ぼくたちにはほんの少しの時間しか許されなかった」

「そのことも残念に思っているわ」わたしは小声で言った。

「床入りしなかったことが残念だと?」

「なんですって?」突然口調が刺々《とげとげ》しくなったので、わたしはすっかり戸惑った。

「きみの縁者から慇懃にほのめかされたよ。ぼくは夢を見ていて、ほんとうは床入りしていないと。それがきみの望みなのだろう? ぼくがきみを抱くことを拒絶した、と言いたいのだろう?」

わたしは仰天した。「まさか! わたしがそんなこと言うわけがないでしょう?」

「じゃあきみはまだ、ぼくが結婚初夜からずっと不能だったと王に告げろと、言われていないのか?」

わたしは頭を振った。「どうしてそんなことを?」

ウィリアムはほほえんだ。「ぼくたちの結婚を無効にするためさ。そうすればきみは未婚の女だ。つぎの赤ん坊が男子だったら、その子を嫡出子にし、世継ぎにするようヘンリーを説き伏せられるだろう。きみは次期イングランド国王の母親だ」

沈黙があった。わたしは茫然と彼を見つめていた。「まさかそんなことをさせるつもりじゃ」

「さあ、きみたちブーリン一族のことだ」ウィリアムは穏やかに言った。「きみはどうなるだろうな、メアリー。ぼくたちの結婚が無効にされ、きみは前面に押し出されるんだ。結婚の事実は否定され、きみは名実ともに娼婦と呼ばれることになる。かわいい娼婦と」

頬がかっと熱くなるのがわかったが、わたしは黙ったままでいた。わたしを見つめるウィリアムの顔から怒りがひき、うんざりした哀れみに取って代わられた。「言うべきことを言うんだ。命じられることはなんでも。もし床入りの晩、ぼくは一晩中銀の匂い玉を弄《もてあそ》び、きみの脚のあいだに身を横たえなかった、と言うよう命じられたら、そう言えばいい。白を切りとおせ――どうせ言わされるのだから。きみはキャサリン王妃の恨みを買うことになる。スペイン国民すべての恨みを。ぼくの怒りは棚上げにしよう。かわいそうで愚かな娘よ。揺り籠の子が男だったら、礼拝がすんだその瞬間にきみは偽証させられていただろうな。ぼくをお払い箱にして、王をおびき寄せるために」

わたしたちは視線を絡ませあった。「この子が女の子だったのを残念に思っていないのは、この世であなたとわたしだけなのね。わたしはいまある以上のものは望まないもの」

ウィリアムは苦々しい廷臣の笑みを浮かべた。「だが、つぎはどうかな？」

宮廷は真夏の巡幸に出発し、埃っぽい道をサセックス、ウィンチェスター、そしてニュー・フォレストへと移動した。王が連日、朝から晩まで鹿狩りに興じ、夜ごと鹿肉の宴を繰り広げられるように。夫は王のまぢかに控えていたが、宮廷が巡幸に入り、猟犬が吠えたてながら馬の前を走り、専用の荷車に乗せられた鷹を、馬で伴走する鷹匠が歌いかけて宥めているときに、男同士、嫉妬の感情が入り込む隙はなかった。兄も同行し、わたしとわたしの子へのさらなる愛情のしるしとして陛下から賜った青毛のハンターにまたがり、フランシス・ウェストンと轡《くつわ》を並べた。父はヨーロッパで、イングランドとフランスとスペインの間で果てしもなくつづく交渉の席につき、ヨーロッパでもっとも偉大な王という称号を狙う三人の貪欲な若き君主の野望を、なんとか制御しようとしていた。母もわずかな数の召使いを連れて巡幸に同行し、叔父も一緒にハワード家のお仕着せ姿の従者を連れ、シーモア一族の野望と動向に目を光らせていた。パーシー一族もいたし、サフォーク公チャールズ・ブランドンとその妻で元フランス王妃のメアリーもいた。ロンドンの金細工職人も、外国の外交官たちも顔を揃えていた。イングランドの名士たちがこぞって畑地や農場、船や採鉱、商売を放りだし、ロンドンの屋敷を離れ、国王と狩りに出かけた。金銭の下賜や土地の分配や国王の寵愛を受け損なうまいと必死だった。器量の良い娘や妻に、国王の移り気な関心が向けば、よりよい地位に昇れるかもしれない。

幸いなことに、わたしは今年、それを免れることができたから、嬉々として一行から離れ、ケントに向かった。ヒーヴァー城の中庭で出迎えたアンの顔は、真夏の嵐のように暗く曇っていた。「正気を失ったの」挨拶代わりに彼女が言う。「ここでなにをするつもりなの?」

「この夏はここで子どもと過ごすの。休息が必要だわ」

「そうは見えないけれど」アンはわたしの顔をじろじろと見た。「きれいだわ」不承不承というふうにつけ加えた。

「それよりこの子を見てよ」わたしはキャサリンの小さな顔から白いレースのショールを持ち上げた。キャサリンは輿に揺られながら、移動のあいだほとんど眠りつづけていた。

アンは儀礼的にちらりと視線をやった。「かわいらしいわね」口先だけだ。「どうして乳母に預けなかったの？」

宮廷より素晴らしい場所があることを、アンにわかってもらうのは無理だと悟り、ため息をついた。わたしは先に立って玄関広間に入り、着替えさせるため乳母にキャサリンを預けた。

「終わったら連れてきてちょうだい」

大広間のテーブルの木彫りの椅子に腰をおろし、尋問者のようにいらいらとして目の前に立つアンにほほえみかけた。

「ほんとうに宮廷には興味がないの」わたしはきっぱりと言った。「子どもをもったから。あなたには理解できないでしょうけれど。人生の目的がふっとわかったの。王の寵愛を受けるとか、宮廷で力をもつとかそういうことではない。家族の地位を少しでもあげることでもない。もっと大切なものがあるの。あの子に幸せになってほしい。よちよち歩きのころによそへやったりしたくない。愛情を注いで、目の届くところで教育を受けさせたいの。ここで育てて、川や野原や湿地に生える柳を知ってほしいの。自分の土地を知らない人間になってほしくないのよ」

アンはぽかんとしていた。「ただの赤ん坊じゃない」と、にべもない。「死ぬ可能性だってあるのよ。これから何人も生まれるだろうし。一人一人に対して、そんなふうにやっていくつもり？」

それを考えるとぎくりとしたが、アンは気づきもしなかった。「わからないわ。こんな気持ちになるなんて、思いもしなかったもの。でも、そうなのよ、アン。この子はこの世でいちばん大切なものよ。ほかのなによりも大切なの。この子の面倒をみて、健康で幸せであるように気を配る以外、なにも考えられない。この子が泣くと心臓にナイフを突き立てられたような気になって、とても耐えられない。この子が成長するのを見守りたいの。離れて暮らすつもりはないわ」

「王はなんと？」アンはブーリンの人間らしく核心を突いた。

「まだ話してないわ。わたしが夏のあいだ離れて休息をとることに満足してらっしゃるもの。狩りに出かけたがってね。今年は熱に浮かされているみたい。ほかのことはどうでもいいのよ」

「どうでもいい？」アンは疑わしげにわたしの言葉を繰り返した。

「まったくどうでもいいのよ」

アンはうなずき、爪を嚙んだ。頭のなかで、わたしが言った言葉をひとつひとつ吟味しているのが目に見えるようだ。「わかったわ。あなたが宮廷に出なくてもかまわないと言われているんだったら、わたしが心配する必要はないわね。あなたがここにいてくれれば、わたしは助かるもの。あなたがあの無慈悲な老婆の相手をしてくれれば、わたしは果てしのないおしゃべりを聞かずにすむ」

わたしはにっこりした。「あなたったらほんとうに罰当たりな人ね、アン」

「ええそうよ、そうですとも」アンは丸椅子に座り直し、苛立たしげに言った。「とにかく、最近の出来事をすべて話して。王妃のことを教えて。ドイツで出たあたらしい論文について、トマス・モアがなんと言ったか知りたいの。それからフランスに対する戦略は？　また戦争になりそう？」

「ごめんなさい」わたしは頭を振った。「この前の晩、誰かが話していたけれど、聞いていなかったわ」

アンは不満の声を洩らし、さっと立ち上がった。「ああ、よくわかったわ」苛立っている。「だったら赤ん坊のことを話してちょうだい。あなたに関心があるのはそれだけなんでしょう？　首を傾げてあの子の声に聞き耳をたてているじゃない。馬鹿みたいよ。お願いだから、まっすぐ座ってちょうだい。乳母だって、獲物を探す猟犬みたいなあなたのところには、赤ん坊を連れてきたくないわよ」

的確な描写にわたしは笑った。「恋をしているようなものよ。ずっとあの子を見ていたいの」

「あなたはいつも恋ばかりしている」アンは不機嫌そうに言った。「まるでお人よしの娘ね。誰かれかまわず愛を垂れ流して。この前の相手は国王で、わたしたちもその分いい思いをしたけれど、こんどはその赤ん坊、なんの役にもたたない。でも、あなたはなんとも思っていない。いつだって感情の垂れ流し。情熱、喜怒哀楽、欲望。あなたを見てると腹がたつ」

わたしはアンに笑いかけた。「あなたにあるのは野心だけですものね」

アンの目が光った。「もちろんよ。ほかになにがあるの？」

ヘンリー・パーシーが二人の間を彷徨《さまよ》う。目に見える幽霊のように。「彼に会ったかどうか知りたくない？」わたしは訊いた。残酷な質問だと百も承知で、アンの目に苦悩が浮かぶのを見たかったのだが、悪意が報いられることはなかった。アンの顔は冷たく険しいままで、彼のために泣くのは終わり、二度と男のために泣くことはない、と言わんばかりだった。

「いいえ」アンは答えた。「人に訊かれたら、わたしは彼の名前を口にしなかったと言えばいいわ。あの人は諦めたんでしょう？　ほかの女と結婚したのよ」

「あなたに捨てられたと思ったのよ」わたしは言葉を返した。

アンは顔をそむけた。「彼が立派な男だったら、わたしを愛しつづけてくれたはずよ」声が掠れていた。「もし立場が逆だったら、愛する人が独身でいるあいだは、わたしは結婚しない。あの人は屈服し、わたしを手放した。けっして許さない。わたしにとって彼は死んだもおなじ。わたしも彼にとってはそう。いまの望みはこの墓場から抜け出して、宮廷に戻ることだけ。残されたのは野心だけよ」

アンにブーリンの祖母、赤ん坊のキャサリンとわたしは、いやいやながら夏を一緒に過ごした。体力が回復し、陰部の痛みがやわらぐと、馬に乗って午後は遠乗りに出かけるようになった。谷間をくまなくまわり、ウィールド地方まで足を延ばした。一回目の刈り取りを終えた干し草用の緑地が再び緑に変わり、羊もまた新しい毛が生えて白くふわふわとしていた。収穫のため農夫たちが小麦畑に入り、はじめて鎌を振るうのを見て彼らの幸運を願い、収穫物を大きな荷馬車に載せて穀物倉や製粉所に運んでいくのを見届けた。ある晩は野兎を食べた。農夫たちが犬を放ち、最後に残った小麦の穂に引っ掛かった兎を捕まえたのだ。仔牛と引き離された牝牛が、門のまわりに集まり、生垣を突き破ろうと頭で押し、仔を求めて大声で鳴く姿を目にすると、乳房が痛んだ。

「すぐに忘れますよ、レディ・ケアリー」牛飼いが励ますように言った。「鳴くのは数日だけです」

　わたしは彼にほほえみかけた。「もう少し一緒にいさせてあげられないかしら」

「男と動物には厳しい世の中なんですよ」彼はきっぱりと言った。「離さざるをえない。そうしないとどうやってバターやチーズを手に入れるんです？」

　果樹園のリンゴが赤く膨らんだ。わたしは厨房に行き、大きなリンゴのダンプリングを夕食に作ってくれと料理番に頼んだ。黒く熟したスモモは皮が裂け、蜂は蜜をたんまり吸って酩酊している。大気はスイカズラの甘い香りや、大枝に生《な》る果実のむせかえるような匂いに満ちていた。このまま夏が終わらなければいいのに。いとし子がいまのままの小さく、完璧で、かわいらしい姿のままでいればいいのに。瞳の色は生まれたときのダークブルーから濃い藍色へ、黒にちかい色へと変わっていた。気性の激しい伯母に似た、黒い目の美人になるだろう。

　わたしを見てにっこり笑うようになったので、飽きずに試した。知恵がつくのは二、三歳になってからなのだから、そんなことはするだけ時間の無駄だ、と祖母は言う。歌って聞かせたり、木の下に敷物を広げて一緒に横になり、小さな指を拡げて掌をくすぐったり、ぽっちゃりした足を持ち上げてつま先を口に含んだりしてなんになる、と言う祖母が、憎らしくてたまらなかった。

陛下から一通だけ手紙がきた。狩りと仕留めた獲物のことばかり書いてある。彼が満足するころには、ニュー・フォレストから鹿が一頭もいなくなっているだろう。手紙の最後に、十月にはウィンザーに戻り、クリスマスはグリニッジで過ごすつもりだと記されていた。姉はむろんのこと、わたしたちの娘も置いて、一人で戻ってこいと。キャサリンにキスを、と書いてあり、その気遣いには感謝したが、子どもと過ごす楽しい夏は終わったのだと思い知らされた。自分の望みがどうであれ、子どもを置いて畑に出る農婦のように、わたしにも仕事に戻るときが来たのだ。

一五二四年冬

ウィンザー城で上機嫌のヘンリーと再会した。狩りは上首尾で、人づきあいをおおいに楽しんだようだ。王妃の新しい侍女、最近宮廷にあがったマーガレット・シェルトンというハワード方のわたしのいとこと戯れていたという話を聞いた。実際よりもおもしろおかしく脚色した話もあった。馬の走り比べで王と張り合った貴婦人がいて、振り切れないと悟った王は茂みの陰でものにし、彼女が着衣を直す前に走り去ったというのだ。通りかかった人に鞍に乗せてもらうまで、彼女は地面から起き上がれなかったそうだが、わたしの後釜になるという望みはそこで潰えた。

酒宴の下品な話もあった。兄のジョージは酒場で喧嘩して片目にあざを作り、年若い小姓が彼に横恋慕し、ガニュメデス（ギリシャ神話でゼウスに誘拐され、神々の酒の酌をさせられたトロイの美少年）と署名して兄に愛のソネットを書き送り、不名誉のうちに家に送り返されたという噂話もながされていた。ようするに宮廷の殿方たちは陽気に過ごし、陛下も上機嫌だった。

わたしの姿を見るなり、陛下はわたしを抱き寄せ、全廷臣の前で激しく口づけをしたが、幸いなことに王妃はいなかった。「いとしい人、会いたかった」陛下は元気いっぱいだ。「そなたも余に会いたかったと言ってくれ」

その眩しく真剣な顔を見れば、思わず笑みがこぼれる。「もちろんでございますわ。陛下がお楽しみだったと、あちこちから洩れ聞こえております」

王のごく親しい友人たちが吹き出し、陛下もばつの悪そうな笑みを浮かべた。「昼も夜もそなたを思って胸が痛んだ」陛下は宮廷恋愛の台詞さながらに言った。「そとの暗闇で思い焦がれていたぞ。それで、そなたはつつがなく？　われらの赤子は？」

「キャサリンはとても美しく、すくすくと健康に育っています」王にもっと関心をもってほしくて、名前を強調して答えた。「その美しいこと、ほんもののチューダー・ローズです」

兄のジョージが前に進み出ると、王がわたしから手を離した。兄がわたしの頬にキスして陽気な口調で言った。

「よく宮廷に戻ってきたね、妹よ。リトル・プリンセスは元気にしているかい?」

一瞬、水を打ったようになり、陛下の顔から笑みが消えた。とんでもない過ちを犯したジョージを、わたしは恐れおののいて見つめた。ジョージは踵を返して王に顔を向けた。「幼いキャサリンをプリンセスと呼ぶのは、女王の卵のようにちやほやされているからです。メアリーが自分で縫い、刺繍をした服の数々をぜひご覧になってみてください。〝幼い女帝〟が横になるベッドの寝具類も! 彼女を見たらきっとお笑いになりますよ、陛下。彼女はおくるみにさえ頭文字がついているのですから。きっとお笑いになりますよ、陛下。ヒーヴァー城の小さな専制君主、まわりはみな彼女の言いなりです。正真正銘の枢機卿で、子ども部屋の最高権力者」

見事な挽回だった。ヘンリーは緊張をとき、権力を振りかざす小さな赤ん坊という図に笑い声をあげ、廷臣たちもそれに倣い、ジョージが語った赤ん坊の傍若無人さに忍び笑いをもらした。

「ほんとうにそうなのか? そなたはそれほど甘やかしているのか?」陛下がわたしに尋ねた。

「あの子がいちばんですわ」わたしは弁解するように答えた。「それに服はつぎの子どもにも使えますから」

これも完璧な答だった。たちまちヘンリーはつぎの子どもに思いを馳せ、わたしたちは事なきをえた。「ああ、そうだな。だが、子ども部屋にライバルが出現したらプリンセスはどうするかな？」

「物心ついていなければ大丈夫ですよ」ジョージが如才なく指摘した。「一歳になる前に弟ができるかもしれない。メアリーとアンは年子です。わが家は多産の家系ですから」

「まあジョージ、あられもないことを」母が笑いながら口をはさんだ。「ですが、ヒーヴァー城に小さな男の子がいれば、わたしたちにとってこれ以上の喜びはないでしょう」

「余にとってもだ」王はあたたかな目でわたしを見つめた。「小さな男の子は、大いなる喜びをもたらしてくれるだろう」

父がフランスから帰ると、また家族会議が開かれた。今度はテーブルに向かってわたしのための椅子が置かれた。わたしはいまや命令される小娘ではなく、国王の寵愛を受ける女だ。手駒《ポーン》ではなく城将《ルーク》、ゲームの担い手だ。

「メアリーがまた身籠り、それが男児だとすれば」叔父が穏やかに切り出した。「さらに、王妃が自らの良心に従い退位し、王に再婚させようと決意するとすれば、王は身籠った愛妾に、大いに心を動かされるだろう」

わたしはふと、この計画を自分が夢に見ていた気がしたが、ほんとうはこの瞬間を待っていたのだとすぐに気がついた。夫のウィリアムに以前警告され、考えるだに恐ろしい可能性として頭の奥にこびりついていたのだ。

「わたしは夫のある身です」母は肩をすくめた。「ほんの数か月のことでしょう。完了すらしていなかった」

「完了していました」わたしはきっぱりと言った。

叔父が眉を吊り上げ、母に先を促した。

「まだ子どもでした」と、母。「自分の身になにが起きたか、わかるはずないでしょう？ 完了していなかったと誓えるはずですわ」

「誓えません」母に向かって言い、叔父に顔を向けた。「わたしにはとてもできません。王妃の地位を奪うことなどできません。その後釜になるなど。キャサリンはプリンセスのなかのプリンセスですが、わたしはただのブーリン家の娘。誓って言います。わたしにはできません」

叔父にはなんの効き目もなかった。「特別なことはなにもする必要はない。言われたとおりに結婚するのだ。かつてそうしたとおりにな。あとはすべてわたしが命じる」

「でも、王妃さまは身を引きません」わたしは必死に食いさがった。「ご自身でそうおっしゃっていました。わたしにそうおっしゃいましたもの。身を引くぐらいなら死ぬと」

叔父は大きな声を出して椅子を引き、一歩踏み出して窓の外を眺めた。「王妃はたしかにいまは強い立場にいる。彼女の甥がイングランドと同盟関係を結んでいるかぎり、誰もこの結婚を反故《ほご》にはできない。ヘンリーにそれができるわけがない。まだ身籠ってもいない赤ん坊のためならなおのこと。だが、フランスとの戦に勝利し、領土を分割したとたん、彼女は世継ぎを儲けられない、男盛りの王には歳をとりすぎたただの女になる。身を引かざるをえない」

「戦争に勝てば、おそらく」父が懸念を口にした。「だが、いま現在、スペインと不和になるような危険は冒せない。わたしはこの夏来、同盟の仲立ちをし、確固たるものにしてきたばかりだ」

「どちらが優先される？」叔父は冷ややかに言った。「国か一族か？　国益を危険に曝すことなく、メアリーを使うことはできないのだから」

父は答に窮した。

「もちろんきみは血縁ではないからな」叔父は悪意たっぷりの口調で言った。「結婚によってハワード家の一員になっただけだ」

「一族が優先だ」父はゆっくりと口を開いた。「そうでなければならない」

「それなら、フランスに対抗するためのスペインとの同盟を犠牲にすることになるやもしれん」叔父は冷ややかに言った。「ヨーロッパに平和をもたらすより、キャサリン王妃を排除するほうが重要だ。イングランド人の命を救うより、わが一族の娘を王のベッドに送り込むほうが重要だ。兵士にする男ならありあまっておる。だが、ハワード一族に好機が巡ってくるのは百年に一度のことだ」

一五二五年春

　その知らせは三月にパヴィアから届いた。早朝のこととて国王は着替えの最中だったが、知らせを聞くや子どものように王妃のもとへ飛んできた。触れ役が王妃の居所の扉を激しく叩き、叫んだ。「陛下のおなり、国王陛下のおなりです！」わたしたちは着替えもそこそこに部屋から転がるように出たが、王妃だけは夜着のうえに優雅にガウンを着て落ちつき払っていた。ヘンリーは扉をノックして部屋に入ってくると、ツグミの群れのように闇雲にさえずるわたしたちの間を縫い、王妃のもとに直行した。金髪を顔のまわりに波打たせたわたしには目もくれなかった。ヘンリーが最高の知らせを伝えたかったのは、わたしではなく、故国スペインとの同盟をもたらしてくれた女だった。たびたび妻を裏切り、たびたび誓いを破っておきながら、歓喜の瞬間、彼の頭に浮かんだのは妃だった。彼女はまた彼の心の后に返り咲いたのだ。

　王は妃の足元に身を投げ出し、手を握りしめキスの雨を降らせた。王妃は少女のように笑い、もどかしげに叫んだ。「どうしたのです？　おっしゃってください！　さあ早く！　なにがあったのです？」ヘンリーはようやくこれだけ答えた。

「パヴィアだ！　ありがたや！　パヴィアだ！」

王は立ち上がると、少年のように飛び跳ねながら王妃と踊りまわった。王の側近たちも部屋になだれ込んできていたが、王に先を越された。ジョージも友人のフランシス・ウェストンと転がり込んできて、わたしのかたわらにやってきた。

「いったいなにごと？」わたしは髪を撫でつけ、スカートの紐を結びながら尋ねた。

「大勝利だ」ジョージが答えた。「決定的勝利だ。フランス軍はほぼ壊滅状態らしい。フランス軍は敗走した。スペインのカルロスが南を取って、ぼくたちは北をいただく。フランスはもう存在しない。滅びたんだ。フランスの地で、スペイン帝国と国境を接するのはイングランド王国になるのさ。われわれはフランス軍を叩き潰し、紛れもないフランスの支配者となり、ヨーロッパの共同支配者となるんだ」

「フランソワ王が負けた？」わたしは信じられない思いで聞き返した。われらが金髪の国王の好敵手だった、野心的な黒髪の国王が。

「粉々に砕け散った」フランシス・ウェストンがつけくわえた。「イングランドにとって最良の日！　画期的な勝利だ！」

わたしは国王夫妻に目をやった。王は踊りの足をとめ、王妃を抱き寄せて、額に、目に、唇にキスしていた。「最愛の人」王が呼びかける。「そなたの甥は最高の将軍だ。この勝利は、彼がわれわれにくれた最高の贈り物だ。われわれはフランスを足元にひざまずかせる。余は名実ともにイングランドとフランスの王となるのだ。そして、リチャード・ド・ラ・ポール（第二代サフォーク公の息子でフランスと組み王位を狙った。母はエドワード四世の妹）も死んだ——王位を脅かす企ても彼の死とともに潰えた。フランソワ王は囚われの身となり、フランスは破壊された。そなたの甥と余はヨーロッパでもっとも偉大な王となり、同盟二国がすべてを所有することになるだろう。父の願いがきょう叶った。そなたやそなたの一族がもたらしてくれるだろうと、父が望んだものが、きょう手に入ったのだ」

　王妃の顔は喜びで光り輝き、刻まれた年輪は王のキスで消え去った。肌はバラ色に染まり、青い目は輝き、王の手がまわされたウェストはしなやかだった。

「スペインとスペインの王女に神のご加護を！」ヘンリーが声を張り上げると、廷臣たちも大声で唱和した。

　ジョージは横目でわたしを見て、小声で言った。「スペインの王女に神のご加護を」

「アーメン」わたしは言った。夫の肩に頭をもたせ、歓声をあげる廷臣たちにほほえみかける王妃の姿が、ほほえましく思えた。「アーメン、そして、王妃さまのいまの幸せがずっとつづきますように」

　明け方まで勝利に酔いしれ、それから四日間、朝までつづく宴が繰り広げられた。三月の中旬に十二夜の祭りが出現したようだった。城の屋上から見ると、かがり火がロンドンまでつづき、街角ごとにたかれた炎で、夜空に街そのものが赤く燃えたつように見えた。男たちがその火で牛や羊の肉を炙《あぶ》り、教会の鐘が鳴り響いた。国中がイングランド最古の敵の完全な敗北を祝い、絶え間なく鐘を鳴らした。宮廷では、勝利にちなんだ名前のついた特別なご馳走が振る舞われた。パヴィア孔雀、パヴィア・プディング、スペインの喜び、そしてカルロス・ブランマンジェ。ウルジー枢機卿はセント・ポール大聖堂で祝典の大礼拝を催すよう命じ、地区のすべての教会がパヴィアでの勝利とイングランドにそれをもたらした国王への感謝をささげた。スペインのカルロス、王妃キャサリンのいとしい甥に。

だれが王の右隣りに座るか、疑問を差しはさむ余地はなかった。紅と黄金の華やかな衣装に身を包み、頭をそびやかし口元に軽い笑みを浮かべ、大広間を歩く王妃だ。それでも、自分に寵愛が戻ったことをひけらかしはしない。光輝が戻っただけのこと。それが王家の結婚の本質だ。王妃の運命はふたたび上昇し、堂々と歩いている。もっとも、それは日陰にあったときと少しも変わらなかったが。

ヘンリー王はパヴィアの感謝のしるしとして、もう一度后と恋に落ちた。彼女をフランスにおける己が力の源、勝利の喜びの源とみなした。王はただの甘やかされた子どもだ。すばらしい贈り物をもらえば、それをくれた人を好きになる。

その贈り物に飽きたり、壊れたり、もういらないと思うまで、それをくれた人を愛するだろう。そして三月も終わりにちかづくと、スペインのカルロス王が失望をもたらす兆しが見えてきた。

ヘンリー王のもくろみは、ブルボン公爵に領土をほんの少し投げ与えるだけで、フランスをカルロス王と分けあい、名実ともにフランスの王となって、何年も前に教皇が約束した称号を手に入れるというものだった。しかし、カルロス王に急ぐようすはなかった。パリへ行ってフランス国王の冠を授けてもらうというヘンリーの腹積もりを現実のものとするかわりに、神聖ローマ帝国の戴冠式のためにローマへ向かった。なお悪いことに、カルロスはフランス全土を手に入れるというイングランドのもくろみになんの関心も示さなかった。捕虜としていたフランソワ王を、身代金と引き換えにフランスに返し、奪ったばかりの王座にふたたび据える算段をしていた。

「いったいなぜだ？　なぜそんなことを？」ヘンリーは癇癪を起こしてウルジー枢機卿にあたった。王のごく側近の紳士でさえびくりと体を震わせ、貴婦人たちは目に見えて怯えていた。王妃だけが、大広間の上座の王の隣りに座る王妃だけが、ほんの一フィート先で、国でもっとも力のある男が闇雲な怒りに震えるのが目に入らないかのように、泰然自若としていた。

「なぜスペインの王はわれわれを裏切るのだ？　なぜフランソワを解放する？　なにに血迷ったのだ？」そこで振り向いて王妃に言った。「正気を失ったのか、そなたの甥は？　危険な二重試合でもしているつもりか？　そなたの父が余を裏切ろうとしたように、裏切るつもりか？　スペインの王には邪悪な反逆の血が流れているのか？　そなたの答は、マダム？　そなたには便りがあるはずだろう？　最後にはなんと書いてきた？　われわれの最大の敵を釈放したいと？　あの男は正気を失ったのか、それともただの愚か者なのか？」

王妃は助け船を期待して枢機卿を見たが、こういう事態に陥った以上、彼はもう王妃の味方ではなかった。だんまりを決め込み、外交官の冷静さで、懇願する王妃を見返した。

孤立した王妃は、後ろ盾なく夫に向き合わねばならなかった。「甥からはこの計画についてまったく知らされていませんでした。フランソワ王を釈放するつもりだなんて存じませんでした」

「そう願うぞ！」ヘンリーは王妃の耳元で大声を出した。「この国最大の敵が甥の手で自由になることを知っていたなら、どう少なくみてもそなたは反逆の罪を犯したことになる！」

「でも、知らなかったのです」王妃はきっぱりと言った。

「それにウルジーに聞いたが、あの男は王女メアリーとの結婚を断るつもりだとか？　そなたの娘をだぞ！　それについてはどう申し開きをする？」

「存じませんでした」

「はばかりながら」ウルジーがやんわりと口をはさんだ。「王后陛下は昨日スペイン大使とお会いになったことをお忘れではないでしょうか。王女メアリーが拒まれるかもしれないと、大使から話があったはずです」

「拒まれる！」ヘンリーは椅子から飛び上がった。憤慨のあまりじっとしていられないのだ。

「それで、知っていたのかね、マダム？」

王妃も立ち上がった。夫がそうしたときは倣わなければならない。「はい。枢機卿の言うとおりです。大使からはたしかに、メアリー王女の婚約について疑問があることを聞いておりました。そのことをお話ししなかったのは、甥本人の口から聞くまでは信じられないと思ったからです。そしていまだ聞いておりません」

「残念ながら疑問の余地はないようです」ウルジー枢機卿が口をはさんだ。

王妃は枢機卿をじっと見つめた。彼が自分を夫の怒りの矢面に立たせたことを、それも二度も故意にそうしたことを肝に銘じているのだ。「そうお考えになったことは残念です」

ヘンリーは怒りのあまり口もきけず、椅子にどっかりと腰をおろした。立ったままの王妃に座れと促すこともしなかった。王妃のガウンの襟元のレースが安定した呼吸に合わせて動いていた。手首からさがるロザリオに人差し指で触れているだけだ。王妃に威厳や度胸がないとは誰も言わないだろう。

陛下は王妃に凍りつくような怒りを向けた。「これからなにをしなければならないか、そなたにわかるか？　神が与え給いしこの機会を、そなたの甥が投げ捨てようとしているこの機会を、ものにしたいと思うのなら？」

王妃は黙って頭を振った。

「重税を課すのだ。また軍を召集せねばならない。フランスへふたたび遠征し、もう一度戦をしなければならない。それもわれわれだけで、援助もなくやらねばならぬのだ。なぜなら、そなたの甥が、よりによってそなたの甥が、マダム、戦いの末に君主が望みうるかぎりの恵まれた勝利を手にしながら、それを浪費し、波間に投げ捨てようとしているからだ」

そう言われてなお、王妃は動じなかった。その忍耐強さがかえって王の怒りを煽った。弾かれたように立ち上がり、王妃に飛びかかろうとしたとき、はっと息を呑む声が聞こえた。

一瞬、手をあげるのではないかと思ったが、顔に突きつけたのは拳ではなく人差し指だった。「それで、余に忠実でいるよう、あの男に命じる気はないのか？」

「そういたします」王妃はほんの少し唇を開いて言った。「わたしたちの同盟を思い出すよう彼に言います」

王妃のうしろでウルジー枢機卿が否定するように頭を振った。

「嘘だ！」陛下は怒鳴り散らした。「そなたはイングランド王妃である以上にスペイン王女なのだ！」

「わたしが忠実な妻でイングランド婦人であることは、神がご存じです」王妃は答えた。

ヘンリーが身をひるがえすと、あたりがざわつき、廷臣たちが道を空け、膝を折ってお辞儀した。それからきびきびと王妃に頭を下げ、足早に去る王のあとにつづいた。王は戸口で立ち止まり、捨て台詞を吐いた。「このことは忘れないからな。そなたの甥の侮辱は、断じて許さぬし、忘れない。そなたの振る舞いも、許さぬし、忘れない。そなたのたわけた裏切り行為はな」

王妃はゆっくりと優雅に深く腰を落とし、夫が罵り声をあげて出ていくまで、踊り手のように威厳ある姿勢を保っていた。それからようやく身を起こして周囲を見まわした。自分の屈辱を目撃し、いまや顔をそむけるわたしたちに、王妃は奉仕を求めないだろう。

翌日の正餐の席で、王の目は、王妃のうしろから遠慮がちに大広間に入るわたしに向けられていた。正餐が終わり、踊りのための場所が広げられたとき、王は王妃のわきを通り過ぎ、わたしのもとへやってきた。王妃に背を向けたまま、わたしを踊りに誘った。

その場が少しざわつくなか、わたしは踊りの場に連れ出された。「ヴォルタを」ヘンリーが肩越しに言うと、ペアを組み一緒に踊ろうとしていたほかの踊り手たちは、うしろにさがって輪になり、成り行きを見守った。

それは誘惑の踊りだった。ヘンリーは青い目でひたとわたしを見つめたまま、足を踏み鳴らし、手を叩きながらちかづいてきた。全廷臣が見ている前で、わたしを裸にしようとするかのように。王妃に見られているという意識は頭から消えていた。わたしは頭を高くあげたまま王の目を見据え、腰を揺らし首を巡らし、軽快にステップを踏んだ。向かい合うと、王はわたしを抱き上げ、小波のように拍手が広がるなか、やさしくおろした。自意識と勝利感と、欲望が綯い交ぜになった強い感情に頬が火照った。小太鼓の音に合わせて離れ、ふたたびステップを踏みながら向い合せになった。もう一度、陛下はわたしを抱き上げ、体を合わせたままおろした。全身で彼を感じた。その胸、長靴下、脚。動きをとめる。少しうつむけばキスできるぐらい、彼の顔がまぢかにあった。吐息がかかる。彼がささやく。「余の部屋へ。いますぐ」

その晩、陛下はわたしをベッドに誘い、それからも毎晩のようにわたしを求めた。幸せを感じて当然だ。両親も叔父も、ジョージでさえ、わたしが国王の寵姫に返り咲いたことを喜び、宮廷の人波がまた押し寄せるようになった。王妃の部屋付きの侍女たちは、王妃に対するのと同じように恭しくわたしに接した。外国の大使たちは、王女に対するように深々とお辞儀をし、王の寝室付き侍従は、わたしの金髪や唇を讃えるソネットを書き、フランシス・ウェストンはわたしのために曲を作った。どこへ行っても、わたしに奉仕し、手助けし、取り入ろうと人が待ち構えていた。陛下に取り成してくれたら恩に着る、と耳元でささやかれた。

ジョージの助言に従っていっさい取り次がず、自分の望みすら口に出さなかったから、陛下はほかの誰といるよりもくつろがれたにちがいない。私室の扉を閉めれば、そこは風変わりだけれど家庭的な安息所だった。大広間での正餐のあと、二人きりで食事をした。その場にいるのは、楽士と、ごく限られた友人が一人、二人だった。トマス・モアはよくヘンリーを屋上に連れだし、星を眺めた。わたしも一緒に行って夜空を見上げ、同じ星がヒーヴァーでも瞬き、窓越しにわが子を照らしているだろうかと思った。

五月に月のものがこず、六月もこなかった。そのことを打ち明けると、ジョージはわたしを抱き寄せた。「父上に話そう。それからハワード叔父にも。今度こそ男児であるよう神に祈ろう」

ヘンリーには自分の口から告げたかったが、これほど重要で実り多き知らせは、父から王へ告げるべきで、わたしが多産である名誉は、ブーリン家にもたらされてしかるべきだ。父は内密に話したいと王に申し出た。ウルジーの長期間にわたるフランスとの交渉に関わることだと考えた王は、廷臣たちに声が届かぬ窓辺の斜間《はすま》に父を招じ入れた。父がほほえみながら手短に伝えると、ヘンリーはわたしに視線をくれ、歓声をあげた。急いでやってきて、わたしを抱き上げようとしたが、傷つけるのを恐れたように動きを止め、わたしの手を取って口づけた。

「いとしい人！」王は大声で言った。「最高の知らせだ！　これ以上望むべくもない！」

知りたくてうずうずする周囲の人たちを見まわしてから、わたしは王の喜ぶ顔に視線を戻した。

「国王陛下」わたしは慎重に言葉を選んだ。「陛下にお喜びいただければ、幸いに存じます」

「これ以上の喜びはないぞ」王はわたしを立ち上がらせ、わきへ連れていった。侍女の一人が首を伸ばすと同時に顔をそむけた。知りたくてしょうがないけれど、盗み聞きをしているとは思われたくないのだ。父とジョージが王の前に立ち、天気やいつ夏の巡幸に出るかということを声高に話しはじめ、わたしたちが小声で交わす会話を人の耳から遮ってくれた。

ヘンリーはわたしを窓腰掛けに座らせ、胸飾りにやさしく手を置いた。「紐はきつすぎやしないか？」

「いいえ」わたしは顔をあげほほえみかけた。「まだごく早い時期ですから、陛下。目立ちません」

「今度は男児であることを祈ろう」

わたしはブーリン家のしたたかさを総動員してほほえみかけた。「きっとそうですわ。キャサリンのときはそうは言いませんでしたでしょう。でも今度は確信があるのです。きっと男の子ですわ。ヘンリーと名づけましょう」

その夏には、懐妊の褒美が家族にもたらされた。父はロッチフォード子爵に叙せられ、ジョージはサー・ジョージ・ブーリンとなった。母は子爵夫人となり、紫をまとうことを許された。わたしの夫にはさらなる領地を与えられた。

「きみに感謝すべきなんだろうな、マダム」正餐のとき、ウィリアムが隣りの席につき、肉のいちばんいい部位を取り分けてくれた。上座へ視線を移すと、ヘンリーと目が合ったのでほほえみ返した。

「あなたのお役にたてて光栄です」わたしは礼儀正しく言った。

ウィリアムは椅子にもたれてほほえんだが、その目は酒に酔ってぼんやりし、後悔に苛まれていた。「こうしてぼくたちはまた一年、きみは後宮で、ぼくは王の側近としてすごし、めったに顔を合わすことなく、話もできないんだろうな。きみは愛妾で、ぼくは修道士だ」

「禁欲的な生活をお選びになったとは、存じませんでした」わたしはやんわりと答えた。

ウィリアムはほほえむだけの礼儀はわきまえていた。「ぼくは結婚しているのに、妻がいない。妻がいなければ、新しく手に入れた土地を譲る跡取りを、どこで作ればいいのだ？」

わたしはうなずいた。しばしの沈黙があった。「ええ、あなたの言うとおりですわ。ごめんなさい」

「もしまた女の子で、きみへの関心が薄れたら、ぼくのもとに戻されるのだろう。そうすればきみはまたぼくの妻だ」ウィリアムは打ち解けた口調で言った。「どんな生活になると思う？　ぼくらと二人の子どもとで」

わたしははっとなって彼を見つめた。「そんなふうに話すのを聞きたくありませんわ」

「気をつけろ。見られている」

慌てて笑みを貼り付ける。「見られているって、陛下に？」周囲を見まわさないように気をつけながら尋ねた。

「きみの父上にも」

わたしはパンを取って口に運び、世間話をしているふうに首を巡らせた。「わたしのキャサリンをそんなふうに言ってほしくないわ。あなたの名を名乗っているのよ」

「だからその子を愛せと言うのか？」

「あの子を見たらきっと愛するようになるわ」わたしは身構えるように言った。「それはそれは美しい子よ。あなただって愛さずにはいられない。この夏はヒーヴァー城であの子と過ごしたいの。もうすぐ歩けるようになるはずだから」

厳めしい表情がウィリアムの顔から消えた。「それがきみの最大の望みだというのか、メアリー？　イングランド国王の愛妾であるきみの？　最大の望みが、小さな城で娘に歩き方を教えることだと？」

わたしは吹き出した。「馬鹿みたいでしょう？　でもそうなの。あの子と一緒にいられたら、ほかにはなにもいらない」

ウィリアムは頭を振った。「メアリー、間違っていたら言ってくれ」彼は穏やかに切り出した。「きみに虐げられた気がして、きみと狼の群れのようなきみの家族に腹がたって仕方なかった。だが、あるとき、きみのおかげで、みんなが羽振りが良くなったことに気づいた。ぼくたちはみんな、信じられないほどいい思いをして、その中心にきみがいる。アヒルに突つきまわされる柔らかなパンみたいに、生きたままぼくたちに食い物にされている。きっときみは、愛して守ってくれて、休む間もなく子を孕ませてくれるような男と結婚すべきだったんだ」

そんな暮らしを想像して、笑みを浮かべた。

「そんな男と結婚すればよかったと思わないか？　ときどき思うんだ。どんな見返りを差し出されようときみを愛し、きみを守り抜く男と結婚していればよかった、と。酔っ払って惨めになると、そんな男になれる勇気が自分にあったらと思う」

周囲の関心がよそに移るのを待って、わたしは口を開いた。

「すんだことよ」やさしく言った。「自分でものが考えられるようになる前に、すべて決められていた。あなたが陛下の望むとおりに行動したのは正しかったのよ、あなた」

「きみの力になろう」ウィリアムは言った。「この夏、きみをヒーヴァー城に行かせるようにぼくから働きかけてみる。それぐらいはぼくにもできる」

わたしは顔をあげた。「そうなったらどんなに嬉しいか」キャサリンにふたたび会えると思うと涙がこみ上げた。「ああ、あなた。とても嬉しいわ」

ウィリアムは約束を守ってくれた。父に話をし、叔父に話をし、最後に陛下に話をつけてくれた。わたしはひと夏をヒーヴァー城で過ごし、キャサリンがケントのリンゴ園で歩く練習をするのを見守ることができた。

ジョージが二度、前ぶれなく現れた。帽子もかぶらずシャツ一枚で城の中庭に現れ、メイドたちを狂乱に陥れ、やきもきさせた。アンは彼を質問攻めにして、宮廷でなにが起きているか、誰と誰が会っているか聞き出そうとしたが、ジョージは口が重く、疲れきったようすで、暑いさなかに石の階段を上がって自室の隣りの小さな礼拝堂に籠った。濠の水に反射した光が白い壁で躍る礼拝堂で、彼は黙ってひざまずき、好きなだけ祈り、空想に浸っていた。

夫婦仲は最悪だった。ジェーン・パーカーは一緒に来なかったし、ジョージが許さなかった。兄妹だけの水入らずの日々は、彼女のあからさまな好奇の目や、醜聞を探し求める貪欲さに毒されずにすんだ。

「ほんとうに怪物だよ」ジョージはうんざりしたように言った。「恐れていたとおり、たちの悪い女だ」

わたしたちは城の玄関前の、装飾をこらした庭の真ん中にいた。生垣や草木は絵画のように整えられ、低木はしかるべき場所に配され、草木の一本一本が花をつけていた。わたしたち三人は、屋根を叩く雨のような心地よい音をたてる噴水の前の、石のベンチにだらしなく座っていた。目を閉じてもたれかかるわたしの膝に、ジョージが黒い頭を載せていた。

ベンチの端に座るアンがこちらを見た。「どれくらいたちが悪いの?」

ジョージは目を開けたが、起き上がる気力はなかった。手をあげて、彼女の罪深さを指折り数え上げていく。「ひとつ、病的に嫉妬深い。彼女に見張られることなく扉の外に出られない。嫉妬に駆られて喧嘩をしかけてきて、人を愚弄する」

「愚弄?」アンが問いただした。

「わかるだろ」ジョージは苛立たしげに言い、裏声で彼女の声音を真似た。「『もしあのご婦人がもう一度あなたを見たら、サー・ジョージ、あなたへの気持ちがわかるってものよ！あの娘とあと一度でも踊ってごらんなさい、サー・ジョージ、ただじゃおかないから。彼女のことも、あなたのこともね！』」

「あら」アンが言う。「たしかに病的ね」

「ふたつめ」ジョージはリストの先をつづけた。「手癖が悪い。ぼくのポケットに一シリング入っていて、ぼくがそれに気づかないだろうとあの女が思ったら、それは消えうせる。安物の宝石がそのへんにほっぽってあったら、カササギみたいにくすねちまう」

アンは魅入られたように聞き入っていた。「いやだ、ほんとうに? 昔、金色のリボンをなくしたことがあるの。やっぱりあの人だったんだわ」

「三つめ」ジョージはつづけた。「これがいちばん悪い。盛りがついた牝犬みたいに、寝室でぼくを追いまわす」

わたしは驚き、鼻で笑った。「ジョージったら！」

「ほんとうさ」兄はうなずいた。「恐ろしいのなんの」

「ほんとう?」アンが小馬鹿にして尋ねた。「うれしいのかと思ったわ」

ジョージは居住まいを正して頭を振った。「そういうんじゃないんだ」真剣な口調だ。「欲情しているんならかまわない。寝室の中だけのことにして、ぼくに恥をかかせないのなら。でもそういうんじゃないんだ。彼女が好きなのは……」そこで言葉を切った。

「教えてよ！」わたしはせがんだ。

アンはしかめ面でわたしを黙らせた。「しっ。これは大切なことよ。彼女はなにが好きなの、ジョージ?」

「欲望じゃないんだ」ジョージは不安げに答えた。「欲望なら対処できる。風変わりな趣味というのでもない――ぼくだって多少は激しいのが好きだから。でも彼女の場合、ぼくに対してなんらかの力をもちたがっているようなんだ。この前の晩は、メイドを寝室に入れたいんじゃないかと尋ねるんだ。女を引き入れたらどうだって、ぼくに勧めるんだぜ。そのうえ、それを見たがる」

「見るのがお好みなの?」アンが尋ねた。

ジョージは頭を振った。「いや、段取りをつけるのが好きなんだと思う。扉の外で盗み聞きして、鍵穴から覗くのが。お膳立てして、他人がことに及んでいるのを見るのが好きなんだ。そしてぼくがいやと言ったら……」不意にそこで口をつぐんだ。

「つぎはどんなことを勧めたの?」

　ジョージは顔を赤らめた。「男の子を世話してやろうかと」

　わたしは驚き呆れて小さく悲鳴をあげたが、アンはにこりともしなかった。

「どうしてあの人はそんなことを言うの、ジョージ?」アンが静かに尋ねた。

　ジョージは顔をそむけた。「宮廷に詩人がいるんだ」ぽつりと答えた。「女の子みたいにかわいくて愛嬌がある若者だが、大人の知性ももっている。なにも言っていないし、なにもしていない。でも一緒に笑って肩に手をかけたところを見られて――ぼくが彼に気があると思ったらしい」

「あなたと関連づけられて男の子の名前が出るのはこれで二度目ね」アンが言った。「どこかの小姓がいなかった? 去年の夏、家に帰された」

「あれはなんでもなかった」と、ジョージ。

「それで今度は?」

「今度もなにもないよ」

「危険な〝なにもない〟ね。なにもないというだけでは、なんの証にもならない。密通はともかく、これは縛り首になるかもしれないのよ」

　つかの間わたしたちは押し黙った。真夏の青空の下に、深刻な空気が漂った。ジョージは頭を振った。「なんでもないさ」同じ言葉を繰り返す。「それにぼくだけの問題だ。女にはうんざりだ。女の尽きることのない欲望とおしゃべりには。おまえたちだってソネットや軽薄な口説き文句や、中身のない約束事の意味は知りつくしているだろう。それに比べて、少年は清潔で穢れがなくて……」そこで顔をそむけた。「ただの出来心だ。たいしたことじゃない」

アンは目を細め、推し量るようにジョージを見た。「大罪よ。出来心なら忘れたほうがいいわ」

ジョージはアンの視線をとらえた。「わかってるよ、ミストレス・おりこうさん」

「フランシス・ウェストンはどうなの?」わたしは尋ねた。

「どうって?」ジョージが聞き返す。

「いつも一緒にいるじゃない」

ジョージは苛立たしげに頭を振った。「ぼくたちは四六時中陛下にお仕えしているんだ。死ぬまで奉仕の身だ。することといったら、宮廷の女たちと戯れ、噂話をするだけだ。うんざりしたって当然だ。そういう生活をしていれば、女の虚栄心に辟易《へきえき》するのも当然だろう」

一五二五年秋

秋になって宮廷に戻ると、家族会議が開かれた。今回あてがわれたのは、彫り飾りのある大きな肘掛け椅子で、座部にはベルベットのクッションまで置かれてあった。今年のわたしは、お腹に国王の息子を宿しているかもしれない女なのだ。

春になったらアンが宮廷に戻ってくることが決まった。

「あれもだいぶ懲りたであろう」父が判事のような口ぶりで言った。「それにメアリーの勢いがこれほど高まっているのだから、アンも宮廷にいるべきだ。結婚させよう」

叔父もうなずき、それから二人はもっと重要な問題へ、王はなにを考えているのかという議論に移っていった。父が爵位を授かった同じ裁定で、ベッシー・ブラントの息子が公爵になったのだ。わずか六歳の少年ヘンリー・フィッツロイは、リッチモンドとサリーの公爵を兼ね、ノッティンガム伯爵にしてイングランドの海軍最高司令官だ。

「ばかげている」叔父はきっぱりと言った。「しかし、王の考えははっきりしている。フィッツロイを後継者にするつもりだ」

叔父は言葉を切り、テーブルを囲む四人の顔を見る。両親とジョージとわたしだ。「王がせっぱつまっていることがわかる。新しい結婚を考えているはずだ。それがいままでも、世継ぎを得るのにもっとも安全で、もっとも手っとり早い方法だ」

「だが、ウルジーが新しい結婚をとりもつとしたら、われわれに便宜ははかるまい」父が口を挟んだ。「そうする理由があるか？　彼はわれわれの友人ではない。きっとフランスの王女を連れてくるだろう。あるいはポルトガルから」

「だが、メアリーに息子が生まれたら？」叔父がわたしに顎をしゃくって言った。「王妃はいつ退位する？　ここに生まれのいい娘がいる。ヘンリー王の母親と遜色のない家柄の娘が。二人めの子どもを身籠っている。男子である可能性はおおいにありうる。メアリーと結婚すれば、世継ぎが手に入る。ただちにだ。完璧な解決策ではないか」

沈黙があった。わたしはテーブルを見まわし、みながうなずいているのに気づいた。「でも、王妃さまは決して退位されたりしません」その単純な事実を思い出させるのは、いつもわたしの役目だった。

「もし彼女の甥が必要でなくなったら、彼女も必要でなくなる」叔父は冷酷に言い捨てた。「ウルジーを苦しめているモアの条約が、わたしたちに扉を開いている。このフランスとの和平条約はスペインとの同盟の終わりであり、王妃の終わりだ。望もうと望むまいと、彼女は望まれぬ后にすぎなくなる」

叔父は言葉を切り、沈黙が訪れた。いまわたしたちが話している内容は、大逆そのものだったが、叔父はなにも恐れていなかった。叔父に顔を見据えられると、その意志の重さを実感した。まるで額に親指を押し付けられたように。「スペインとの同盟の終焉は、王妃の終焉だ」叔父は繰り返した。「望もうが望むまいが、王妃は身を引くことになる。そして、おまえがその後釜になるのだ。望もうが望むまいが」

わたしは勇気をかき集めて立ち上がり、椅子の後ろにまわって彫り飾りのある分厚い木の背もたれを握り締めた。

「いやです」落ち着いた強い声で言った。「いやです、叔父さま、申し訳ありませんが、わたしにはできません」わたしは長く黒い木のテーブルの先の、何事も見逃さない鷹のような鋭く黒い目を見返した。「わたしは王妃さまをお慕いしています。あれほど偉大な方を、裏切るなどできません。後釜になるなんてことは。あの方を追い出して、イングランド王妃の座を奪うことはできません。これは秩序を覆すことです。そんなことをしようとは思いません。わたしにはできない」

叔父はわたしにほほえみかけた、狼の笑みだ。「われわれが新しい秩序を作っているのだ。新しい世界を。教皇の権威の失墜もささやかれており、フランスとスペインの地図も描き直されている。すべてが変わりつつあるのだ。そしてわれわれは、変化の最前線にいる」

「もし断ったら？」そう尋ねるわたしの声はとてもか細かった。

叔父はおよそ皮肉な笑みを浮かべた。その目は濡れた石炭のように冷たかった。「おまえには断れない。世界はまだそこまで変わってはいない。支配するのはいまも男だ」

一五二六年春

ようやくアンが宮廷に戻ることを許され、日々疲れを増していくわたしの代わりに、王妃付きの侍女となった。今度の妊娠は負担が大きく、助産師たちは、お腹にいるのが大きくて力強い男の子で、わたしの力を吸い取っているのだろうと言った。たしかにグリニッジを歩いているとその重みを感じ、いつもベッドが恋しかった。

ベッドに横になっても赤ん坊の重みで背中が痛み、夜中に足の先がつって悲鳴をあげることもたびたびだった。そんなとき、アンは寝ぼけ眼でベッドの端まで這ってゆき、足をマッサージしてくれた。

「お願いだから眠ってちょうだい」アンは不機嫌な声で言った。「どうしてそう寝返りばかりうつの?」

「どんな姿勢をとっても楽にならないからよ」わたしは言い返した。「あなたが自分のことじゃなく、わたしのことをもう少し考えてくれるなら、背中にあてる枕と飲み物を取ってきてくれるんじゃない。太い長枕みたいに転がってないで」

アンはくくっと笑い、暗闇のなかで起き上がり、こっちを向いた。暖炉の熾《おき》が寝室を照らしていた。

「ほんとうに具合が悪いの? それともただ大騒ぎしているだけ?」

「ほんとうに悪いの。信じてちょうだい、アン、体じゅうの骨という骨がずきずき痛むのよ」

アンはため息をついてベッドから出ると、蠟燭を熾に近づけて灯し、わたしの顔に寄せてつくづくと眺めた。

「幽霊みたいに真っ青な顔をしてるわよ」楽しそうに言う。「お母さまと同じくらいの歳に見えるわ」

「痛いのよ」

「ホットエールでも飲む?」

「ええ、お願い」

「それと枕をもうひとつ?」

「ええ、お願い」

「それからいつもどおりおしっこも?」

「ええ、お願い。アン、あなたも身籠ったら、どんなに辛いかわかるはずよ。たいしたことないとはとても言えないわ」

「大変だということぐらいわかるわよ。あなたが九十のおばあさんになった気がしているのは見ればわかる。こんなありさまだったら、どうやって国王を繋ぎとめておけるのかしらね」

「なにもする必要ないわよ」わたしは癇癪を起こした。「このところ陛下が見ているのはわたしのお腹だけだもの」

アンは火かき棒を熾に突っ込み、炉辺にマグをふたつとエールを用意した。「陛下と戯れるの?」興味津々というように尋ねる。「正餐のあと部屋に下がったあとで?」

「このひと月はないわ」とわたし。「助産師から止められているの」

「国王の妾にたいした助言ね」アンは暖炉に屈み込み、苛立たしげにつぶやいた。「あなたにそう言うように、誰がお金を出したのかしらね。あなたもおとなしくいいなりになるなんて馬鹿よ」燠から焼けた火かき棒を引き抜き、エールの甕《かめ》に突っ込むと、ジュッと音がして泡立った。「陛下にはなんと言ったの?」

「子どもがなによりも大切ですと」

アンは頭を振ってエールを注いだ。「なによりも大切なのはわたしたちよ」わたしに警告する。「子どもを産むだけで男を繋ぎとめられた女はいないわ。あなたは両方しなければならないのよ、メアリー。彼の子どもを身籠ったからといって、悦ばせるのをやめてはだめ」

「なにもかもはできないわ」わたしは悲しげに言った。アンがカップを渡してくれたので、一口飲んだ。「アン、わたしが望んでいるのは、ゆっくり休息をとって、お腹の赤ん坊を健やかに育てることだけ。わたしは四つのころからこっちの宮廷、あっちの宮廷と過ごしてきたわ。ダンスにもお祭り騒ぎにももう飽きた。馬上槍試合を見たり、仮面舞踏会で踊ったり、変装した国王そっくりの男が、ほんとうに変装した国王だとわかってびっくりするのにももう飽きたの。もしできるなら、あすにでもヒーヴァー城に戻りたいくらいよ」

アンはマグを持ってベッドに戻り、わたしの横に並んだ。「まあ無理ね」にべもなく言った。「あなたはいますべてを握っている。大きな勝負に打って出るためのね。王妃がお払い箱になれば、あなたはどこまで昇りつめるか誰にもわからない。ここまで来たんだもの。さらに進むべきよ」

わたしは黙り込み、マグカップ越しにアンを見つめた。「聞いてちょうだい」小声で言った。「わたしの心はそこにはないの」

アンはわたしの顔を見返した。「そうかもしれない」ずけずけと言う。「でも、あなたに選ぶ自由はない」

その冬は寒さが厳しく、そのせいでいっそう耐え難いものとなった。部屋に閉じ込められ、毎日あらたに襲ってくる痛み以外はなにも考えられなくなり、出産が怖くなりはじめた。最初の子のときは、なにも知らず暢気《のんき》に過ごせたが、今度はわかっていた。ひと月暗闇のなかに閉じ込められ、それから助産師に赤ん坊を引っ張り出すと脅されながら、ベッドの支柱に括りつけたシーツにしがみついて、いつ果てるとも知れぬ陣痛に苦しみ、恐怖と苦痛で絶叫することを。

「笑って」陛下がわたしの部屋を訪ねてこられると、アンがわたしを叱咤した。まわりの侍女たちは、慌ててリュートや小太鼓を手に取る。わたしも笑みを浮かべようとするが、腰の痛みとひっきりなしに催す尿意のせいで、スツールにぐったり座っているのが関の山だ。「笑いなさい」アンは声を殺して言った。「背筋を伸ばして。だらしないったらありゃしない」

ヘンリーがこちらを見て言う。「レディ・ケアリー、疲れておるようだな」

アンが笑顔を振りまく。「大変な責任を負っていますから。いちばんよくご存じなのでは、陛下？」

ヘンリーは少し驚いた顔をした。「そうだな。それにしても、でしゃばりだな、そなたは」

アンは怯《ひる》みもしなかった。「どんな女でも陛下のもとにならら進んで駆けつけますわ」目を輝かせながら答える。「そそくさと立ち去らねばならない事情のある女は別ですけれど」

王は興味をそそられたようだった。「それでそなたは立ち去るのかね、ミストレス・アン？」

「そそくさというほどではありませんが」アンはすばやく答えた。

それを聞いて陛下は声をあげて笑い、ジェーン・パーカーを含めた侍女たちは、わたしがどんなおもしろいことを言ったのだろうかと、いっせいにこちらを向いた。陛下はわたしの膝を叩いた。「そなたの姉が宮廷に戻ってきたことを嬉しく思うぞ。われわれを楽しませてくれるだろう」

「それはもうとても」わたしはせいいっぱいにこやかに言った。

アンと二人きりになり、寝る前に服を脱がせてもらうまで、わたしはなにも言わなかった。ボディスのきつい紐をほどいてもらうと、膨れたお腹が解放されてほっとため息をついた。肌を掻くとみみず腫れになり、絶え間のない痛みを少しでも和らげようと背中を伸ばした。

「それで陛下とはなんのつもりだったの？」わたしは刺々しい口調で言った。「そそくさと立ち去るって？」

「目を覚ましなさい」アンはそっけなく言った。わたしがガウンを脱ぎ、ナイトガウンに着替えるのに手を貸してくれた。新しいメイドがたらいに注いだ水で、アンの厳しい監視の目に曝されながら、冷たい水に我慢できる範囲でくまなく体を洗った。

「それから足も」アンが命じた。

「足なんて自分で見えもしないのよ、洗うなんてとても無理よ」

アンがたらいを床に置くよう指示し、スツールに腰掛けたわたしの足をメイドが洗った。

「わたしは言われたとおりにやっているだけよ」アンは冷ややかに言った。「それくらいわかると思っていたけれど」

わたしは目を閉じて、汚れた足が石鹼に包まれる心地よさを味わっていた。それからアンの声から警告を聞き取った。「言われたって誰に？」

「叔父さまに。それからお父さまに」

「なにをしろと？」

「王の心が離れないように、あなたに繫ぎとめておくようにと。あなたがいつも目に入るように」

わたしはうなずいた。「そうね、当然よね」

「それがだめなら、おまえが誘惑しろと」

わたしは体を起こし、少し真剣に耳を傾けた。「叔父さまがあなたに陛下を誘惑しろと言ったの？」

アンはうなずいた。

「そんなこといつ言ったの? どこで?」

「ヒーヴァー城に訪ねてきたときに」

「叔父さまが冬の最中にわざわざヒーヴァー城を訪ね、あなたに陛下を誘惑しろと言ったの?」

彼女はにこりともせず、うなずいた。

「信じられない。叔父さまは知らないの? あなたなら言われなくてもそうするってこと。息をするのとおなじぐらい自然に殿方と戯れるってこと」

アンは不自然な笑い声をあげた。「まさか。叔父さまが来たのは、わたしたちの、つまりあなたとわたしのいちばんの任務は、あなたの出産とその後しばらくのあいだ、王の気晴らしがどこに向かうにせよ、それがシーモア家の娘のペチコートのなかであってはいけないと確認するためよ」

「どうやってそれを阻止しろというの?」わたしは言った。「これからわたしは出産室に閉じ籠もらなきゃならないのに」

「そのとおり。わたしが代わりに阻止してあげる」

子どものころの不安な気持ちが甦った。「でも、陛下があなたのほうを好きになったらどうするの?」

アンの笑みは毒のように甘かった。「別にかまわないじゃない。ブーリン家の娘であれば」

「ハワード叔父さまが考えたの? お産の床につくわたしのことなんてどうでもいいのね。

姉に子どもの父親を誘惑させるなんて」

アンはうなずいた。「そうよ。そのとおり。あなたのことなんてどうでもいい」

「恋敵として宮廷に戻ってきてほしくなかった」わたしは拗《す》ねた口ぶりで言った。

「わたしはあなたの恋敵として生まれてきたのよ」アンはさらりと返した。「そして、あなたはわたしの恋敵として。だって、わたしたち姉妹じゃないの」


アンは見事にやってのけた。誰にも気取られないほどさりげない魅力を使って。王とトランプ遊びをするときは、巧妙に二点だけ負けてみせた。王の作った曲ばかりを好んで歌い、サー・トマス・ワイアットをはじめ五、六人の殿方たちをまわりにはべらせ、王が自分を宮廷でもっとも魅力的な若い女だと思うよう仕向けた。アンが行くところ、つねに笑いとおしゃべりと音楽があった——アンは娯楽に飢えている宮廷のなかを渡り歩いた。長い冬の日々、廷臣たちは王を楽しませるという絶対的な義務を負っていたが、アンはその面で抜きん出ていた。つねにまわりを魅了し、挑発的でいられるのはアンだけだった。しかもそれが本来の姿だというように振る舞った。

ヘンリーはわたしを、あるいはアンをかたわらにはべらせた。ご自分を二輪のバラのあいだの棘や、豊かに実った小麦に挟まれたポピーになぞらえた。わたしの背中のくぼみに手を当てて、アンが踊るのを見守った。アンが王のために新しい歌を歌うあいだ、わたしの広げた膝に載せた楽譜を一緒に目で追った。アンとわたしがトランプをするときは、わたしに賭けた。アンが自分の皿からいちばんいい肉を切り分け、わたしの皿に置くのを見ていた。アンは姉らしく、思いやりがあり、これまでにないほどやさしい気配りを見せた。

「あなたって最低だわ」ある晩、鏡の前で髪を梳《と》かし三つ編みにするアンに向かって、わたしは言った。

「わかってる」鏡に映る自分の姿を満足げに見ながら、アンは答えた。

扉にノックがあり、ジョージが顔を覗かせた。「入ってもいいかい?」

「入って」アンが言った。「早く扉を閉めて、廊下は風が吹き荒れているわ」

ジョージはおとなしく扉を閉め、ワインの入った水差しを振ってみせた。「ぼくと一緒に飲みたい人は? 肥沃なご婦人は? この世の春のご婦人は?」

「サー・トマスと売春街に出かけたとばかり思ってたわ」アンが言った。「今夜は羽目をはずすと彼が言っていたから」

「陛下に引きとめられたんだ。おまえのことで訊きたいことがあると」

「わたし?」アンはたちまち警戒した。

「おまえが誘いにどう応じるか知りたいと」

気がつくと、わたしはベッドの赤い絹のシーツに爪を立てていた。「どんな誘い?」

「王の褥《しとね》へ」

「それで、あなたはなんと?」アンはジョージに先を促した。

「言われているとおり。おまえは嫁入り前の娘で、一家の花だと。結婚前に床入りすることはありえない。誰の誘いであろうと」

「それで彼は?」

「そうか」

「それだけ?」わたしは問いただした。「『そうか』としかおっしゃらなかったの?」

「ああ。それからサー・トマスの船を追って、娼婦のところへ出かけた。おまえは国王に肘鉄を食らわせたんだぞ、アン」

アンは寝巻きの裾を高く持ち上げて、ベッドに入った。ジョージは剝き出しの脚を鑑定家の目で見つめていた。「実に見事だ」

「わたしもそう思うわ」アンは悦に入った声で答えた。


一月の中旬に出産室に入った。わたしが闇と沈黙に閉じ込められているあいだ、なにが起こっているのか、知る必要はなかった。馬上槍試合があって、ヘンリーがサーコート（鎧《よろい》の上にまとう外衣《がいとう》）の下に、わたしが渡したのではないお守りを身につけていたと聞いた。『敢えて口にせず』と書かれた盾を持ち、廷臣たちの半分を困惑させた。わたしへの賛辞らしいが、わたしは馬上槍試合もその言葉も見られないのだから意味がない。宮廷人も楽士もいない、暗く静まり返った出産室に閉じ込められ、エールを飲みながら〝そのとき〟を待つ、騒がしい老婆たちに囲まれているのだから。それを言うなら、わたしの〝そのとき〟を待つ老婆たちに。わたしの運勢が最高潮に達したと思う者もいた。『敢えて口にせず』は、世継ぎの王子の誕生を、宮廷に対して宣言したものと捉えてのことだ。ほんの一握りの人だけが、盾にどうとでもとれる約束を記した王から、王妃の後ろに控えるわたしの姉へと視線を移した。黒い目を騎手に向け、口元にかすかな笑みを浮かべ、顔の動きに微妙な意味をもたせている姉へ。

その日の夕方、アンはわたしのもとを訪れ、部屋の狭苦しさと薄暗さに不満を述べた。

「わかってるわ」わたしはそっけなく答えた。「でも、こうでなければいけないの」

「よく耐えられるわね」

「考えてみてよ。もし、カーテンを開け、窓も開けてほしいとせがんで、それで流産か死産になったら、あのお母さまがなんと言うと思う？　それに比べれば、陛下のお怒りのほうがまだましよ」

アンはうなずいた。「ひとつの間違いも許されないわけね」

「そうよ。国王の恋人でいるのは、楽なことばかりじゃないわ」

「陛下はわたしを欲しがっているわ。もう少しでそう口にされるところよ」

「男の子が生まれたら、身を引いてもらうわよ」わたしは釘を刺した。

アンはうなずいた。「わかってる。でも、女の子だったら、前に出ろと言われるわね」

わたしは枕に寄り掛かった。億劫で言い返す気にもなれない。「前に出ようが後ろに下がろうが、どうでもいいわよ」

大きく膨らんだお腹に、アンは冷ややかな好奇の目を向けた。「ぞっとする姿ね。陛下はあなたの名前を荷船につければよかったのよ、軍艦ではなく」

わたしはアンの生き生きと輝く顔と、髪を包む優美なフードに目を向けた。「蛇を進水させるときは、あなたの名前を使わせればいいわ。あっちへ行って、アン。あなたと言い争う元気もない」

アンはすぐに立ち上がり、扉へ向かった。「陛下があなたの代わりにわたしを望んだら、そのときはわたしを助けるのよ、いいわね。わたしがあなたを助けたように」

わたしは目を閉じた。「もし陛下があなたを望んだら、わたしは生まれた赤ちゃんを連れて、ヒーヴァー城へ行くわ。事情が許せばね。陛下と宮廷はあなたのものよ。嫉妬と悪意と噂話に明け暮れるといい。どうぞそうして。でも、あの方が女に幸せをもたらす男だとは思えない」

「あら、わたしは彼の女になんかならないわ」アンは軽蔑をこめて言った。「わたしがあなたみたいな娼婦になると思った？」

「あなたとは結婚しないわよ」わたしは言い返した。「万一そうなったとしても、よく考えたほうがいいわ。その椅子を狙う前に、王妃さまの姿をよく見ることね。あの方の顔に刻まれた苦しみを見て、その夫と結婚することで幸せになれるか、自分の胸に問いかけてみるといいわ」

アンは扉の前で立ち止まった。「幸せになりたくて王と結婚する人なんていないわ」

二月にもう一人訪問者があった。夫のウィリアム・ケアリーが、ある朝早く、パンとハムとエールの朝食をとっているわたしに会いにきたのだ。

「食事の邪魔をするつもりはなかった」彼は礼儀正しく戸口で足を止めた。

わたしはメイドに手を振った。「片付けてちょうだい」彼の洗練された優雅さを前に、不格好に太ったわが身を顧みて、気おくれを感じていた。

「陛下のご厚意を伝えにきたんだ。心優しくも、ぼくに家令の職を与えてくれたことをきみに伝えるよう仰せつかった。またしても、ぼくはきみの恩恵にあずかることになった、マダム」

「うれしいわ」

「この寛容なはからいから察するに、きみの子どもにぼくの名前を与えるよう求められているのかな?」

わたしはベッドの中でぎこちなく身じろぎをした。「陛下からはなにも聞いていません。でも、きっと……」

「また一人ケアリーが増えるのか。なんという家族だろうね!」

「そうね」

ウィリアムは辛くあたったことを詫びるように、わたしの手を取って口づけた。「顔色が悪いし、疲れているようだ。今度はそれほど楽ではないのか?」

思いがけぬ彼の優しさに、涙がこみ上げた。「ええ。今回は、それほど楽なお産ではなさそう」

「怖くはない？」

わたしは膨らんだお腹に手を当てた。「少し」

「きみには王国で最高の助産師たちがついている」

わたしはうなずいた。その最高の助産師たちが、前回ベッドのまわりを取り囲み、三日三晩、赤ん坊の死にまつわる世にも恐ろしい話をしつづけただけだと話したところで、なんにもならない。

ウィリアムは扉に向かった。「陛下には、きみが元気で幸せそうだったと伝えておくよ」

わたしは虚ろな笑みを浮かべた。「お願いね、それから、衷心よりお仕えいたしますと」

「きみの姉上にご執心だよ」

「あの人は人の関心を惹くのが得意だから」

「自分の座を取られないか心配じゃないのか？」

わたしは暗い部屋とベッドに掛かる重苦しい垂れ布、赤々と燃える暖炉、それに自分のずんぐりとした体を示した。「なにをおっしゃるの、あなた。いまなら、世界中のどんな女にでも、喜んで自分の座を譲り渡すわ」

ウィリアムは声をあげて笑い、帽子を振ってお辞儀し、出ていった。わたしは沈黙のなかに取り残され、ベッドの垂れ布が、しんとした空気のなかでゆっくりと揺れるのを見つめていた。それは二月のことで、予定日は二月の半ばだった。一生分にも感じられた。

けれども、ありがたいことに赤ん坊は早くやってきた。ありがたいことに男の子だった。

わたしの小さな男の子は、二月四日に誕生した。男の子だった。国王の認知した健康な男の子だ。これでブーリン家はすべてを手にした。勝負に出るためのすべてを。

一五二六年夏

でも、わたしのためには動いてくれなかった。

「いったいどうしたっていうの?」母が咎めるように言った。「出産してから三か月もたつのに、あなたときたら疫病に罹《かか》ったみたいに白い顔をして。病気なの?」

「出血が止まらないんです」同情してほしくて顔を覗き込んだが、母は困惑し、苛立つばかりだ。「血が止まらなくて死ぬんじゃないかしら」

「助産師たちはなんと?」

「いずれ止まるだろうって」

母は舌打ちした。「ひどい太りようね。それにとても……ぼんやりしているわね、メアリー」

母を見上げると、涙がこみ上げた。「わかっています。自分でもそう思う」

「あなたは国王に男児を産んであげたのよ」母は励ましているつもりだろうが、伝わってくるのは苛立ちばかりだ。「あなたがしたようなことをするためなら、女はみな利き腕だって差し出すわよ。ベッドから出て、彼のかたわらで冗談に笑い、彼の歌を歌い、馬を並べて出かけるわ」

「坊やはどこですか?」力なく訊いた。

母は困った顔で言葉に詰まった。「知ってるでしょ。ウィンザー城よ」

「わたしが最後に会ったのはいつだったかご存じですか?」

「いいえ」

「二か月前。産後礼拝から帰ったら、もういなかった」

母はぽかんとした顔をした。「でも、連れていかれるのはあたりまえでしょう。きちんと世話されるように、手筈は整えてあるわよ」

「ほかの女の手でね」

「それがどうしたっていうの?」母はほんとうに理解できないようだ。「ちゃんと世話をされて、王の名にちなんでヘンリーと名づけられたわ」喜びを抑えられない声で言う。「すべて王の目の前でね!」

「でも、あの子に会いたいんです」

相手に理解できない言葉、ロシア語かアラビア語を話しているような気がした。

「どうして?」

「会いたいから、キャサリンにも」

「だからそんなにぼんやりしているの?」

「ぼんやりしているんじゃありません。悲しいんです。悲しくてなにもする気が起きない。ベッドに横になって枕に顔を埋めて、泣いてばかりいるの」

「子どもに会いたいから?」母にはそんなこと、思いもよらないのだ。

「わたしに会いたいと思いませんでした? わたしじゃなくても、アンには? わたしたちはほんの幼いころにお母さまから引き離され、フランスにやられたんですよ。そのとき、わたしたちに会いたいと思わなかったの? ほかの人が読み書きを教え、転べばほかの人が抱き起こしてくれて、ほかの人がポニーの乗り方を教えてくれた。子どもの成長を見守りたいと、一度でも思ったことはなかったんですか?」

「ええ」母は簡潔に答えた。「あなたたちにとって、フランスの宮廷以上にふさわしい場所は思いつかなかったもの。手元に置いていたら、惨めな母親になっていたでしょうね」

わたしは顔をそむけた。涙が頬を濡らした。

「赤ん坊に会えたら、また元気になれる?」母が尋ねた。

「ええ」わたしは小声で答えた。「ええ、お母さま、そうよ。あの子に会えたら、わたしは元気になれます。キャサリンにも」

「では、叔父さまに話しておきます」渋々というように言った。「でも、ほんとうに元気になってちょうだいよ。笑みを浮かべて、笑い声をあげて、陽気にダンスをして、みるからに楽しそうにね。王を取り戻さなければならないのよ」

「あら、あの方はそんなに遠くに行ってしまったんですか？」わたしは皮肉を込めて尋ねた。

母は恥じ入るふうもなく言った。「アンが罠にかけているわ。王妃の犬をじゃらすように王を翻弄している。手玉にとっているわよ」

「だったら、アンを使えばいいじゃありませんか」わたしは意地悪く言った。「わたしにかまわずに」

母の即答が、家族会議で決定されたことだと伝えていた。

「あなたが王の息子を産んだからですよ」にべもない。「ベッシー・ブラントの庶子がリッチモンド公爵になったのだから、わたしたちのヘンリーにもおなじ権利があるはずよ。あなたとケアリーの結婚を無効にするのは造作もなかった。王妃との結婚を無効にするのに、なんの支障があって？　彼をあなたと結婚させるわ。あなたが産後の床にあるあいだ、アンをおとりに使っているだけのこと。でも、わたしたちはあなたに賭けているのです」

母はわたしが大喜びするのを期待し、しばし口をつぐんだ。わたしがなにも言わないので、少し厳しい口調で言葉をつづけた。「だからさっさと起きて、メイドに髪を梳かさせ、下着で体を締めなさい」

「病気ではないもの、正餐には出ます」わたしは顔をしかめて言った。「出血ぐらいたいしたことはないと言われたから、きっとそうなんでしょう。陛下の横で冗談に笑い、歌を歌ってくださいと頼むぐらいできます。でも、心から楽しむなんてできません、お母さま。わたしのこと、まったくわかっていないのね？　楽しい気持ちになれるわけがない。喜びを失ってしまったの。すっかり失ってしまったのよ。それがどんな気持ちのものか、どれほど辛いか、誰にもわからない」

母が厳しい目でわたしを見つめた。「笑いなさい」

笑うように口元を歪めると涙がこみ上げた。

「それでいいわ」母は言った。「その顔を崩さないこと。そうすれば、子どもたちと会う手筈をつけてあげましょう」

正餐のあと、叔父がわたしの新しい居所を訪れ、嬉しげにあちこちを見て歩いた。出産室を出たわたしの贅沢な暮らしぶりを、叔父は知らなかったのだ。私室の広さは王妃のそれと変わらず、わたし付きの侍女が四人に、身のまわりの世話をするメイド二人、小姓までいた。専用の楽士もよこしてくれると、王は約束してくれた。私室の奥にはアンと一緒に使う寝室と、控えの間があり、そこで本を読んだり一人の時間を過ごせる。たいていはそこに籠り、扉を閉め、誰にも見られずに涙を流していた。

「いい扱いをしてもらっているな」

「はい、ハワード叔父さま」わたしは礼儀正しく答えた。

「おまえの母から聞いたが、赤ん坊に会いたいそうだな」

わたしは唇を噛んで涙を堪《こら》えた。

「どうしてそんな顔をするのだ?」

「なんでもありません」わたしは小声で答えた。

「では、笑え」

母を満足させたガーゴイル（人や動物の形の奇怪な彫刻）のような笑みを浮かべると、叔父はじろじろとわたしを眺めまわし、うなずいた。「まあいいだろう。王の息子を産んだからといっていい気になるなよ。あの赤ん坊は、おまえがつぎの手段をとらぬかぎり、なんの役にもたたんのだ」

「彼に結婚を迫ることはできません」静かに口を開いた。「王妃と結婚なさっているのですから」

叔父は指を鳴らした。「なにを言っておる。おまえはなにも知らないのか。そんなことはもはや重要でなくなってきている。王はいまや彼女の甥との戦争も視野にいれておるのだ。スペイン国王に対抗し、フランスとヴァチカンとヴェネツィアとの同盟を結んだも同然だ。そんなことも知らないほど世事に疎いのか？」

わたしはこくりとうなずいた。

「もっと自分からすすんでこういったことを学ぶべきだ」叔父は厳しい口調で言った。「アンはいつもそうしている。新しい同盟はスペインのカルロスと戦をはじめており、勝ちに傾けば、ヘンリーはそちらに加わるつもりだ。王妃はヨーロッパ中を敵にまわす国王の叔母となる。言うなれば、ヨーロッパののけ者の叔母なのだ」

わたしは信じられない思いで頭を振った。「彼女が救世主となったパヴィアから、それほど経っていないではありませんか」

叔父は指を鳴らした。「あれはすんだことだ。それで、おまえのことだが。おまえの母から具合がよくないと聞いたが？」

わたしは答に詰まった。叔父は信頼できない。「はい」

「そうか、だが、今週の終わりには王のベッドに戻らねばならぬぞ、メアリー。そうしなければ、二度と子どもたちに会えない。わかったか？」

残酷な取引に思わず息を呑んだが、叔父は鷹のような顔をこちらに向け、黒い目でわたしを見つめた。「それ以外の条件では応じられぬ」

「子どもたちに会うことを禁じるなど、あなたにはおできになりません」わたしは小声で言った。

「じきにわかるだろう」

「わたしには陛下の寵愛があります」

叔父はテーブルを叩き、銃声のような音をたてた。「あるものか！　わたしが言いたいのはそこだ！　おまえには王の寵愛などなく、それがなければ、わたしからも顧みられないのだ。王のベッドに戻れ。さすれば、好きなことができる。王に頼んで子ども部屋を用意させてもいいし、イングランドの玉座につく赤ん坊をあやしてもいい。わたしを追放したければそうするがいい！　だが王のベッドの外では、おまえなどただの愚かな使い古しの娼婦だ。誰が気にかけるものか」

静寂が訪れた。

「わかりました」わたしは体を強張らせたまま言った。「即位の日には、わたしに感謝することだろう」

「よし」叔父は暖炉から離れ、上着のしわを伸ばした。「座ってもよろしいでしょうか？」

「そうですわね」膝から力が抜けるのがわかった。「座ってもよろしいでしょうか？」

「だめだ」と、叔父。「立っていることを学ぶんだな」

その晩、王妃の部屋でダンスがあり、王は彼女のために楽士を連れていった。隣り同士に座っていながら、王が王妃の侍女たちの踊りを楽しんでいるのは傍目にもあきらかだった。そのなかにはアンもいた。ダークブルーの新しいガウンを着て、お揃いのフードをかぶっている。独り身の女であることを見せつけるかのように、いつもの金で象《かたど》った〝B〟の文字がついた真珠のネックレスをつけていた。

「踊ろう」ジョージがわたしの耳元でささやいた。「みんなおまえが踊るのを待っている」

「ジョージ、だめよ。出血しているの。気を失うわ」

「立って踊らなくては」ジョージはにこやかな笑みを浮かべていた。「ほんとうだ、メアリー。踊ってみせないとおまえは負けることになる」

「しっかり支えていて」わたしは答えた。「倒れそうになったら摑まえてちょうだい」

「ぼくに任せろ。さあいくぞ。ちゃんとやり遂げろ」

ジョージはわたしを踊り手たちの輪に誘った。わたしの肘を摑むジョージの手と、わたしの白い顔に、アンがすばやく視線を走らせたのがわかった。すぐに背中を向けたので、わたしが床に倒れるのを楽しみにしているのだろうと思った。でもそのとき、わたしたちを見る叔父の視線と、母のあからさまに要求する視線に気づき、アンは自分の場所を明け渡し、パートナーのフランシス・ウェストンをさがらせた。ジョージがわたしを国王のほうに向かう列に並ばせ、わたしは顔をあげて陛下にほほえみかけた。

その回を踊り終え、次の回も終わったとき、国王がちかづいてきてジョージに話しかけた。

「そなたの妹と踊りたい。もし彼女がそれほど疲れていなければ」

「妹も光栄に思うでしょう」

わたしは輝くばかりの笑みを浮かべた。「国王陛下がお相手なら、夜明けまでも踊れますわ」

ジョージはお辞儀してさがった。アンのドレスの襞を摘み、壁際に引っ張っていくのが見えた。

陛下とわたしは手を合わせ、ターンをして向かい合い、ダンスがはじまった。ステップを踏むごとに近づいたり離れたりしたが、その目がわたしから離れることはなかった。

紐で締め付けられた胸飾りの下で、毒でやられたようにお腹が痛んだ。きつく固定された乳房のあいだを汗が流れ落ちるのがわかった。わたしは陽気な笑顔を顔に貼り付けていた。陛下と二人きりになれれば、この夏、狩りにお出かけのあいだ、子どもたちに会いにヒーヴァー城に行かせてくれと頼めるだろう。赤ん坊のことを考えると乳房が張り、乳が溢れ出しそうになった。わたしは喜びで胸がいっぱいのふりで笑った。踊り手の輪のなかの、子どもたちの父親に笑いかけた。並んで身を横たえるときが待ち遠しくてたまりません、というふうに。それもひとえにあなたにご奉仕したいがために。


その晩、体を洗うわたしに、アンはあれこれ意地悪な注文をつけ、しまいにはタオルでわたしをぶちながら、水が血で濁ったと文句を言った。

「いやだ、気分が悪くなる。彼だって嫌がるにきまってるわ」

わたしは体にシーツを巻きつけ、きれいにしてあげると恩着せがましくシラミ梳きの櫛を振りまわすアンに、髪を抜かれる前に自分で梳かした。

「きっとお呼びはかからないわ」わたしは言った。踊り疲れたうえに、ヘンリーが王妃に暇《いとま》を告げる三十分のあいだ立ちっぱなしだったので、ベッドに倒れ込むことしか考えられなかった。


ノックがあり、ジョージが顔を覗かせた。「いいぞ」体を洗い、半裸のわたしを見て言う。

「陛下がお呼びだ。ローブを羽織ったら行くぞ」

「彼も度胸があるわね」アンは吐き捨てるように言った。「乳房からはまだ乳が滴り、出血が止まらず、些細なことですぐに泣く女をお召しになるなんてね」

ジョージは少年のようにクスクス笑った。「おやおや、アンナマリア、おまえほどやさしい姉はいないな。メアリーは毎朝、目覚めるたびに、慰めて元気づけてくれるおまえが一緒でよかったと思っているだろうさ」

アンもたじろぐだけの品位はもちあわせていた。

「それに出血にきくものを持ってきたんだ」ジョージはポケットから小さな詰め綿を取り出した。わたしはそれに疑わしげな視線を向けた。

「なに、それ?」

「娼婦が教えてくれたのさ。あそこに詰めると、しばらくのあいだ出血が止まる」

わたしは顔をしかめた。「邪魔になるんじゃない?」

「彼女が言うには大丈夫だそうだ。やるんだ、マリアンヌ。今夜、彼の相手をしなければならないのだから」

「だったら、あっちを向いていて」ジョージが窓のほうを向いたので、ベッドの上でぎこちなく指を動かした。慣れないことだからなかなかうまくいかない。

「こっちによこしなさい」アンが咎めるように言う。「なんでもわたしがやってやらなきゃならないのね」

アンはそれを突っ込み、さらにぐっと押した。思わず悲鳴が洩れ、ジョージがなかば顔をこちらに向けた。「おいおい、殺すなよ」やんわりと言う。

「ちゃんと詰めないといけないんでしょ?」アンは顔を赤くし、憤慨していた。「栓をしないとね?」

ジョージが手を差し出した。わたしは痛みで顔をしかめ、ベッドからおりた。「なんてことだ、アン。宮廷を去ることになっても、おまえは魔女としてやっていけるな」ジョージは楽しそうな口ぶりだった。「必要なやさしさがすでに備わっている」

アンがジョージを睨んだ。

「なぜそんなに突っかかるんだ？」ジョージが尋ねた。わたしはガウンをまとい、踵の高い真紅の靴に足を入れた。

「なんでもないわよ」と、アン。

「なるほどね！」ジョージがしたり顔で言った。「わかったよ、かわいいミストレス・アン。みんながおまえに身を引いて、王をメアリーに譲れと言うからだろう。おまえは年老いた王妃の侍女にすぎないのに、妹は玉座への階段をのぼっている」

アンがまたジョージを睨んだ。「宮廷の半分は、わたしがこの世でいちばん美しいと思っているわ。わたしは十九よ」苦々しげに言う。「せっかくの美貌が、嫉妬のせいで損なわれていた。「わたしはいる。いちばん頭の回転が速く、洗練されていると思っている。王はわたしから目が離せない。サー・トマス・ワイアットは、わたしを忘れるためにフランスに行った。でも妹は、一歳違いの妹は、結婚して、国王その人の子どもを二人も産んだ。わたしの番はいつ来るの？いつ結婚できるの？　わたしに釣り合う殿方は誰？」

短い沈黙が訪れた。ジョージが手を伸ばし、アンの上気した頬に触れた。「ああ、アンナマリア」やさしく言う。「おまえに釣り合う男なんていない。フランス国王もスペイン国王も及ばないだろう。おまえは完璧な存在だ。どこから見ても洗練されている。もう少しの辛抱だよ。イングランド王妃の姉になったら、相手は選び放題だ。おまえの役にたってくれるよう、メアリーをうまく出世させるほうが、どこかのつまらない公爵に身をまかせるよりずっといい」

アンが作り笑いをすると、ジョージがその頬に軽く口づけた。「おまえは非の打ちどころのない女だ。ぼくたちはみな、おまえを崇めている。頼むからその調子でいろよ。おまえが実はどんな女か知れたら、ぼくたちは破滅だ」

アンは体を引いて平手打ちしようとしたが、ジョージはさっとよけ、勝ち誇った笑みを浮かべ、わたしに向かって指を鳴らした。「行くぞ、次期王妃さま！　用意はいいか？　準備は万端？」それからアンのほうを向いた。「彼がちゃんと突っ込めるだろうな？　あんまりきつく詰めてないだろうな？　船の竜骨みたいに」

「もちろんよ」アンは拗ねた口ぶりで答えた。「でも、死ぬほど痛いと思うわ」

「まあ、その点は心配しないことにしよう」ジョージはアンに笑いかけた。「つまるところ、ぼくらが国王のベッドに送り込もうとしているのは、ぼくらの稼ぎ手であり、幸運の星なんだ。生身の娘ではなく。行くぞ、お嬢さん！　おまえにはブーリン家のための仕事がある。おまえを当てにしているのだからな！」

大広間を抜け、王の居所へつづく薄暗い階段をのぼるあいだも、ジョージはしゃべりつづけていた。部屋にはウルジー枢機卿がいたので、ジョージは窓腰掛けにわたしを座らせ、ワインを持ってきてくれた。国王がもっとも信頼篤い側近との密談を終えるまで、わたしたちは待っていた。

「きっと厨房の残り物でも勘定しているんだろう」ジョージがいたずらっぽくささやいた。

わたしはにっこりした。宮廷の無駄を省こうという枢機卿の試みは、わが一族をはじめ廷臣たちの冗談の種になっていた。愚行と浪費から利益を得ている者たちの。

背後で枢機卿がお辞儀をし、書類を集めるよう小姓に指示した。炉辺の彼が座っていた椅子に、ジョージがわたしを案内すると、枢機卿はわたしたちに頭をさげた。

「それではごゆっくりお休みくださいませ、国王陛下、マダム、サー」彼はそう言って部屋を辞した。

「一緒にワインをどうだね、ジョージ？」陛下が誘った。

わたしは懇願の視線を兄に送った。

「ありがとう存じます、陛下」ジョージが王とわたしと自分のためにワインを注いだ。「遅くまで執務されておられるのですね、陛下」

ヘンリーは否定するように手を振った。「枢機卿がどんな男か知っているだろう。働いていないと不安なのだ」

「まったく退屈です」ジョージは無礼にもそう口にした。

陛下は忍び笑いを洩らした。「まったく退屈きわまりない」

十一時をまわるころ、王はジョージをさがらせ、ほどなくしてベッドに入った。わたしをやさしく愛撫し、よく張った乳房と丸いお腹を讃えてくれた。その言葉を、わたしは脳裏に刻みつけた。こんど母に、太っただのぼんやりしているだのと責められたときに、王はそういうわたしがお好きなのだと言い返してやろう。でも、なんの喜びもえられなかった。赤ん坊と引き離されたとき、体の一部ももぎ取られてしまった。わたしの言葉に耳を傾けようとしないこの男を、愛することはできない。悲しみを見せることすらできない相手を、愛せるわけがない。子どもたちの父親ではあっても、子どもたちが王位継承ゲームの駒に使えるほど成長するまで、見向きもしないだろう。何年も愛人関係にある男に、ほんとうの自分を見せないことがわたしの使命なのだ。彼にのしかかられ貫かれるあいだ、わたしは自分の名を冠した船になり、大海原を一人さまよっていた。

ことがすむと、ヘンリーはそのまま高いびきで眠り込んだ。首筋に顎ひげが張り付き、饐《す》えた息が顔にかかった。重さと臭いに叫びだしそうになったが、じっと動かずにいた。わたしはブーリン家の人間だ。多少の不快も我慢できない、自堕落な女ではない。横になったまま、ヒーヴァー城の濠を照らす月を思い、自分の小さな部屋の寝心地のいいベッドにいるのならよかったのにと考えていた。子どもたちのことは考えなかった。ヒーヴァー城のベッドに寝る幼いキャサリン、ウィンザー城の揺り籠の中のヘンリー。王のベッドで涙を流す危険は冒せない。彼が目覚めたとき、ほほえみかけられるよう準備しておかなければ。

驚いたことに、夜中の二時ごろ陛下が目を覚ました。「蠟燭を灯してくれ。眠れない」

わたしはベッドから這い出たが、重い体の下でじっと横たわっていたために体の節々が痛かった。暖炉の火を熾し蠟燭に移した。ヘンリーは起き上がり、裸の肩に上掛けを掛けていた。わたしはローブを羽織って炉辺に座り、なにをしてほしいのか指示されるのを待った。

彼が難しい顔をしているのに気づき、ぎょっとした。「どうなさったのですか、陛下？」

「王妃が息子を授けてくれないのはなぜだと思う？」

思いがけぬ言葉に動転し、廷臣らしい淀みない答など浮かばなかった。「わかりません。申し訳ありません、陛下。でも、いまとなっては手遅れです」

「そんなことはわかっておる」陛下は苛立っていた。「だが、これまで生まれなかったのはなぜだ？　あれを娶ったとき、余は十八で、后は二十三だった。それは美しかった。言葉では言い尽くせぬほど。そして余は、ヨーロッパ一の美丈夫王子であった」

「いまでもそうですわ」わたしは抜け目なく言った。

陛下は悦に入った笑みを浮かべた。「フランソワではなく？」

わたしは手を振ってフランス国王を退けた。「陛下とは比ぶべくもありません」

「若い盛りだった」陛下はつづけた。「子種も豊富だった。周知のことだ。王妃はすぐに身籠った。婚礼のあと、どれほどで胎動に気づいたと思う？」

わたしは頭を振った。

「四か月だ！　考えてもみよ。婚礼の月にあれを孕ませたのだ。性的能力のほどがわかると言うものだろう？」

わたしはつづきを待った。

「死産だった。女の子だったが。一月に死産した」

わたしは陛下の不満げな顔から暖炉の炎へと視線を移した。

「あれはふたたび身籠った。今度は男子だ。ヘンリー王子。洗礼し、誕生を記念して馬上槍試合を行った。あれほど幸せだったことはない。ヘンリー王子、余や父と同じ名だ。余の息子。世継ぎ。一月一日に生まれた。三月の声を聞く前に亡くなった」

わたしのヘンリーを思い、ぞっとした。引き離されたまま、あの子も三か月で死ぬかもしれない。陛下の思いは過去に飛んでいた。いまのわたしとそう違わなかった若いころに。

「フランスとの戦に出征する前にまた赤子ができた。十月に流産だ。秋の喪失だ。フランスに勝利した喜びに影が射した。王妃にも暗い影を落とした。それから二年後、春だったが、また赤子を死産した。今度も男子だった。生きていればヘンリー王子となるはずだった。だが、生きられなかった。誰一人として」

「メアリー王女がいらっしゃるではありませんか」わたしはささやくように言った。

「あれがつぎの子どもだった。これで悪い連鎖が断たれると思った。そう思った——余がなにを望んでいたかは神がご存じだ——これまでは悪運か病か、そういったもののせいだと思った。健やかな子どもが一人生まれれば、あとはそれにつづくだろうと。だが后がつぎの子どもを身籠ったのは二年も経ってからだ。女の子が生まれたが——死産だった」

わたしは息を吐き出した。家族の歴史を聞くあいだずっと息を詰めていたのだ。父親が死んだ子を並べあげるのを聞くのは、その妻が祈禱台に膝を突き、ロザリオをまさぐりながら亡くした子どもの名をつぶやくのを見るのと同じくらい痛ましかった。

「だが、余にはわかっておる」ヘンリーは枕から頭をあげ、わたしを見た。その顔にもはや悲しみはなく、怒りで紅潮していた。「余には子種があり、能力がある。后が最後に死産したころ、ベッシー・ブラントは余の息子を産んだ。后からは小さな屍しか授からなかったのに、ベッシーは息子を授けてくれた。どうしてそうなるのだ？　どうしてこのようなことが起きるのだ？」

　わたしは頭を振った。「わたくしにわかりましょうか、陛下。すべて神の思し召しです」

「そうだ」陛下は満足げに言った。「そのとおりだ。おまえは正しいぞ、メアリー。これはそういうことなのだ。まちがいない」

「神がそんなことをあなたさまに望むはずがありません」わたしは慎重に言葉を選び、暗闇に浮かぶ横顔を見つめ、アンの助言があればと念じながら答えた。「キリスト教国のすべての君主のなかで、神の寵愛を受けるのは陛下にきまっております」

　陛下はこちらを見た。いつもの青い瞳が暗闇で色を失っている。「では、なにが悪いのだ？」

　気がつくと、わたしはぽかんと彼を見つめていた。牧場の踏み越し段で無為に過ごす呆け者のように口をなかば開け、なんとか考えようとした。彼はなにを言ってほしいのだろう。

「王妃さま？」

王はうなずいた。「あれとの結婚は呪われておったのだ。そうにちがいない。はじめから呪われておった」

とっさに否定しようとしたが、言葉を呑み込んだ。

「あれは余の兄の妻だった。そもそも娶るべきではなかったのだ。周囲の助言にそむいて結婚した。まだ若く頑固で、兄と床入りはしていないというあれの言葉を信じた」

王妃さまは嘘のつけるようなお方ではない、と思わず言いそうになった。だが、ブーリン一族の野望を思い出し、口をつぐんだ。

「結婚すべきでなかった」陛下はおなじ言葉を二度、三度繰り返し、子どものように顔をくしゃくしゃにして泣き、手を差し伸べた。わたしはベッドに駆け寄り、彼を抱きしめた。

「ああ、メアリー、余は罰せられている。われらの二人の子ども、一人は男子だ。それにベッシーに産ませた庶子。だが、余の跡を継いで玉座につく者はおらぬ。己で道を切り開く才覚と勇気がないかぎり。さもなくばメアリーが継ぐことになる。イングランドは、余が見つける婿に耐えねばならぬ。なんという屈辱！　スペイン女の罪のために、余が罰を受けねばならぬとは！　余は裏切られたのだ！　よりによって后に裏切られるとは！」

わたしの首筋を彼の涙が伝う。陛下を引き寄せ、わが子のようにやさしくあやした。「まだ時間はありますわ、ヘンリーさま。まだお若いのですもの。子種もあり、能力もおありです。王妃さまが解放してくださったら、世継ぎを儲けることができます」

手がつけられなかった。ヘンリーは子どものように泣きじゃくり、わたしは彼を揺すりつづけた。なにかを請け合うのではなく、ただ抱擁し、あやし、「よし、よし、よし」とささやきかけた。やがて滂沱《ぼうだ》の涙もおさまり、彼はわたしの腕の中で眠りに落ちた。まつげを涙で黒く濡らし、バラの蕾のような口元をへの字にして。

わたしはまたしても眠れなかった。ずっしりと重い頭を膝に抱え、肩に腕をまわして体を支え、まんじりともせずに夜を明かした。今度はいろいろなことを考えた。王妃に迫る脅威を、身内以外の者が口にするのをはじめて聞いた。よりによって王の口から。王妃にとって、これまでになく深刻な事態だ。

ヘンリーは夜明け前に目を覚まし、わたしをベッドに引きずりこんだ。素早く、目も開けないままわたしを抱き、ふたたび眠りに落ちた。寝室付きの従僕がお湯の入った洗面器を持ってきて、小姓が火を熾しにやってきた。わたしはベッドのカーテンを引き、ローブをまとい靴を履いた。

「きょう、一緒に狩りに出るか?」ヘンリーが言った。

夜通し王を抱きかかえていたせいで凝りに凝った背中を伸ばし、少しも疲れていない顔でほほえんだ。「もちろんですわ!」

王はうなずいた。「礼拝のあとで」それから、わたしをさがらせた。

ジョージが控えの間で待っていた。いつもどおり忠実に、ハーブを詰めた金の匂い玉をいじくり、匂いを嗅ぎながら。国王の寝室から出てきたわたしを、彼はしげしげと見つめた。

「問題が？」彼が尋ねた。

「わたしたちのではないわ」

「それはよかった。誰の？」朗らかに尋ね、わたしの腕を自分の腕に絡ませ、大広間への階段をおりていった。

「秘密を守れる？」

ジョージは心もとない顔をした。「とりあえず話せよ。それから決める」

「わたしがそんな馬鹿だと思う？」

ジョージはとっておきの笑みを浮かべた。「ときどきはね。さあ話せよ、秘密ってなんだ？」

「ヘンリーさまのことよ。ゆうべ泣きながら、息子に恵まれないのは神に呪われているからだって」

ジョージは足を止めた。「呪われている？　自分で呪われていると言ったのか？」

わたしはうなずいた。「実の兄の妻と結婚したから、神が息子を授けてくださらないんだと考えているわ」

純然たる喜びに兄は顔を輝かせた。「行くぞ。いますぐだ」

ジョージはわたしを引っぱって、宮殿の古い一角に至るふたつめの階段をおりた。

「服を着てないわ」

「かまわない。ハワード叔父に会いにいく」

「どうして?」

「王がついにわれわれの望むところに行きついたからさ。ついに。ようやく」

「呪われていると思ってほしかったの?」

「そうだよ、そのとおりだ」

わたしは立ち止まり、ジョージの曲げた肘から腕を引き抜こうとしたが、彼はそうさせず、わたしをさらに引き寄せた。「どうして?」

「やっぱりおまえは馬鹿だな」ジョージはそれだけ言うと、叔父の部屋の扉を激しく叩いた。扉が少し開いた。「重要なことなのだろうな」開いた扉の隙間から、叔父が威圧的な礼儀正しさで言った。「入れ」

ジョージがわたしを押し込み、後ろ手に扉を閉めた。

叔父は私室の小さな暖炉の前に座っていた。エールの壺をわきに、書類の束を前にして、毛皮で裏打ちされたローブをまとっている。ほかには誰もいないようだ。ジョージがさっと室内に目を走らせた。「話をしても安全ですか?」

叔父はうなずき、無言で先を促した。

「いまメアリーを王のベッドから連れて帰ってきたところです」ジョージは言った。「王はメアリーに、子ができないのは神の思し召しだと言ったそうです。自分は呪われていると」

叔父の鋭い眼がわたしに向けられた。「そう言ったのか?　呪われていると?」

わたしはためらった。ヘンリーはわたしの腕の中で泣き、この悲しみを癒せるのはそなただけだ、と言うようにしがみついてきた。疚《やま》しさが顔に出たのだろう。叔父は短く笑い、暖炉の燃えさかる炎に薪を蹴り入れ、炉辺のスツールにわたしを座らせろとジョージに指示した。「話せ」静かな威嚇だった。「この夏、ヒーヴァー城で子どもたちに会いたいのなら。息子が半ズボンを穿くようになる前に会いたいのなら、話せ」

うなずいてひとつ息をつき、王が自分のベッドという私的領域で口にした言葉を、ひとつひとつ繰り返し、わたしがそれにどう応えたか、王がどんなふうに泣きながら寝入ったか、洗いざらい話した。叔父の顔は、さながら大理石のデスマスクだった。なにも読み取れない。やがて口元をほころばせた。

「乳母に手紙を書き、息子をヒーヴァー城に連れていかせるがいい。今月中に会いにいってよい。よくやったぞ、メアリー」

わたしのためらいを、叔父は手を振ってしりぞけた。「さあ、行け。そうだ、もうひとつ。きょう陛下と狩りに出かけるのか?」

「はい」

「きょう、またその話が出たら、きょうでなくてもだが、いまのとおりに振る舞え。とにかくそのままに」

「どういうことですか?」

「愉快なほど愚かに。刺激するようなことはなにも言うな。われわれには、神学について王に助言できる学者や、離婚問題を助言できる法律家がいる。おまえはただかわいらしく、愚かなままでおればいい。おまえは見事にやっている」

わたしが侮辱されたと感じていることを、叔父は承知していたが、わたしを素通りしてジョージにほほえみかけた。「同じ姉妹でもメアリーのほうがずっとかわいいな。おまえは正しかった、ジョージ。メアリーはわれわれを高みへと誘う格好の踏み段だ」

ジョージはうなずき、わたしを連れ出した。

自分の不実を嘆く気持ちと叔父への怒りとで体が震えた。「踏み段ですって？」吐き捨てるように言った。

ジョージが差し出した腕を取ると、震える指に兄が手を押し付けてきた。「あたりまえさ」やさしい口調だった。「一族がさらに上へと昇る方法を考えるのが叔父上の役目だ。ぼくたちはみんな、そこに至るための踏み段でしかない」

手を引っ込めたかったが、ジョージが放してくれない。「踏み段にはなりたくない！なれるものなら、ケントの小さな農場の主になって、二人の子どもたちと一緒のベッドに眠り、わたしを愛してくれる善良な夫と暮らしたい」

中庭の暗がりで、ジョージはほほえみ、顎の下に指を添えてわたしを上向かせ、唇を軽く重ねた。「ぼくらはみんなそう願っている」心にもないことを楽しそうに言う。「ぼくらはみんな、根は単純な人間なんだ。だが、なかには偉大なことをするよう運命づけられている者もいる。おまえは宮廷で最高のブーリンになるんだ。喜べよ、メアリー。これを聞いてアンがどんなに気を悪くするか」

その日、わたしは王と川沿いを何マイルも馬を走らせて鹿を追い、最後には猟犬が水の中に追いこんだ。宮殿に戻ったころには疲労で泣きたかったが、休む暇はなかった。夕方には川べりでピクニックが催され、屋形船に乗った楽士の奏でる音楽や、王妃の侍女たちの活人画(扮装した人が静止した姿勢で名画や歴史的場面を再現する)を楽しんだ。王と王妃、王妃の侍女たち、そしてわたしは、三隻の屋形船がゆっくりと川をのぼってくるのを川岸から見物した。耳に残る調べが、流れの速い川を渡ってくる。アンも屋形船に乗り、水面にバラの花びらをまき散らしながら、船首像のように先頭でポーズをとっていた。ヘンリーの目は彼女に釘付けだった。同船の侍女たちがスカートを押さえて船をおりるのに手を借りたが、アンだけは、すっと背筋を伸ばし、あの人目を意識した蠱惑的な足取りで歩いてきた。世の男はすべて自分を見ていると思っている歩き方だ。この魅力に抗える者などいないという歩き方。本人がそう固く信じているために、宮廷の男たちはこぞってアンの動きを追い、たまらなく魅力的だと思う。音楽の調べが消え、対抗船に乗っていた殿方たちが下船し、数人がアンに駆け寄った。アンは踏み板のうえで後じさり、若者たちの愚かさに驚いたふうで笑い声をあげた。アルペジオのような笑い声に、ヘンリーが笑みを浮かべた。アンは頭をつんとそびやかし、自分を満足させるほどの男はいないといわんばかりに彼らから離れ、まっすぐに国王夫妻のもとにやってきて、優雅にお辞儀した。

「活人画をお楽しみになりましたか、陛下?」王を楽しませるために王妃が命じたものではなく、自分がお膳立てした余興のような口ぶりだった。

「とてもかわいらしかったわ」王妃は気を削《そ》がれ、答えた。

アンは伏せたまつげ越しに、燃えるような眼差しを王に向けた。もう一度深く膝を折ってから、悠然とわたしのほうにやってきて、長椅子の隣りに腰をおろした。

ヘンリーは王妃との会話を再開した。「この夏、巡幸の途中で、メアリー王女と会おうと思う」

王妃は驚きを表さなかった。「どこで会いましょうか？」

「余が会うと言ったのだ」ヘンリーは突き放すように言った。「余が命じたところに来ればいい」

王妃は怯まなかった。「娘の顔が見とうございます。最後に会ってからもう何か月もたっていますもの」

「そうだな。そなたのところに呼べばいい。どこにいようと」

王妃はうなずいた。周囲の誰もが耳をそばだてるなか、この夏、ともに巡幸に出かけることはないのだと悟った。

「ありがとう存じます」王妃はさりげなく威厳を保ったまま言った。「おやさしいこと。王女は手紙で、ギリシャ語とラテン語がずいぶんうまくなったと書いてきましたわ。あの子の成長ぶりを、どうか見てやってくださいね」

「ギリシャ語やラテン語は、息子や世継ぎを儲けるうえでなんの役にもたたない」王は吐き捨てるように言った。「陰気な学者にさせるつもりはないのだ。王女の第一の義務は、国王の母親になることだ。そなたも承知のうえだろうが、マダム」

ヨーロッパでも抜きんでて聡明で学識のある女の一人であり、スペインのイサベラ女王の娘である王妃は、膝の上で両手を重ね、豪華な指輪に目をやった。「もちろん、よく存じております」

ヘンリーはさっと立ち上がり、手を叩いた。楽士たちはただちに演奏をやめ、指示を待った。「カントリーダンスを！　正餐の前に踊ろう！」

すかさず楽士たちは明るいジグを奏ではじめ、廷臣たちは位置につこうと動きはじめた。ヘンリーがこちらに歩いてきたので、わたしは踊るつもりで立ち上がったが、彼はほほえみをくれただけで、アンに手を差し出した。目を伏せたまま、アンはわたしの脇を素通りした。払いのけるように、ガウンの裾がわたしの膝をかすめた。もっと下がって、邪魔だから、と言わんばかりに。アンのお通りだから、みなが脇にどいてあたりまえと言わんばかりに。アンが去り、顔をあげると王妃と目が合った。鳩小屋の鳩の縄張り争いを眺めるような虚ろな目だった。大したことでもあるまいし。じきにみな食べられてしまうのだから。

ヒーヴァー城で子どもたちに会えるよう、一日も早く夏の巡幸に出かけたかったが、最初の目的地をどこにするかで、ウルジー枢機卿とヘンリー王の意見が合わず、出発が遅れていた。対スペインの新たな同盟国であるフランス、ヴェネツィア、ヴァチカンと交渉の最中のウルジー卿は、戦争に突入したときすぐ連絡できるよう、ロンドン近郊にいてもらいたいと望んでいた。

だが、ロンドンでも港町でも疫病が流行っており、病を忌み嫌うヘンリーは、水がきれいで、嘆願者や物乞いがロンドンの貧民窟からあとを追ってこない、遠い田舎に行きたがった。枢機卿は善戦したが、病と死から逃げようとするヘンリー王を止めることはできなかった。メアリー王女に会うためならウェールズまで行くだろうが、ロンドン近郊に留まるわけがない。

王の明白な許可とジョージの付き添いがなければ、わたしはどこへ行くこともできない。暑い日差しのした、囲いのある中庭で、二人はテニスに興じていた。ジョージが打った球が張り出した屋根に当たってコートに転がり落ちるのを、ヘンリーは待ち構え、隅を狙って力強く打ち返した。

ジョージは剣士のような構えでそのショットを受け入れた。アンはほかの数人の侍女たちとともにコートの端に座っていた。噴水の小さな像のように粋にポーズを決め、装いをこらし、寵を得るときを待っている。隣りに並び、輝きでアンをくすませたい衝動に駆られたが、背後に控え、陛下が試合を終わらせるのを待った。

もちろん、陛下が勝った。ジョージは最後まで競り合い、もっともらしく負けてみせた。女たちはそろって手を叩き、王は紅潮した顔に笑みを浮かべて振り向き、わたしを見た。

「兄に賭けていなければいいが」

「腕を競う勝負で、陛下の対戦相手に賭けるはずがありませんわ。運試しには慎重を期しませんと」

陛下はほほえみ、小姓からタオルを受け取ってバラ色に染まった顔を拭った。

「お願いがあってまいりました」邪魔が入らないうちにと急いで言った。「わたくしたちの息子と娘に会いたいのです、巡幸に出かける前に」

「行先は決まっておらん」ヘンリーは眉間にしわを寄せた。「ウルジーのやつがずっと……」

「きょう出発すれば今週中に戻ってこられますわ」わたしはやんわりと言葉をつづけた。

「それから旅にご一緒できます、どこへ行かれようと」

彼は置いてけぼりを食うのが気に入らないのだ。口元から笑みが消えた。わたしは助け船を求めジョージをちらっと見た。

「戻ってきたら、赤ん坊の元気な様子を報告してくれ!」と、ジョージ。「父上と同じくらい美男で力強いこともね。乳母の話では金髪なんだろう?」

「チューダー家の金色だと」わたしはすかさず言った。「でも、父上よりも美男だとは誰からも聞いておりません」

不機嫌に陥る前に食い止めることができた。ほほえみが戻ってきた。「口がうまいな、メアリー」

「巡幸にお供する前に、あの子がちゃんと世話されていることをたしかめておきたいのです、陛下」

「わかったわかった」陛下はなげやりに言った。その視線はわたしを通り越してアンに向かった。「なにかすることを見つけよう」

アンのまわりにいた女たちは、陛下の視線に気づき、そろって笑みを浮かべた。大胆な者たちは頭をそびやかせ肩をすくめ、訓練されたポニーのように輪になって媚を売った。アンだけは王を一瞥し、どうでもいいと言わんばかりに顔をそむけ、フランシスに笑みを送った。アンその頭の動きは、耳元でささやかれる約束よりも気をそそるものだった。フランシスはすぐ彼女にちかより、手を取って口元に持っていった。

王の顔が険しくなるのを見て、わたしはアンの無謀さに目を瞠った。王は首にタオルを掛け、テニスコートの扉を開けた。女たちははっとして立ち上がり、膝を折った。アンもあたりを見まわしたのち、悠然とフランシスの手から手を引き抜き、軽く膝を折った。

「試合は見ていなかったのか」王は唐突に尋ねた。

アンは膝を伸ばし、王の不機嫌などなにほどでもないという顔でほほえんだ。「半分ほど拝見しておりました」そっけない口調だ。

王の顔が険しくなった。「半分だと、マダム?」

「なぜ対戦相手を見る必要がありましょう、国王陛下? あなたさまがコートに立っていらっしゃるのに」

一瞬の沈黙ののち、王は声をあげて笑い出し、ついで廷臣たちも、つい一秒前まで息を止めて成り行きをうかがっていたとは思えないような追従笑《ついしょう》いをあげた。アンは得意の、目もくらむばかりの詐欺師の微笑を浮かべた。

「では、そなたにとって試合はなんの意味もなかったのだな」ヘンリーが言う。「半分しか見ていなかったのなら」

「わたくしが見るのは太陽だけで、影は少しも目に入りません」アンが切り返す。「昼の輝きだけで夜は眼中にありません」

「余を太陽だと?」

アンはほほえみかけた。「まぶしい」このうえなく甘美な睦言のようだ。「まぶしい」

「余をまぶしいと言うのか?」

アンは誤解されて驚いたというように目を丸くした。「陛下は太陽ですわ。きょうはその太陽がまぶしゅうございます」

ケントのかぐわしい緑の田園に浮かぶ小塔のある灰色の小島、それがヒーヴァー城だ。不用心に開け放たれた東側の門を入り、城の向こうに沈む太陽に向かって馬を進めた。寄せ集めの赤いタイルで葺かれた屋根が黄金の光に煌めき、灰色の石壁が濠の水に映って、まるで城がふたつあるようだった。城のうえにまた城が浮かぶさまは、まるで夢のわが家だ。濠では二羽の白鳥が嘴で突き合い、アーチにした首がハートを形作っていた。水面にその姿を映し、まわりで水に反射した城がゆらゆらと揺れていた。

「美しい」ジョージが言った。「ここにずっといられたらなあ」

濠に沿って馬を走らせ、平らな板張りの橋を渡った。シギの番《つがい》がアシの茂みから飛び出してきて、わたしの疲れた馬は足を竦《すく》ませた。川の両岸の牧草地で草刈りが行われたらしく、夕暮れの空気に甘い緑の香りが漂っていた。叫ぶ声がして、お仕着せを着た父の護衛が二人、守衛室から転がり出てくると、夕陽に手をかざして跳ね橋のうえに並んだ。

「若さまとケアリーの奥さまだ」片方の護衛が叫んだ。背後にいた若者が踵を返して知らせに走り、わたしたちは常歩《なみあし》に落としてゆっくりと馬を進めた。鐘が鳴らされ、守衛室から護衛たちが飛び出すのと同時に、召使いたちが先を争うように中庭に出てきた。

護衛たちの手際の悪さに、ジョージは苦笑し、手綱をひいて馬を止め、わたしに先に橋を渡らせ、アーチ型の落とし門の下を進ませた。厨房で焼き串をまわしていた下働きの少年から家政婦まで、みなが中庭に走り出てきた。家政婦は大広間の扉を開け、中にいる使用人に厳しく声をかけた。

「だんなさま、ケアリーの奥さま」家政婦が前に進み出た。執事もそれに倣い、二人で頭を下げた。馬丁がわたしの手綱を取り、守衛頭が鞍からおりるのを手伝ってくれた。

「わたしの坊やは？」家政婦に尋ねた。

彼女は中庭の端にある階段のほうに頭を倒した。「あちらに」

慌てて振り向くと、乳母がわたしの赤ん坊を連れて陽光のもとに出てきた。なによりもまずその成長ぶりに目を瞠った。最後に見たのは、生まれて一か月のころで、まだ小さな赤ん坊だった。いまでは頬が丸みを帯び、バラ色だ。その頭を包む乳母の手を見て、わたしは激しい嫉妬を覚えた。彼女の大きく赤く荒れた手が王の息子、わたしの息子の頭に触れていると思うと、吐きそうになった。息子は布でぐるぐる巻きにされ、板に括りつけられている。わたしが腕を伸ばすと、乳母は皿に盛られた料理みたいに差し出した。

「元気にされとります」彼女は言い訳がましく言った。

顔がよく見えるように高く持ち上げた。小さな手と腕はわきに縛りつけられ、小さな頭さえも固定されていた。目だけがくるくると動き、わたしの顔を捉えて口から目までをさっと眺め、背後の空に視線を移した。頭上の塔のまわりを旋回する大鴉《おおがらす》を見ている。

「かわいい子」わたしはささやいた。

軽やかに馬からおりたジョージは、厩番に手綱を放り、わたしの肩越しに覗きこんだ。ダークブルーの目が新顔を厳しく吟味する。

「伯父さんを見てるぞ」ジョージは満足げに言った。「よしよし。よく憶えておいてくれよ、坊主。ぼくらは一蓮托生の身だからな。まさしくチューダーだな、メアリー。王に生き写しだ。お手柄だ」

わたしはほほえみを浮かべ、バラ色の頬と、レースの帽子から覗く輝く黄金の髪を見つめた。ダークブルーの目が穏やかな自信を浮かべて、ジョージの顔からわたしに移ってきた。

「まさにそのとおりでしょう？」

「おかしなものだな」ジョージが耳元でささやく。「考えてもみろよ。このちっぽけな生き物に、いずれはかしずくことになるかもしれない。いつの日か、こいつはイングランド国王になるかもしれない。ヨーロッパでもっとも重要な人物になったら、おまえもぼくも、こいつにすべてを委ねることになるんだぜ」

わたしは板を握る手に力を込め、木の枠に括りつけられた小さな体のぬくもりを感じた。

「神さま、この子を安全にお守りください。未来になにが待ち受けていようと」

「ぼくたちみんなの安全を願えよ」ジョージが口を挟んだ。「こいつを玉座につけるのは並大抵なことじゃない」

ジョージはヘンリーをわたしから取り上げて乳母に渡した。あれこれ憶測するのに飽きたと言わんばかりのぞんざいな態度だった。彼に連れられ玄関に向かい、階段で足をとめた。丈の短い子ども服を着た、二歳くらいの小さな女の子がわたしを見上げた。かたわらにいる女に手をしっかり握られている。キャサリン、わたしの娘が、知らない人を見る目でわたしを見ている。

わたしは中庭の砂利に両膝を突いた。「キャサリン、わたしがわかる？」

小さな顔が震えたが、くしゃくしゃになりはしなかった。「お母さま」

「そうよ。もっと早く会いに来たかったのだけれど、許してもらえなかったの。会いたかったわ。ずっと一緒にいたいと思っていたの」

キャサリンはその小さな手を握るメイドを見上げた。手がぎゅっと握り返され、返事を促した。「はい、お母さま」小さな声で言った。

「わたしを憶えていないの？」悲しみが声に出て、ちかくにいる人みなに伝わった。キャサリンはメイドを見上げ、それからわたしに視線を戻した。小さな唇が震え、顔がくしゃくしゃになり、わっと泣き出した。

「おやおや」ジョージがうんざりして言った。わたしの肘に手を添えて立ち上がらせ、玄関を入り大広間に向かった。真夏にもかかわらず暖炉には火がたかれ、炉辺の大きな椅子に祖母が座っていた。

「どうも」ジョージは挨拶もそこそこに、ついてきた使用人たちに顔を向けた。「もういい。さっさと持ち場に戻れ」

「メアリーはどうしたんだい?」祖母がジョージに尋ねた。

「暑さ、それと日差しのせいです」ジョージは適当に並べあげた。「それに馬に乗ったせいでしょう。出産のあとで」

「それだけで?」祖母は不愉快そうに言った。

ジョージは椅子にわたしを座らせ、自分も腰をおろした。「喉が渇いたな」当てつけがましく言い添えた。「ワインの一杯も飲みたくて死にそうなんでしょう。ぼくもそうですけれど、おばあさま」

祖母はジョージの不作法に笑みを向け、背後のどっしりした食器棚を指した。ジョージは立ち上がり、わたしと自分用にワインを注いだ。ひと息で飲んでお代わりを注ぐ。

わたしは手の甲で顔を拭い、まわりを見まわした。「キャサリンをここに連れてこさせて」

「放っておけ」ジョージが言う。

「わたしのことがわからなかったのよ。すっかり忘れているみたいだった」

「だから放っておけって言ったんだ」

言い返そうと思ったが、ジョージはわたしを制してつづけた。「鐘が鳴ったとき、あの子は子ども部屋から引きずり出され、いちばんいいドレスを着せられ、下に連れてこられ、おまえに礼儀正しく挨拶するように言われたんだ。かわいそうに、きっと恐ろしくて気持ちが悪くなっていただろうな。おまえだって、メアリー、両親が訪ねてくると知って慌てたことを憶えているだろう？　はじめて宮廷にあがったときよりも大変だったじゃないか。おまえはよく恐ろしさのあまり戻していたし、アンは一張羅を何日もつづけて着て、歩きまわっていた。母上が会いに来るときはいつだって恐ろしかった。キャサリンには落ち着きを取り戻す時間を与えてやり、あとでこっそり部屋を訪ね、そばにいてやればいい」

そのとおりだと思い、椅子に身を預けた。

「宮廷のほうはつつがないかね？」祖母が尋ねた。「息子はどうしている？　おまえたちの母親は？」

「元気です」ジョージが答えた。「父上は先月ヴェネツィアに行って、同盟のために尽力されていました。ウルジー枢機卿のしたてで。母上もお元気で、王妃にお仕えしています」

「王妃はお変わりなく？」

ジョージはうなずいた。「王妃さまはこの夏、巡幸にはご同行されません。宮廷でのお力を失っておられます」

ゆっくりと死に向かう女の、なじみのある物語に祖母はうなずいた。「それで国王は？」

「メアリーはまだ寵愛を？」

「メアリーかアンか」ジョージはほほえみながらうなずいた。「王はブーリンの娘がお好みのようです。メアリーはまだ寵愛を受けています」

祖母は振り返って、鋭く光る眼差しをわたしに向けた。「おまえはいい子だよ」満足げに言う。「ここにはどれくらいいるつもり？」

「一週間です」わたしは答えた。「許されたのはそれだけですから」

「おまえは？」ジョージに振り向いて尋ねる。

「二、三日の予定でしたが」ジョージはぼんやりと答えた。「ヒーヴァーの夏がどんなに美しいか忘れていました。ずっとここにいて、メアリーが宮廷に戻る日が来たら、連れて帰ることにしよう」

「ずっと子どもたちと過ごすわよ」わたしは釘を刺した。

「それでもいいさ」ジョージはにっこりとした。「話し相手はいらない。書き物でもする。いずれ詩人にでもなるさ」

ジョージの助言に従い、キャサリンにはちかづかず自分の小部屋に引き揚げた。狭い螺旋階段をのぼり、水を張った洗面器で顔を洗い、鉛枠の窓から闇に沈みゆく庭園を眺めた。メンフクロウの白い羽が見えたかと思うと、問いかけるようなホーホーという啼き声が聞こえ、つづけて森から啼き返す仲間の声がした。濠で魚が飛び跳ねる音がして、青灰色の空に銀色の星が瞬きはじめた。そのころになってようやく、子ども部屋に娘を訪ねた。

娘は炉辺のスルーッに座り、ミルクの入ったボウルとパンを膝に載せ、口に運ぶ途中でスプーンを持つ手を止めたまま、頭上で交わされる子守りと別のメイドとの噂話に耳を傾けていた。わたしに気づくとメイドたちは慌てて立ち上がり、キャサリンが落としたボウルを子守りがさっと受け止めた。メイドはガウンの裾をはためかせて立ち去り、子守りはキャサリンの隣りに座り、彼女がちゃんと食べているのを見守り、火に近づきすぎないよう気を配っているふりをした。

わたしも腰をおろしたが、なにも言わず、キャサリンが最後の一口をすくいあげるまで見守っていた。子守りがキャサリンからボウルを取り上げたので、さがってよいと目顔で告げると、彼女はなにも言わずに出て行った。

ガウンのポケットを探る。「小さな贈り物を持ってきたわ」紐にさげたドングリで、殻斗《かくと》を帽子にみたて、上手に顔が彫ってある。キャサリンはたちまちにっこりし、手を差し出した。掌はまだぽっちゃりとした赤ん坊のそれで、指も小さい。わたしはドングリを娘の手に載せ、肌のやわらかさをたしかめた。

「お名前をつけてくれる？」わたしは言った。

つるりとした額に少ししわが寄った。金色がかった赤褐色の髪は、ナイトキャップになかば隠れている。そっとナイトキャップのリボンに触れ、はみ出た黄金の巻き毛に手を添えた。

わたしが触れてもキャサリンは身を竦めなかった。すっかりドングリに心を奪われていた。「なんて呼べばいい?」ブルーの瞳がわたしを見上げた。

「オークの木から生まれたのよ。ドングリさんなの。オークは王さまがわたしたちみんなに植えてもらいたいと思っている木なの。お船を造るのに丈夫な木が必要なのよ」

「オーキーにする」キャサリンはきっぱりと言った。王さまにも船にも、まるで関心がない。紐を引っ張ると小さなドングリが飛び跳ねた。「おどってる」満足げに言った。

「オーキーと一緒にお母さまのお膝に乗って、オーキーが舞踏会に出かけてほかのドングリさんたちと踊る話を聞いてみない?」

キャサリンはためらいを見せた。

「ヘーゼルナッツさんも来るのよ」誘いかけるように言った。「それに栗さんも。森の大舞踏会なの。ベリーちゃんたちもいると思うわ」

それでじゅうぶんだった。キャサリンがスツールから立ち上がってやってきたので、膝に抱き上げた。記憶にあるより重かった。夜な夜な思い描いていた夢のなかの子どもではなく、固太りの生身の子どもだ。ぬくもりと力強さが伝わってきた。ナイトキャップに頬を載せると巻き毛が首筋をくすぐる。娘の肌の甘い匂いを吸い込んだ。えもいわれぬ幼子の匂い。

「お話しして」キャサリンはわたしにもたれかかって耳を澄ませた。わたしは森の舞踏会の話をはじめた。

すばらしい一週間を過ごした。ジョージ、子どもたち、そしてわたし。日差しを浴びて散歩し、干し草用の牧草地でお弁当を食べた。刈り株から新芽が伸びはじめていた。城から見えないところまでくると、ヘンリーをくるむ布を解き、足をばたつかせたり自由に動けるようにしてやった。キャサリンとボール遊びをし、かくれんぼをした。開けた牧草地ではやりがいのある遊びとはいえないが、キャサリンはまだ、目を閉じてショールの下に頭を隠せば、自分の姿が見えなくなると思う年頃だった。ジョージとキャサリンはかけっこをした。ジョージにはハンディキャップがつけられた。勝負に公平を期し、はじめはけんけん、つぎは這い這い、週の終わりにはわたしに足を持たれて手で這って進んだので、よちよち歩きの彼女でも勝つことができた。

宮廷に戻る前の晩、悲しみのあまり食事が喉をとおらず、キャサリンにもいなくなることを言い出せなかった。盗人のように夜明けにそっと忍び出た。乳母に頼んでおいた。娘が目覚めたら、お母さまはできるだけ早く戻ってくるからいい子にして、オーキーの面倒をよくみるのよ、と伝えてくれと。悲しみに暮れぼんやりと馬を走らせた。昼になってジョージに言われるまで、出発からずっと雨が降っていたのにも気づかなかった。「もううんざりだ。どこかで雨宿りしてなにか食おう」

九時課（午後三時の祈り）の鐘を鳴らす修道院の前で、ジョージは馬を止めており、わたしを鞍からおろした。「ずっと泣いていたのか？」

「そうみたい。考えるだけで耐えられない……」

「じゃあ考えるな」ジョージは無愛想に言い、供の者が大きな鐘を鳴らして案内を請うのを待った。大きな門が開くと、ジョージはわたしを押すようにして中庭に入り、階段をのぼって食堂に向かった。早すぎたらしく、二人の修道士がテーブルに白目の食器を並べ、エールやワインの入った白目のマグを用意しているところだった。

ジョージは指を鳴らしてワインを持ってこさせ、冷たい白目のゴブレットをわたしの手に押しつけた。「飲み干すんだ」きっぱり言う。「そして泣くのをやめろ。今夜には宮廷に戻るんだから、青白い顔で目を赤くしてはいられない。醜くなるのがわかったら、二度と出してもらえないぞ。自分の楽しみは二の次にするんだ」

「自分の楽しみを二の次にしない女がいたら、お目にかかりたいものだわ」わたしが憤慨した口調で言うと、ジョージは笑い声をあげた。

「そうだな。そんな女にお目にかかったことはない。赤ん坊のヘンリーもぼくも、男でよかった」

ウィンザーについたのは夕方で、宮廷はちょうど巡幸に出るところだった。アンですら支度にかかりきりで、わたしを見ようともしなかった。慌ただしく荷造りするのを見て、二着の新しいガウンが梱《こり》に詰められるのに気づいた。

「それ、どうしたの?」

「陛下からの贈り物」アンはそれ以上なにも言わなかった。

わたしも無言でうなずいた。アンは笑った横顔を見せつけながら、揃いのフードを詰めた。むろんアンがそう仕向けたのだが、一着は小粒の真珠がふんだんにちりばめられたものであることに気づいた。わたしが窓腰掛けに座って眺めていると、アンはいちばん上にケープを載せ、梱に帯を掛けさせるためにメイドを呼んだ。メイドがやってきて、それからポーターが荷物を運び去ると、アンは挑戦的にわたしのほうを向いた。「それで？」

「なにが起きているの？」わたしは尋ねた。「ガウンのことだけど」

アンは背中で腕を組んで、女学生のように恥ずかしそうに言った。「口説かれているの。おおっぴらに」

「アン、あの人はわたしの恋人よ」

アンは気だるく肩をすくめた。「あなたはいなかったくせに。ヒーヴァーに行って、陛下よりも子どもと一緒にいたかったんでしょう。あなたはまるっきり……」そこで言葉を切った。「熱くないのよ」

「あなたは熱いの？」

アンは内輪の冗談に笑うような笑みを浮かべた。「この夏はたしかに暑いわね」

わたしは歯を食いしばり癇癪を抑えた。「あなたの役目は彼の関心をわたしに惹きつけておくことでしょう。彼を惑わすのではなく」

アンはまた肩をすくめた。「あの方だって殿方だもの。追い払うより関心を惹くほうが簡単よ」

「わたしが関心のあるのはひとつのことだけ」わたしは言った。言葉がナイフだったら、自己満足に酔いしれるアンの顔にまず切っ先を向けただろう。「そんな贈り物をもらっているんだったら、あなたは間違いなく陛下の関心を惹いたので、宮廷での地位も上昇したんでしょう。寵姫になったのね」

アンはうなずいた。撫でられた猫が甘い匂いを出すように、彼女の満足感が匂いとなって垂れ込めているようだった。

「わたしたちが公認の仲だということを知ったうえでのことね」

「そうするように言われたのよ」アンは傲慢に言い放った。

「わたしにとって代われとは言われてないでしょ」わたしは鋭く言った。

アンは悪びれた様子もなく肩をすくめた。「望まれたらどうしようもないわ」ミルクのように滑らかな口調で答えた。「宮廷にはわたしを望む男たちで溢れている。わたしがけしかけたかしら？　いいえ」

「誰に向かって話していると思っているの。あなたの取り巻きの馬鹿な連中じゃないのよ。あなたはみんなをけしかけているわ」

アンは曖昧な笑みを浮かべた。

「なにが望みなの、アン？　妾になること？　わたしの座を奪うこと？」

アンの顔から自己満足の笑みは消え、真剣に考え込む表情になった。「ええ、そうだと思う。でもそれには危険がつきまとう」

「危険？」

「もし体を許したら、飽きられる可能性があるわ。繋ぎとめるのに苦労する男よ」

「そうは思わないけれど」わたしは彼の肩をもった。

「あなたはなにも手に入れてないじゃない。ベッシー・ブラントだって用済みになったら、地位もなにもない男に嫁がされた。彼女もなにも手に入れていない」

ぐっと舌を噛み締めたので、口のなかに血の味が広がった。「あなたはどうなの、アン」

「わたしなら繋ぎとめられる。わたしはベッシー・ブラントやメアリー・ブーリンとは違うと彼が気づくまで、繋ぎとめてみせる。まるで格がちがうってことをね。申し入れを、特別な申し入れをしなければ、わたしは得られないと彼が気づくまで」

ひと呼吸置いて、わたしは言った。「あなたの望みがそういうことなら、ヘンリー・パーシーを取り戻すことはできないのよ。あなたのお願いだからといって、パーシーを与えてはくれないわ」

アンは二歩で部屋を横切ってくると、わたしの両手首を摑み、爪を立てた。「あの人の名前を二度と口にしないで。二度と！」

わたしは手をよじって離し、アンの肩を摑んだ。「それなら言わせてもらうわよ。あなたが言いたいことを言ったようにね。あなたって最低だわ、アン、恋人を失ったと思ったら、こんどは人のものを欲しがるのね。わたしのものが欲しいんでしょう。あなたは昔からわたしのものを欲しがってきた」

アンはわたしの手を振り払い、扉を開けた。「出ていって」

「あなたが出て行きなさいよ。ここはわたしの部屋よ、忘れたの？」

わたしたちは、塀の上の猫のように睨み合った。憎しみを滾らせ、それよりもっと根深いもの、昔から姉妹のあいだにある、この世には一人分の場所しかないという思いをあらたにした。姉妹の闘いの先にあるのは死だとわかっていた。

先に動いたのはわたしだった。「わたしたち、同じ側に立っているはずでしょ」

アンは叩きつけるように扉を閉めた。「ここは二人の部屋よ」


わたしとアンを隔てる線は、いまははっきりとしていた。子どものころ問題だったのは、ブーリンの娘としてどちらが優れているかだった。娘に成長したいま、王国一大きな舞台に闘いは移った。夏が終わるころには、どちらかが国王の愛人として認知されているだろう。負けたほうは、その小間使い、メイド、助手、そして道化師の役をあてがわれる。

アンに勝つ方法は思い浮かばなかった。策略を講じようにも、わたしには味方もおらず力もない。家族はみな、王が夜毎ベッドにわたしを呼び、昼間はアンをかたわらにはべらせておいてなんの不都合もないと考えていた。むしろ理想的な状況だった。賢いほうのブーリン娘は話し相手に、多産なほうのブーリン娘は愛人に。

アンにはそれが負担であることを、わたしだけが知っていた。踊り、笑い、つねに宮廷中の関心を自分に惹きつけ、夜、鏡の前に座りフードをおろすと、アンの若々しい顔は青ざめ、やつれていた。

ジョージはポートワインのグラスを手に、頻繁にわたしたちの部屋を訪れた。ジョージとわたしとでアンをベッドに入れて上掛けですっぽりくるみ、アンがグラスを干し、頬に血の気が戻ってくるのを見守った。

「ぼくらはどうなるのだろう」ある晩、眠る彼女を見守りながら、ジョージがつぶやいた。「王はアンに夢中だ。宮廷中がアンにのぼせあがっている。いったいアンの望みはなんなんだろう?」

アンが寝返りを打った。

「シーッ」わたしはベッドのまわりのカーテンを引きながら言った。「起こさないで。一秒でも一緒にいたくないの。ほんとうに耐えられない」

ジョージはにやりと笑って首を傾げた。「そんなにひどいのか?」

「彼女はわたしの場所に座っているの」

「それは大変だ」

わたしは顔をそむけた。「わたしが手に入れたものを、アンがみんな奪っていく」激しい怒りで声が低くなった。

「でも、もうそれほど未練はないんだろう?」

わたしは頭を振った。「だからといって、アンに押しのけられるのはいや」

ジョージはウェストに手をまわしてわたしを扉のほうへ導き、その手を軽く腰に添えた。

それから恋人のようにぴたりと唇を重ねた。「おまえがいちばんかわいいことは、自分でもわかってるんだろう」

わたしは兄にほほえみかけた。「アンよりはましな女だと思っている。アンは氷と野望でできている女よ。自分の野心を諦めるくらいなら、あなたが絞首台に送られるのを黙って見過ごすでしょうね。王さまにとって、わたしは都合のいい愛人よ。でもアンは彼を惑わし、宮廷も惑わした。そしてあなたをもね」

「ぼくは違う」ジョージは静かに言った。

「叔父さまだってアンのほうを気に入っているし」わたしは憤懣を洩らした。

「叔父上は誰のことも気に入っていない。ただ、アンがどこまで行けるかを気にしているだけだ」

「みんな気にしているわ。アンがなにを犠牲にするつもりか。犠牲になるのがわたしではないか。そういうことを気にしているのよね」

「あいつがリードしているのは、生やさしいダンスじゃない」

「アンなんて大嫌いよ。野心で身を滅ぼすのを、たっぷり見物してやるわ」

ラドロー城にいるメアリー王女を訪問したあと、わたしたちはひと夏かけて西へ向かった。王女はまだ十歳だったが、母の王妃がスペイン宮廷で受けたような厳しく正式な教育を受け、年のわりに大人びているという話だった。まわりには司祭と個人教師たち、話し相手の侍女がおり、プリンセス・オブ・ウェールズとして一家を構えていた。わたしたちは凜とした少女を思い描いていた。女として花開こうとしている少女を。

わたしたちが見たのは、それとはほど遠い人物だった。

王女は王が正餐をとっている大広間に入ってくると、みなの視線を浴びて上座へと向かった。六歳の子どもぐらいの体つきで、薄茶色の髪にフードをかぶり、血色の悪い陰気な顔の、まるで小さなお人形だった。母の王妃がイングランドに輿入れしたときと同じように優雅だったが、まだほんの子どもだ。

陛下はとても優しく挨拶したが、ショックは隠しようがなかった。半年ぶりに会う娘が女らしく成長していると期待していたのに、ここにいるのは一年以内に結婚させ、二年か三年もすれば子どもが産めると確信のもてる王女ではなかった。子どもを産むもなにも、彼女はまだ子どもだった。顔色の悪い、痩せた内気な子どもだ。

王女は陛下からキスを受けたあと、上座に並んで座り、自分に注がれるみなの視線を受け止めた。ほとんどなにも口にせず、飲み物にはまったく手をつけなかった。陛下に話しかけられると、ひと言ふた言、小声で返すだけだった。まちがいなく教養はあるのだろう。個人教師の一団が入れ替わり立ち替わり現れ、王女さまはギリシャ語とラテン語が堪能で、加算表を作り、ウェールズとイングランドの地誌を熟知していると請け合った。演奏が始まって踊りはじめると、その身のこなしは優雅で軽やかだったが、健康で丈夫で子どもがたくさん産めるようには見えなかった。簡単に衰弱し、軽い風邪をひいただけで死んでしまいそうだ。

王の笏《セプター》を持ち上げる力もなさそうな彼女が、ヘンリーの父王が手に入れた王位を継ぐ、ただ一人の正統な後継者なのだ。

ラドロー城に泊まったその夜、ジョージがやってきた。「王はご機嫌ななめだ」

アンがベッドで身じろぎをした。「あの痩せっぽちにご不満なの?」

「すごいな」と、ジョージ。「うとうとしてても、おまえの毒気は少しも薄まっていないな、アン。行くぞ、メアリー。王は待たせておける状態じゃない」

わたしが入ってゆくと、ヘンリーは炉辺で片足を薪にかけ、赤い炎のなかに押しこんでいた。うつむいたまま、有無を言わせず手を差し出してきたので、わたしはおとなしく腕のなかにおさまった。

「衝撃だった」わたしの髪に向かってささやいた。「あれはもう一人前の娘に成長しているものと思っていた。フランソワかその息子にでも嫁がせ、フランスとの同盟を強固なものにしようと考えていた。役にたたぬ娘だ、なんの役にもたたぬ。結婚すらさせられぬ娘とはな!」ついと顔をそむけ、怒りにまかせ大股で部屋を横切る。テーブルにはゲームの途中のトランプが伏せたまま置かれてあった。陛下は腕をひと振りしてトランプを払い落とし、テーブルをひっくり返した。その音を聞きつけ、扉の外で護衛が叫び声をあげた。

「国王陛下?」

「なんでもない!」ヘンリーはどなり返した。

わたしに向きなおった。「なぜ神はこのようなことを? なぜこのような仕打ちを? 息子はなく、つぎの冬を越せないような娘しか授けてくれないのだ？　余には世継ぎがいない。余のあとにつづく者がいないのだ。なぜ神はこのような仕打ちをするのだ？」

わたしは黙ったまま頭を振り、彼がなにを望んでいるのか見極めようとした。

「王妃のせいだ、そうだな？　そなたはそう考えておるのだろう。みながそう考えておるのだ」

うなずくべきか、頭を振るべきかわからなかった。わたしは用心深く王の顔を見ながら沈黙を守った。

「呪われた結婚だった。そもそもすべきでなかったのだ。父上は望んでいなかった。皇太子の未亡人としてイングランドに留まることはかまわない、それがしきたりだ、と父上は言われた。だが、余は……余が望んだのは……」言葉が途切れた。どれほど深く、真摯に王妃を愛していたか、思い出したくなかったのだ。「教皇は特免を下さったが、あれはまちがいだった。神の言葉に背くことはできない」

わたしは重々しくうなずいた。

「兄の妻を娶るべきではなかった。わかりきったことだ。娶ったおかげで、あれの不妊という呪いを受けたのだ。神はこのまちがった結婚を祝福してくださらなかった。年を経るごとに、神は余から顔をそむける。もっと早くに気づくべきだった。王妃は余の妻ではない、アーサーの妻だ」

「でも、もし結婚が完全に遂げられていなかったのなら……」わたしは言いかけた。

「どうでもいい」陛下が吐き捨てるように言った。「どっちにしろ完了したのだ」

わたしは頭を下げた。

「ベッドへ」ヘンリーはにわかに疲れた顔で言った。「こんなことには耐えられない。罪から解放されなければ。王妃に去るよう言わなければ。この恐ろしい罪を清めるのだ」

わたしはおとなしくベッドにちかづき、肩からショールを外した。シーツを折り返してベッドに入る。ヘンリーはベッドの足もとに膝をつき、一心に祈りはじめた。ぶつぶつとつぶやかれる言葉を聞き、わたしは自分も祈りを捧げていたことに気づいた。一人の無力な女が、もう一人の女のために祈る。イングランドでもっとも力のある男が、自分を大罪に陥れたと后を責める横で、わたしは彼女のために祈っていた。

一五二六年秋

お気に入りの宮殿のひとつ、グリニッジに戻っても、王の陰鬱な気分は晴れなかった。聖職者や顧問たちと長く時を過ごす王を見て、神学のあたらしい研究書を物する準備をしていると考える者もいた。わたしは夜毎そばにいて、彼が聖書の文言と格闘するのを見ていた。兄の未亡人と結婚することが——そして彼女を慈しむことが神のご意思なのか、それとも兄の未亡人を遠ざけることが──彼女を欲望の対象として見るのは兄を辱めることだから──神のご意思なのか、彼はなんとしても知りたかったのだ。この問題について、神の立場はどのようにも解釈できた。聖書の一節に記されたのとまったく別のことが、ほかの一節に記されているという按配だった。どちらの教えが優先されるかを決めるために、神学者の一団が動員された。

わたしに言わせれば、兄の未亡人と結婚し、その子どもたちをあたたかい家庭で育て、善良な婦人の面倒をみるのがいいにきまっているが、幸いなことに、ヘンリーの夕方の会議で、そんな意見を述べる機会はなかった。そこでは殿方たちが、ギリシャ語やラテン語で議論し、原典にあたり、教会の神父たちに助言を求めた。もっとも必要とされないのが、平々凡々な若い娘の常識だった。

わたしはなんの役にもたたなかった。たちようがなかった。ヘンリーが必要としたのはアンの頭脳で、アンだけが、絡まりあった神学上の問題を冗談にして、王を笑わすことができた。彼がそのことで頭を抱えているときでさえも。

二人は、毎日午後になると寄り添って歩いた。手に手を携え、顔を寄せ合い、まるで陰謀を巡らしているようだった。恋人同士のようにも見えたが、そばに行くとアンがこう言うのが聞こえた。「ええ、でも、聖パウロはこの対話ではっきりと……」すると、ヘンリーが応えて言う。「そういう意味だと思うか？　だが、別の一節で、こう述べているが」

ジョージとわたしは、従順な付き添い人のようにうしろを歩きながら、アンがなにかを強調するためにヘンリーの腕をつねったり、頭を振って意見の相違を表すのを眺めた。

「どうか去ってくれと、なぜ王妃に言わないんだ?」ジョージがずばりと言った。「ヨーロッパの法廷で糾弾されるわけでもあるまいし。跡取りが必要なことは周知の事実じゃないか」

「自分を悪く思いたくないからよ」アンの頭の動きを見つめ、小波《さざなみ》のような低い笑い声を聞きながら、わたしは言った。「歳をとったからという理由だけで、妻を捨てる気にはなれないの。別れるのは神のご意思だと納得したいのよ。自分の欲望よりも立派な権威付けが必要なの」

「なんとまあ、ぼくが国王だったら、自分の欲望に従って、それが神のご意思かどうかなんて気にもかけないと思うね」ジョージが感嘆したように言った。

「だって、あなたは意地汚く、欲深いブーリンだもの。でも、これは正しいことをしたいと願う国王の話よ。神が自分の味方だと納得できるまでは、前に進めない」

「それでアンが手助けをしているわけか」ジョージがいたずらっぽく言った。

「とんだ良心の番人ね!」わたしは吐き捨てるように言った。「あなたの不滅の魂も、アンの手にゆだねれば安心よ」

家族会議が招集された。わたしはずっとそれを待っていた。ラドローから戻って以来、叔父は、アンとわたしを黙って観察していた。この夏は巡幸に同行し、アンがどこにいようと王が吸い寄せられるようにちかづき、午後を一緒に過ごすのを見ていた。それでいて、夜が更けると判で押したようにわたしを呼び寄せることも。二人とも望む王の欲望に、叔父は困惑していた。ハワード一族のために、ヘンリーをどう操ればいいか考えあぐねていた。

ジョージとアンとわたしは、叔父の部屋の大きなテーブルに一列に並んだ。叔父が向かいに座り、母は隣りの小さな椅子に腰掛けていた。

「王がアンを望んでいるのは明白だ」叔父が切り出した。「だが、アンがたんにメアリーの後釜におさまるとしたら、これ以上はなにも望めない。それどころか事態は悪くなる。アンは嫁入り前で、このままの状態がつづけば、誰もアンを娶りはしまい。寵が消えてしまえば、アンにはなんの値打ちもなくなる」

上の娘に対するぶしつけな物言いに、母が身を固くするのではと思ったが、動じる気配はなかった。これは感情の問題ではなく、一族の事業だ。

「アンは引かねばならない」叔父が言う。「おまえはメアリーの邪魔をしている。メアリーは女児と男児を儲けたが、たいした成果はなかった。少しの領地と……」

「称号をふたつ」ジョージが小さく口をはさんだ。「官職をいくつか……」

「そうだ。否定はしない。だが、王のメアリーに対する欲望を、アンが削いでいる」

「陛下はメアリーに対してなんの欲望も抱いてはいませんわ」アンが吐き捨てるように言った。「肌がなじんでいるだけです。まったく別のことですわ。叔父さまだって、ご結婚されているのだから、おわかりでしょう」

ジョージが息を呑んだ。叔父がアンに向けたのは狼のごとき笑みだった。

「どうもありがとう、ミストレス・アン。おまえの頭の回転の速さは、フランスにまだいればさぞもてはやされたことだろう。だが、ここはイングランドだ。忘れたわけではあるまいが、イングランドの女に求められるのは、言われたとおりに行動すること、しかも楽しそうにそうすることだ」

アンは頭をさげたものの、怒りで顔が紅潮していた。

「おまえにはヒーヴァー城に行ってもらう」叔父が唐突に告げた。

アンははっと顔をあげた。「二度といやですわ！　いったいどうしてです？」

「おまえはジョーカーだが、使い方がわからない」叔父の言い方は非情だった。

「わたしを宮廷に残してくださったら、国王にわたしを愛させてみせます」アンは必死に食い下がった。「お願いですから、ヒーヴァーへ送り返さないで！　あそこでいったいなにをしろと？」

叔父は片手をあげた。「なにもずっとではない。クリスマスのあいだだけだ。ヘンリー王がおまえを気に入っているのは明らかだが、どう利用すればいいのかわからぬ。未婚でいるあいだは王と寝るな。ベッドに行くのは結婚してからだ。まともな男なら、国王のお手つきを妻にするはずがないからな。まったく困ったものだ」

アンはぐっと言葉を呑み込み、軽く頭をさげた。「よくわかりました」絞り出すように言った。「でも、クリスマスのあいだ、わたしをたった一人、宮廷からも国王からも遠く離れたヒーヴァーへ追いやることが、一族のためになるとは思えません」

「王の目論見を台無しにしないよう、おまえを遠ざけるのだ。后との離婚が成立すれば、ただちにメアリーと結婚できる。丸々した赤ん坊を二人産んだメアリーと。王は一度の儀式で妻と世継ぎを同時に手に入れられる。おまえはその図柄を損なおうとしている、アン」

「それでわたしを塗りつぶすおつもりですか？」アンは挑むように言った。「今度はなにになりになったんです？　宮廷画家にでも？」

「口を慎みなさい」母が厳しくとがめた。

「婿は見つけてやろう」叔父が請け合った。「イングランドで見つからなければフランスからでも。メアリーがイングランド王妃になったら、きっとおまえの婿を見つけてくれるだろう。好きなのを選ぶがいい」

アンは握り締めた手に爪を食い込ませた。「メアリーが王妃になれるもんですか。メアリーから夫を贈られるなんて！」激しい剣幕で言った。「メアリーが王妃になれるもんですか。ここまで来たのがせいぜいだわ。脚を開いて子どもを二人授かったけれど、それでも王はメアリーのことなど愛していませんわ。口説く程度には好きだっただけ。おわかりになりませんか？　あの方は狩人なのよ、追いかけるのがお好きなの。メアリーを捕まえて追いかけっこが終わり、これ以上簡単な女はいないとわかったはずよ。いまではもういて当然と思っている。愛人というより妻に近い存在ですわ――ただし、名誉もなく、敬意も払われない妻」

完全な失言だった。叔父が笑みを浮かべる。「妻に近い存在？　ああ、そう願うね。しばらくおまえから手をひいて、おまえがいないあいだメアリーがどれほどやれるか見ることにしよう。おまえたちはずっと競い合ってきたわけだが、われわれの本命はメアリーだ」

わたしはアンにやさしくほほえみかけ、お辞儀した。「わたしが本命なら、アンには消えてもらいましょう」

一五二六年冬

ヒーヴァーへ帰るアンに、子どもたちへのクリスマスの贈り物を託した。キャサリンにはマジパンの小さな家を用意した。屋根瓦が炙《あぶ》ったアーモンドで、窓は綿菓子でできている。これを十二夜に渡し、こころから愛している、と伝えてとアンに頼んだ。じきに会いにいく、と。

市場に向かう農夫の妻さながらの所作で、アンはハンターの鞍におさまった。だれも見ていないから、軽やかな身のこなしも笑みも必要がないのだ。

「そんなに子どもたちを愛しているのなら、叔父さまたちに背いてヒーヴァーに行けばいいじゃない」アンが挑発するように言った。

「ためになる助言をありがとう。わたしのためを思って言ってくれてるのね」

「叔父さまたちがなにを考えているのか、神さまだけがご存じね。わたしの助けがなくて、あなたにいったいなにができるのか」

「そうね、神さまだけがご存じだわ」わたしは明るく答えた。

「女のなかには、殿方が結婚したいと思う女と、そうでない女がいる。あなたは殿方がわざわざ結婚しようとは思わない女よ。妾どまり。息子を産もうと産むまいと」

わたしは笑顔でアンを見上げた。頭の回転はアンよりずっと遅いから、たまたま気の利いた台詞が鈍い頭に浮かんで嬉しかった。「そうね。あなたの言うとおりね。でも、女にはもう一種類あるわ。殿方が結婚しようとも、妾にしようとも思わない女。クリスマスに一人で実家に帰る女。あなたはその部類みたいね、お姉さま。では、ごきげんよう」

アンを残して踵を返した。アンは付き添いの兵士にうなずくほかなく、門を出てケントへの道を進みはじめた。その背中に雪がはらはらと舞い落ちた。

クリスマスを祝うためにグリニッジに落ち着いてすぐ、王妃の身に降りかかる事態が明らかになった。王妃はないがしろにされ、かえりみられず、寵を失ったことは宮廷の誰もが知るところとなった。昼間、小さな鳥たちがよってたかってフクロウを突きまわすような、いやな光景だった。

王妃の甥のスペイン王が事態を察し、イングランドに新しい大使を送り込んだ。狡猾な法律家であるメンドーサ大使に期待されたのは、王妃と王の仲を取り持ち、スペインとイングランドの融和を図ることだったが、叔父がウルジー枢機卿と密談するのを見るかぎり、メンドーサ大使のやり方に従うつもりはなさそうだった。

推測は当たっていた。クリスマスの宴のあいだ、新しい大使は宮廷に出入りできず、文書も承認されず、国王への謁見はおろか王妃に会うことさえ許されなかった。王妃の伝言や手紙はすべて検閲され、贈り物ですら係官が調べてからでないと受け取れなかった。

クリスマスが過ぎ十二夜になっても、新しいスペイン大使は王妃への謁見を許されていなかった。一月も半ばを過ぎてようやく、ウルジーが焦《じ》らし作戦をやめ、メンドーサ大使をスペイン国王の正式の代理と認め、文書を宮廷に提出し、王妃と連絡をとることを許した。

わたしが王妃の部屋にいるとき、枢機卿の小姓が訪れ、大使が王妃への謁見を求めていると伝えた。王妃は頬を染めてぱっと立ち上がった。「着替えたいところですが、その時間はないわね」

わたしは王妃の椅子のうしろに立った。付き添っているのはわたし一人で、ほかの侍女たちはみな国王と庭を散歩していた。

「メンドーサ大使は甥の便りをもってきてくれるはずです」王妃は椅子に腰をおろした。「それに、甥と夫とのあいだに同盟関係を築いてくれることでしょう。家族が争ってはなりません。スペインとイングランドは、わたくしの記憶にあるかぎり同盟関係にあったのです。わたくしたちが分裂するなどあってはならないことです」

わたしがうなずくのと同時に扉が開いた。

大使は、甥からの贈り物や手紙や機密文書を携えた随行団を従えてはいなかった。先に立って入ってきたのは、王妃の最大の敵である枢機卿だった。踊る熊を連れた香具師《やし》のように、大使を連れて入ってきた。大使は囚われの身だ。王妃と二人きりで話せないし、手荷物に忍ばせてきた秘密はほじくり返された後だ。スペインとの友好関係を取り戻すことは、彼にはできない。王妃を元の座に返り咲かせることは、彼にはできない。枢機卿に首根っこを押さえられていた。

接吻のため大使に差し出された王妃の手は、岩のように揺るぎなかった。声はやさしく、少しも乱れなかった。枢機卿をあかるく迎えるその振る舞いから、不機嫌な大使とにこやかな枢機卿によって、その日、わが身の破滅がもたらされたのだと、彼女が悟ったとは誰も気づかなかった。王妃はその瞬間、友も家族も無力で助けにはならないことを知った。恐ろしいほどに、痛々しいほどに孤独だった。

一月の終わりに馬上槍試合があったが、王は騎乗を見送った。代わりにジョージが王家の長旗を掲げることになった。ジョージは王に代わって勝利をおさめ、感謝のしるしとして新しい革の手袋を賜った。

その晩、王は炉辺で分厚いクロークにくるまり、暗く沈んでいた。かたわらには半分空のワインの瓶があり、暖炉の白い灰の中には空の瓶が転がり、こぼれ出た滓《おり》が赤く溜まっていた。

「ご気分はいかがですか、陛下?」わたしは慎重に話しかけた。

陛下の青い目は血走り、顔はしまりがなかった。

「よくない」

「どうなさったのです?」ジョージに話しかけるように、やさしくて気安い口調で尋ねた。

今夜の彼は、恐れられる国王には見えなかった。悲しみに暮れる少年のようだった。

「きょうの槍試合では騎乗しなかった」

「存じております」

「もう馬には乗らない」

「二度と?」

「おそらく永劫に」

「まあ、ヘンリーさま、どうしてですの?」

しばらく間があった。「恐ろしいのだ。恥ずべきことではないか? 鎧をつけはじめたとき、自分が震えているのに気づいた」

なんと言っていいのかわからなかった。

「危険なのだ、馬上槍試合は」陛下は腹立たしげにつづけた。「そなたたち女は、観覧席でお守りや賭け金を手に、喇叭が吹かれるのを待っているだけだからわかるまい。だが馬上槍試合に出ることは、生きるか死ぬかだ。あそこで行われるのは遊びではない」

わたしはつづきを待った。

「余が死んだら？」彼が虚ろな顔で言った。「余が死んだらどうなる？ いったいどうなってしまうのだ？」

その恐ろしい一瞬、わたしは王が不死の魂のことを言っているのかと思った。「誰もはっきりとはわかりません」おずおずと答えた。

「そうではない」手を振ってうち消す。「王位はどうなるのだ？ 父上から受け継いだ王冠はどうなるのだ？ 長年にわたる戦闘の末、父上はこの国をひとつにまとめ上げた。父にそんなことができるとは誰も思っていなかったが、父以外の誰も成しえなかっただろう。だが父はやってのけた。そして二人の息子を儲けた。二人の息子だ、メアリー！ アーサーが死んでも、余があとを継げた。父は戦場でもベッドでも働いて王国を安泰にした。余はこれ以上ないほど安泰な王国を受け継いだ。安定した国境線、忠実な諸侯たち、金のつまった宝物殿。だが、それを託す者がいない」

その口調はあまりに痛々しく、わたしはなにも言えずに頭を垂れた。

「世継ぎ問題で、余はもうへとへとだ。王位を継ぐ息子のないまま死ぬかもしれないという、とてつもない恐怖のなかを、毎日歩きまわっておるのだ。馬上槍試合も、狩りでさえも軽い気持ちではできない。これまでなら、目の前に柵があれば、なにも考えず、馬が見事に飛び越えてくれるものと信じていた。いまではこんな光景が目の前をよぎる。首の骨を折って溝に横たわる余のそばで、イングランドの王冠が茨に引っ掛かっている。誰でも取ろうと思えば取れる。誰が取るのだ？　いったい誰が？」

陛下の顔と声に滲む苦悩は、耐え難いものだった。わたしは瓶に手を伸ばし、杯を満たした。「時間はあります」叔父が言わせたいと思うようなことを考えながら言った。「わたくしとのあいだには二人も子どもを授かっていますもの。息子のヘンリーはあなたさまに生き写しです」

陛下はクロークを掻き合わせた。「下がってよい。そなたを部屋に連れ帰るために、ジョージは待っておるのか？」

「兄はいつでも待っていますわ」驚いて答えた。「おそばにいないほうがよろしいのですか？」

「今宵、余の心はあまりに暗い」彼が素直に言った。「己の死と向き合わねばならないいま、そなたとベッドで楽しむ気にはなれない」

わたしはお辞儀をした。戸口で立ち止まって振り向いたが、陛下はこちらを見てはいなかった。クロークにくるまって背中を丸め、暖炉の燠をじっと見つめていた。そこに自分の未来を見ているかのように。

「わたくしと結婚なさればいいのです」静かに言った。「すでに二人も子どもがいて、一人は男の子なのですもの」

「なに？」陛下は顔をあげてわたしを見たが、青い目は絶望で曇っていた。

もう一押しすることを、叔父が期待しているのはわかっていた。でも、わたしにそこまではできない。

「おやすみなさい」そっと声をかけた。「おやすみなさい、すてきな王子さま」わたしは彼を、己の闇の中に残して去った。

一五二七年春

王妃の凋落ぶりはますます顕著になった。二月にフランスから使節が訪れた。携えてきた文書が確認されるあいだ、彼らが待ちぼうけをくわされることもなく、連日もてなしの宴が催された。訪問の目的は、メアリー王女とフランソワ国王もしくはその息子との縁組をまとめることだった。ラドロー城でひっそりと暮らすメアリー王女が呼びよせられ、使節団の前で踊り、楽器を演奏し、歌い、食事をするよう促された。それも無理に食べさせるなんて！数か月間交渉をつづけているあいだに、結婚に耐えられるような大きさに成長するとでも言うのだろうか。フランスから使節団と一緒に戻った父は、どこにでも現れた――王に助言し、通訳を務め、ヨーロッパの同盟関係をどう再構築するか、枢機卿と秘密裏に話し合い、この激動の時代にどうやって一族を繁栄させていくか、叔父と策略を練った。

二人のあいだで、アンを宮廷に呼び戻すことが決まった。アンがいないことに周囲が疑問を抱きはじめていたし、父もフランス使節団にアンを会わせたがっていた。王妃の居所に向かう途中、わたしは叔父に呼び止められ、アンが戻ってくると告げられた。

「なぜです?」無作法といえるほどの口調で言った。「ヘンリーさまは、つい先日、息子が欲しいとわたしにお話になったばかりです。アンが戻ってきたら、すべてぶち壊しになります」

「おまえの息子と言ったのか?」叔父は核心をつき、わたしが言い返せないと、頭を振った。「だめだ、おまえと王のあいだにはなんの進展もない、メアリー。アンの言うとおりだった。われわれはまったく前進していない」

顔をそむけて窓の外を見た。膨れっ面をしているのはわかっていた。「アンがどこに連れていってくれると思っておいでなのです? 家族のためになんか働きませんわ。言われたとおりに動くわけがありません。自分の利益と自分の土地と自分の称号を手に入れようとするだけです」

叔父は鼻の横を撫でながらうなずいた。「そうだ、アンは自分の利益を求める女だ。だが、王はあれを求めつづけている。おまえには見せなかった情熱を、アンに対してはもっているのだ」

「わたしとは二人も子どもを作っているのですよ!」

わたしの甲高い声に、叔父は眉を吊り上げた。あわてて頭を下げる。「申し訳ありません。でも、わたしにこれ以上なにをしろと? わたしにできなかったなにを、アンができるのですか？　わたしは王を愛し、ベッドを共にし、丈夫な子どもを二人産みました。これ以上できる女はいません。アンにだって無理です。いくら周囲の人間にとって得がたい女だろうと」

「おそらくアンならもっとできるだろう」叔父はわたしの見当違いの中傷を無視して言った。「いまあれが身籠ったら、王はアンと結婚するだろう。それほどアンに夢中だ。必死でアンを望み、必死で子どもを望んでいる。ふたつの望みがひとつになるはずだ」

「わたしはどうなるのです？」

叔父は肩をすくめた。「ウィリアムのもとへ帰るがいい」どうでもいいことだと言わんばかりの口ぶりだった。

数日後、アンは出ていったときと同様ひっそりと宮廷に戻ってきて、その日のうちに注目の的となった。わたしはふたたびアンとベッドを分かち合い、話し相手をえた。そして気がつくと、毎朝アンのガウンの紐を結び、毎晩髪を梳かしてやっていた。かつてわたしが彼女にさせたように。

「わたしが陛下を取り戻すんじゃないかって、怖くなかった？」床につく前にアンの髪を梳かしながら、ふと気になって尋ねた。

「あなたのことなんて考えもしなかったわ」アンは自信たっぷりに答えた。「一瞬たりともね。この春はわたしのものよ、夏も。わたしの操る糸の先で、あの人を踊らせてみせるわ。わたしの魔法から自由になる術はない。あなたがなにをしようと、ほかの女がなにをしようと関係ない。あの人は熱に浮かされている。手に取りさえすればわたしのものになる」

「春と夏のあいだだけ?」

アンは考え込むような顔をした。「あら、男をずっと繋ぎとめられる女がいる? いまあの人は欲望の波頭に乗っていて、わたしがそこで押しとどめているけれど、最後にはその波も崩れる。誰も永遠の愛には生きられない」

「あの方と結婚したいのなら、ふたつの季節よりもっと長く繋ぎとめなければ。一年間繋ぎとめられる? 二年はどう?」

アンの顔から自信が消えていくのを見て、吹き出しそうになった。

「あの方がほんとうに独身に戻れたとして、そのころには、あなたへの情熱も冷めているでしょうね。そのころには、あなたの容貌は衰えはじめているわよ、アン。誰からも相手にされなくなっている。盛りを過ぎて、二十代半ばになっても独身のままね」

アンはベッドにどさりと腰を下ろし、枕を叩いた。「人の不幸を願うのはやめなさいよね。あなたってときどき、イーデンブリッジの皺くちゃばあさんみたいなことを言うわね。わたしは自分でかならずなんとかしてみせる。容貌が衰えるのはあなたのほうよ。人任せにして、自分の運命を決められないくせに。わたしは毎朝、自分の運命を切り拓いてみせるという意気込みで目覚めているわ。かならずなんとかする」

五月になるまでに、フランス使節団の使命はほぼ終了していた。メアリー王女は一人前の女になるのと同時に、フランス国王かその次男のもとに嫁ぐことが決まった。それを祝して大がかりなテニス試合が催されることになった。アンが対戦順を決める大役を担い、宮廷の殿方一人一人の名を記した小旗を使って対戦表を作りはじめた。王が見たのは、一本の小旗を胸に抱き、対戦表に屈み込むアンの姿だった。

「そこになにを持っているのだ、ミストレス・ブーリン？」

「テニス試合の対戦表ですわ」アンは答えた。「公正に競い合わせなければなりません。真の勝者を決めるために」

「手になにを持っているのかと尋ねたのだ」

アンははっとしてみせた。「持っていたことを忘れていました」早口に言う。「一人の殿方の名前です。対戦順に名前を書いた旗を置いていくのです」

「そなたが大事そうに握りしめているのは、誰の旗だね？」

アンはうまく顔を赤らめた。「存じません。名前は見ておりませんでしたもの」

「見てもかまわぬか？」陛下は手を差し出した。

アンはその小旗を差し出さなかった。「なんの意味もないのです。あれこれ考えていたときにたまたま手に取っただけです。盤のしかるべき場所に置いて、ほかの方々の順番をご一緒に考えてくださいませんか、国王陛下」

王はどこかおかしいと察知した。「恥じ入ることがあるようだな、ミストレス・ブーリン」

アンは少し気色ばんだ。「恥じ入ることなんかなにもありませんわ。愚かしく見られたくないだけです」

「愚かしく?」

アンは顔をそむけた。「どうかその名前を伏せて、対戦順についてアドバイスをいただけませんか」

王は手を差し出した。「旗に書かれた名前が知りたい」

その恐ろしい一瞬、アンは演技しているのではないかもしれない、とわたしは思った。その恐ろしい一瞬、ジョージに有利なように不正を働いていることを、王に見抜かれたのだと思った。執拗に名前を知りたがる王を前に、すっかり動転するアンを目の当たりにし、わたしですら、彼女が窮地に立たされたのだと思った。王は優秀な猟犬さながら獲物を追いつめていた。秘密があることを悟り、好奇心と欲望に衝き動かされている。

「命令だ」王は静かに言った。

アンはさんざん渋ってから、差し出された王の手に小旗を載せ、お辞儀をして立ち去った。振り返ることはしなかった。姿は見えなくなったが、テニスコートから石畳の道を城へ戻っていくアンの靴音と衣擦れの音が聞こえた。

ヘンリーは握っていた手を開き、アンが胸に抱いていた旗に書かれた名前を見た。それは王自身の名前だった。

アン主催のテニス試合は二日がかりで催され、そのあいだアンは、笑ったり命令したり、審判をしたり点数をつけたりして大活躍だった。最後に四試合が残されるのみとなった。ヘンリー王対ジョージ、夫のウィリアム・ケアリー対フランシス・ウェストン、フランスから戻ったばかりのトマス・ワイアット対ウィリアム・ブレトン。取るに足りない二人の対戦は、わたしたちが食事をとっているあいだに行われた。

「どうにかして陛下とトマス・ワイアットが対戦しないようにしたほうがいいわよ」ジョージと王がコートに向かうのを見ながら、わたしは声をひそめてアンに耳打ちした。

「あらどうして？」アンは無邪気な顔で尋ねた。

「あまりに危険があるもの。陛下はフランス使節の前で勝ちたいだろうし、トマス・ワイアットはあなたの目の前で勝ちたいと思っている。皆の見ている前で、陛下がトマス・ワイアットに負けて嬉しいはずがない」

アンは肩をすくめた。「ワイアットも廷臣よ。もっと大きなゲームのことを忘れてはいないわ」

「もっと大きなゲーム？」

「テニスだろうと馬上槍試合だろうと、アーチェリーだろうと恋の戯れだろうと、ゲームの目的は王を喜ばすことよ。わたしたちがここにいるのはそのため、大切なのはそれだけよ。みんなそんなことわかっているわ」

アンは身を乗り出した。ジョージが位置についてサーブを構え、陛下も体勢を整えた。アンが白いハンカチを掲げ、落とした。ジョージのサーブは威力があり、コートの屋根をカタカタと揺らして、王のラケットの先すれすれに落ち、王が飛びついて打ち返した。足が速く王より十二歳若いジョージが、返ってきた球をスマッシュすると、ヘンリーは片手をあげて一点を譲った。

次のサーブは緩く、陛下が楽々追いついてパッシング・ショットを返すと、ジョージは追いかけようともしなかった。試合は接戦となり、二人はコート中を走りまわってボールを打ち合い、手加減やごまかしはいっさいないように見えた。やがてジョージがじりじりと負けはじめたが、ひどく巧妙にやったので、誰もが王のほうが強いのだろうと考えたはずだ。実際、技術や駆け引きの点では王が上だった。ただ、ジョージがその二倍は上手《うわて》だったというだけだ。ジョージが引き締まった体の二十四歳の青年である一方、王は腹が迫《せ》り出しつつある中年男というだけのことだった。

第一セットも終わりにちかづいたころ、ジョージが高いボールをあげた。ヘンリーが飛び上がってスマッシュを打ち、ポイントを決めようとした。ところが、着地したとたんコートに崩れ落ち、恐ろしい悲鳴をあげた。

コートにいた貴婦人たちはそろって金切り声をあげた。アンもさっと立ち上がり、ジョージはネットを飛び越えて真っ先に王のもとに駆けつけた。

「たいへん、どうなさったのです?」アンが呼びかけた。

ジョージの顔は蒼白だった。「医師を呼べ」小姓が城に向かって駆け出し、アンとわたしはコートの門に駆けつけ、もどかしい思いで開いて中に入った。

ヘンリーは真っ赤な顔をし、痛みに罵り声をあげていた。手を伸ばし、わたしの手を握り締めた。「くそっ。メアリー、あの者たちをみな外に出してくれ」

わたしはジョージに言った。「みんなを出して」

陛下はばつが悪そうにちらっとアンを見た。痛みよりも、目に涙を浮かべて地べたに座り込んだ姿をアンに見られて、自尊心が傷ついたことのほうがこたえているのだ。

「行って、アン」わたしは静かに言った。

アンは言い返さず、テニスコートの門まで下がって立ち止まった。全廷臣たちも同じように足を止め、勝利を決めるショットを打ち込んだと思った瞬間に、なにが国王を襲ったのだろうと聞き耳をたてていた。

「どこが痛むのです？」わたしはせっぱつまった声で訊いた。陛下が胸か腹を指したらどうしようと思った。体の内部でなにかが裂けたのではないか。心臓の鼓動が乱れたのではないか。取り返しのつかないことだったらどうしよう。

「足だ」陛下は言葉を詰まらせながら言った。「馬鹿なことをした。着地のとき足を捻《ひね》った。折れていると思う」

「おみ足？」安堵のあまり笑い出しそうになった。「まあ、ヘンリーさま、死んでしまうかと思いました！」

その言葉に王は顔をあげ、ゆがんだ顔に笑みを浮かべた。「テニスで死ぬ？　大事をとって馬上槍試合はやめたというのに、そなたは余がテニスで死ぬと思ったのか？」

わたしはほっとして息もつけなかった。「テニスで死ぬですって？　まさか！　でもひょっとしたらと……あまりに突然だったものですから、急に倒れておしまいに……」

「そなたの兄の手によってな！」陛下があとを引き取り、わたしたち三人はげらげら笑い出した。頭をわたしの膝に乗せ、手をジョージに握られた陛下は、折れた足のすさまじい痛みと、ブーリン家の連中がテニスで暗殺を企てたという馬鹿ばかしい思いつきに、泣き笑いを繰り返した。


フランス使節団の帰国が決まり、条約が交わされたことを祝して盛大な仮面劇と祝宴が催された。場所は王妃の居所だった。王妃はまったくあずかり知らぬことで、祝宴局長がふらりと現れ、仮面劇を王妃の居所で催す旨の王の命令を伝えた。王妃は、それこそ自分の望みだといわんばかりにほほえみ、祝宴局長が天幕やタペストリーや背景を準備するため部屋の寸法をとるのを許した。侍女たちは金や銀の衣装を着て、変装して入ってくるはずの国王やその取り巻きたちと踊ることになった。

王妃はいったい幾度、変装した夫に気づかないふりをしたのだろう。いったい幾度、夫が自分の侍女と踊るのを見守ってきたのだろう。夫がわたしの手を取るのを、いったい幾度見守ってきただろう。そして今度は、わたしが王妃と並んで、王とアンが踊るのを見守ることになるのだ。不快感が一瞬でも王妃の顔をよぎることはなかった。これまでいつもそうしてきたように、踊り手を選ぶのは自分の役目だと考えていた。宮廷を支配するための数多い手段のひとつ、ちょっとした特権だ。ところが祝宴局長が、王が決めた配役のリストを持参した。王妃にはすべきことがなにもなかった。自分の居所で、つくねんとしているだけだった。仮面劇の準備には丸一日が費やされ、木の羽目板に垂れ幕がとりつけられるあいだ、王妃には座る場所もなかった。王妃は私室に引き揚げ、わたしたちは作業の音で音楽が聞こえないことにも気づかぬほど興奮し、衣装の着付けをし、ダンスの練習をしていた。広間の浮かれ騒ぎをよそに、王妃は早めに床についた。

翌日の正午、フランス使節団が正餐のため広間にやってきた。王妃は王の右隣りに着席したが、王の目はアンに向けられていた。喇叭の音が鳴り響き、色鮮やかなお仕着せ姿の召使いたちが料理の皿を掲げ、軍隊のように歩調を合わせて入ってきて、まずは上座に、それからほかのテーブルへ皿を配った。馬鹿ばかしいほど大量のご馳走が供された。あらゆる種類の動物が殺《あや》められて詰め物をされ、王の富と王国の豊かさを誇示するために料理された。宴のハイライトは孔雀を丸ごと使った一品だった。孔雀の中に白鳥が詰め込まれ、その白鳥には鶏が、鶏の中には雲雀《ひばり》が詰め込んであった。切り分け役の務めは、料理の美しさを損なうことなく、すべての鳥を少しずつ取り分けることだった。ヘンリーはすべての料理に口をつけたが、アンは勧められたものを端から断った。

ヘンリーは指を曲げて給仕を呼び、耳元で囁いた。給仕はアンに料理の中心の雲雀を供した。アンは驚いたように顔をあげ――国王の動きにまるで気づかなかったふうで――ほほえみかけ、感謝のしるしに頭を下げた。それから、雲雀に口をつけた。小さく切り分けた肉を、ほほえみを浮かべた口に運ぶアンを見て、王は欲望に体を震わせた。

正餐のあと、王妃と侍女たちは着替えのため自室に急いだ。アンとわたしの衣装は金で、胸飾りの紐をたがいに結びあった。わたしが思い切り引っ張ると、アンは文句を言った。

「雲雀の食べすぎよ」わたしは冷たく言った。

「わたしを見るあの目つきを見た？」

「みんな見ていたわ」

アンはフランス風のフードをずらして黒髪をあらわにし、いつも首元につけている首飾りのBの字をまっすぐにした。

「こうしてフードをずらすとなにが見える？」

「あなたのうぬぼれた顔」

「皺ひとつない顔よ。一本の白髪もないつややかな黒髪」アンは一歩さがって金色のガウンを鏡に映した。「王妃のような装いだわ」

扉にノックがあり、ジェーン・パーカーが顔を覗かせた。「内緒話？」飢えたように尋ねる。

「いいえ」わたしはそっけなく答えた。「支度をしているだけよ」

ジェーンはするりと入ってきた。銀の衣装は乳房もあらわな深い襟ぐりだが、ジェーンはさらにそれを引き下げていた。フードも銀色だった。アンのフードの具合を目にすると、鏡の前に立ち、おなじようにした。アンはそのうしろでわたしに目くばせした。

「陛下はあなたを下にも置かぬ扱いね」ジェーンは親しげにアンに話しかけた。「あなたを欲しがっているのが傍目にもわかる」

「そのとおりよ」

ジェーンはわたしのほうを向いた。「妬ましくなるんじゃない？　自分の姉を欲しがっている殿方と寝るなんて、おかしな心持ちじゃない？」

「いいえ」わたしはぶっきらぼうに答えた。

なにものもこの女を止めることはできない。彼女の憶測は、蝸牛が這った跡のようなべとべとした筋道をたどる。「わたしだったらとてもおかしな気がすると思うわ。だって、彼のベッドから帰ってくると、こんどはアンと一緒のベッドに入るわけでしょう。裸で二人並んで。陛下はこの部屋に来て、二人を同時に抱きたいことでしょうね！」

わたしはあ然とした。「よくもそんな汚らわしいことを。国王陛下が聞いたらさぞご立腹になるわ」

ジェーンが浮かべた笑みは、貴婦人の部屋より売春宿で見るほうが似つかわしかった。

「この美人姉妹のもとには、就寝時刻を過ぎたあとに尋ねてくる男が一人だけいるのよね。つまり、わたしの夫が。あの人が毎晩のようにここに来ていることは知っているわ。わたしのベッドには寄り付かないもの」

「誰がジョージを責められて？」アンが怒りの声をあげた。「あなたに一晩じゅう耳元でささやかれるくらいなら、ミミズと寝たほうがましよ。出ていってちょうだい、ジェーン・パーカー。その汚らわしい口とそれよりももっと汚らわしい心は、よそに持っていってちょうだい。もっと似合いの場所にね。メアリーとわたしはダンスに行くんだから」

フランスの使節団が帰国し、宮廷に静けさが戻るとすぐに、ウルジー枢機卿は秘密法廷を開き、証人と検察官と被告人を召喚した。裁判官はむろん枢機卿だ。そうすることで、ウルジーは王の命令ではなく、原則のもとに動いたように見えた。そうすることで、この離婚は王の要望ではなく、教皇の命令であるように見えた。驚くべきことに、秘密は守られた。ひっそりと船でウェストミンスターに向かう人びと以外、誰もこの法廷の存在を知らなかった。一族の利益になることにはつねに目を光らせている母も、諜報網を指揮する叔父も、気づかなかった。王のベッドをあたためるわたしも、王の信頼篤いアンも知らなかった。三日にわたり、彼らは、なんの罪もない女の結婚を、当人すら知らないところで審理にかけた。

ウェストミンスターで開かれたウルジーの秘密法廷は、国王ヘンリーその人が、死んだ兄アーサーの妻と法的に認められない結婚生活を送ったことを裁くものだった。あまりに重大な罪と、あまりにばかげた法廷に、彼らは宣誓を行うとき、自分の体をつねって笑い出さないようにしなければならなかった。そして、自身の大法官に罪を告発された王が、肩を落として桟橋に向かうのを見守った。ヘンリー王はローマ教皇の誤った特免に従って兄の妻を娶ったと告白し、当時もそれ以降も「大いなる疑問」を抱いていたと語った。ウルジーは眉ひとつ動かすことなく、この問題は教皇特使――つまり偏見のない彼自身――に委ねるべきであると命じると、王は同意して弁護人を任命し、審理から身を引いた。法廷は三日間つづいたあと、死んだ兄の妻を娶るのは不法な行為だったと証言させるために神学者が呼ばれた。リンカーンの司教が召喚されたことを耳にしてようやく、叔父の諜報網が秘密法廷のことを嗅ぎつけた。アンとジョージとわたしは、ただちにウィンザー城の叔父の部屋に呼びつけられた。

「離婚の目的はなんだ？」そう問いただす叔父の声は、興奮に張りつめていた。

アンは息を喘《あえ》がせていた。「わたしのためになさっているのだわ。わたしのために王妃をしりぞけるおつもりなのです」

「結婚を申し込まれたのか？」叔父はずばり核心に迫った。

アンは叔父の目を見返した。「いいえ。どうしてそんなことができましょう？　けれど、王妃から自由になった瞬間に、わたしに申し込むにきまっています」

叔父はうなずいた。「どれぐらい繋ぎとめておける？」

「どれぐらいかかるのですか？　法廷はいまもつづいています。判決が下されれば、王妃はしりぞけられ、王は自由になる。そして、さあ《ヴォアラ》！　わたしの出番です！」

アンの自信に、叔父もつられて笑みを浮かべた。「ヴォアラ。おまえの出番だ」

「では、認めてくださるのですね、わたしであると」アンは自分に有利な取引をもちかけた。「メアリーが宮廷を去るか残るかは、わたし次第だと。一家をあげてわたしを支援すると。わたしだけのためにやると。ほかの手段をとることなく、メアリーが元の地位に戻ることはなく、メアリーをけしかけることはないと。前に押し出すブーリン家の娘はわたしだけだと」

叔父は父を見た。父は娘二人を順繰りに見て、肩をすくめた。「二人とも違うかもしれない」こともなげに言う。「おそらく王は平民より高貴な相手を望むはずだ。メアリーでないことはたしかだろう。全盛期は過ぎ、王の熱も冷めた」

愛情のかけらもない分析に背筋が凍ったが、父はわたしのほうを見さえしなかった。これは事業なのだ。「メアリーであるはずはない。だが、アンへの情熱がフランスの王女より優先されるかは大いに疑問だ」

叔父はしばし考え込んだ。「どちらを援助する?」

「アンよ」母が提言した。「王はアンに夢中だわ。もし今月、王妃を排除することができれば、アンを手に入れようとするでしょう」

叔父はアンからわたしへ視線を移した。どちらのリンゴを食べようか思案する人のように。

「ではアンだ」

アンはにこりともしなかった。ほっとため息を小さくもらしただけだ。

叔父は椅子を引いて立ち上がった。

「わたしはどうなるのですか?」わたしはおずおずと切り出した。

その場にいた全員が、わたしの存在など忘れていたかのようにいっせいに振り返った。

「わたしはどうなるのです? 召されたら応じるべきなのですか? それともお断りを?」

叔父は決めかねた。アンが優位に立っていることを思い知らされたのは、このときがはじめてだった。叔父が、わが一族の長が、わたしの世界の権威の源が、わたしの姉の判断を仰いでいる。

「断れないわ」アンは答えた。「どこかのあばずれが王のベッドに入り込んで、気を惹くようなことがあってはならない。夜はメアリーを妾として囲い、昼間はわたしと恋をしつづけてもらわなければ。でも、あなたは退屈な女でいるのよ。退屈な女房でね」

「そんなことできるかどうか」わたしは苛立って言った。

アンはいつもの喉を鳴らすような色っぽい笑い声をあげた。「あら、できるわよ」狡猾な笑みを叔父に向ける。「あなたなら素晴らしく退屈な女になれてよ、メアリー。自分を見くびらないで」

叔父が笑いを隠すのを見て、わたしは怒りで頬が熱くなるのを感じた。ジョージがこちらに体を傾けてきた。ここで反抗してもなんの益にもならないぞ、と諭すようにわたしの肩を押した。

アンが叔父に向かって眉を吊り上げると、叔父は、もう出ていってもいいとうなずいた。恐れていたことが現実になった。わたしはアンのガウンの裾を見つめながらあとに従った。日差しの中に出て射的場のわきを過ぎ、庭園を望む場所に来るまで、わたしは目を伏せたままだった。階段状の傾斜地が濠までつづき、その向こうに川が流れる小さな町が見渡せる。ジョージが指先でわたしの手に触れたことも気づかなかった。

姉のせいでお払い箱になった怒りに身を焦がしていた。血のつながった家族が、わたしは娼婦に、アンは妻になれと定めたのだ。

「これでわたしは王妃になるわ」アンは夢見るように言った。

「ぼくはイングランド国王の義理の兄か」ジョージが言う。信じられないという口ぶりで。

「わたしはどうなるの?」吐き捨てるように言った。王の寵姫にも、宮廷の中心にもなれそうもない。十二歳のころから守ってきた場を失い、盛りのすぎた娼婦になるのだ。

「わたしの侍女になればいいのよ」アンは甘い声で言った。「もう一人のブーリンの娘にね」


待ち受ける試練に、王妃がどこまで気づいていたかは知る由もない。春のあいだ、枢機卿がヨーロッパ中の大学から、なんの落ち度もない妻に不利な証拠を掻き集めているあいだ、彼女は氷と石の王妃だった。己の運命に挑むように、彼女は、すでに手をつけているものと対をなす、新たな祭壇布の作製に取り掛かった。宮廷の侍女たちを総動員しても、完成に数年を要する大事業だ。まるですべてを――裁縫ですら――もってして、自分がイングランド王妃として生き、死ぬつもりであることを世に宣言するかのように。ほかにどうすればいいのだろう? これまでに、しりぞけられた王妃などいなかった。

わたしは天使の頭上の青空を手伝うよう頼まれた。フィレンツェの画家によって描かれた下絵は斬新な手法がとられており、丸みを帯びた官能的な体がふわふわした羽でなかば隠され、飼い葉桶を囲む羊飼いたちの顔は明るく光り輝いていた。演劇を見るのと同じようにすらしく、描かれた人間は生き生きと躍動感に溢れていた。細かい部分の線を針でなぞる役目が回ってこなくてほっとした。空が完成するよりずっと早く、ウルジーが判決を下し、それを教皇が承認して、王妃は離縁されて女子修道院に送られるだろう。ブーリン一族が独身の王に罠を仕掛けているあいだに、修道女たちが難しい垂れ布やふわふわの羽を仕上げるのだ。青い絹糸ひとかせ分の空を縫いあげたあと、小さな窓から射す光に針をかざしていると、兄の茶色い頭が濠を巡る階段をのぼってくるのが見えた。すぐに視界から消えたので、兄が急いでいる理由を知ろうと首を伸ばした。

「どうしたのです、レディ・ケアリー？」王妃が背後から尋ねた。まったく感情のこもらぬ声だった。

「兄が急いでやってきました。下に行って会ってきてもよろしいでしょうか、王后陛下？」

「もちろんよ」王妃は穏やかに言った。「重要な知らせがあったら、すぐに教えてくれるわね、メアリー」

手に縫い針を持ったまま部屋を出て、大広間につづく石の階段をおりていくと、ちょうどジョージが扉を入ってきた。

「なにがあったの？」

「父上に会わなければ」と、ジョージ。「教皇が捕らえられた」

「なんですって？」

「父上はどこだ？　どこにいる？」

「たぶん書記と一緒に」

すぐさまジョージは執務室に向かった。わたしも慌ててあとを追い、袖を摑んだが振り払われた。「待って、ジョージ！　誰に捕らえられたの？」

「スペイン軍によって。スペインのカルロスに雇われた傭兵たちが勝手に動いて、聖都を略奪し、聖下を捕らえたらしい」

わたしは一瞬立ち尽くし、衝撃のあまり言葉を失った。「すぐに解放されるわ。まさかそんな……」その先はつづかなかった。ジョージは跳ぶように走った。

「考えてみろ！」と、ジョージ。「スペイン軍によって教皇が捕らえられたらどうなると思う？　どういうことだと思う？」

わたしは頭を振った。「教皇聖下の身が危ない」弱々しく答えた。「教皇さまを捕らえることなんて……」

ジョージは笑い声をあげた。「馬鹿だな！」そう言ってわたしの手を取ると、そのまま階段をのぼり執務室に引っぱっていった。扉をどんどん叩き、覗き込んだ。「父はここに？」

「陛下のところに」誰かが答えた。「陛下の私室にいらっしゃいます」

ジョージは踵を返し、階段を駆けおりた。わたしは長いスカートを持ち上げ、兄のあとを追った。「わからないわ」

「王に離婚を許すことができるのは誰だ？」ジョージは階段の踊り場で挑むように言った。わたしを見上げる茶色い目は、興奮で輝いていた。わたしは螺旋階段の守護者のように、兄を見おろす格好で口ごもった。

「教皇さまだけよ」言葉を詰まらせながら答える。

「教皇の身を拘束しているのは？」

「スペインのカルロスでしょ」

「スペインのカルロスの叔母は？」

「王妃さま」

「こうなったいま、教皇が王に離婚を許すと思うか？」

わたしは押し黙った。ジョージは階段を一段抜かしであがってきて、ぽかんと開いたわたしの口にキスをした。「おまえはほんとうに馬鹿だな」言葉とは裏腹にやさしい言い方だった。「これは王にとって壊滅的な知らせだ。王妃からは自由になれそうもない。これですべてが裏目に出て、われらブーリン一族も斜陽の一途をたどるだろう」

走り去ろうとしていたので、あわてて手を摑んだ。「だったら、どうしてそんなに嬉しそうにしているの？　ジョージ！　わたしたち、破滅するんでしょ？　それなのに、どうしてそんなに楽しそうな顔をしているの？」

ジョージはわたしを見上げて笑った。「嬉しくなんかないさ、怒ってるよ」怒鳴るように言った。「ぼくらの常軌を逸した計画が現実になると思いはじめていた。アンが国王と結婚してつぎのイングランド王妃になると信じかけていた。でも、これで正気に戻った。神に感謝するよ。だから笑っているのさ。さあ放してくれ、父上に知らせないと。枢機卿あての伝言を携えて船でのぼってきた船員から聞いたんだ。父上は真っ先に知りたいだろうと思って。見つかればの話だが」

わたしは手を放した。興奮している彼を、これ以上引き止められない。

石の階段にジョージの足音が響き、大広間の扉がバタンと開いて石の床を足早に歩く音、蹴飛ばされた犬がキャンと鳴く声がして、扉がきしんで閉まる音がした。わたしはその場から一歩も動けず、王妃の刺繍針を手に持ったまま階段に座り込んだ。すべての権力が王妃に戻ったいま、わたしたちブーリンはどこに向かうのか考えていた。

王妃に告げるべきかどうか、ジョージはなにも言わなかったが、黙っていたほうが安全だと考えて王妃の部屋に戻った。表情を取り繕い、ガウンの胸飾りを引き下ろし、気を落ち着けてから扉を開けた。

王妃はすでに知っていた。祭壇布が放り出され、窓辺に立って外を見つめる様子からそれがわかった。愛と尊敬を誓ってくれた輝かしい若き甥が、ローマに凱旋する姿を、まるでそこから見守っているかのように。わたしが入っていくと、王妃は用心深い一瞥をくれ、茫然とするわたしに忍び笑いを洩らした。

「知らせを聞いたのね?」王妃が言う。

「はい。兄が慌てて父に知らせようとしていました」

「これですべてが違ってくるでしょうね」王妃はきっぱりと言った。「すべてが」

「わかっています」

「あなたのお姉さんは、難しい立場に置かれるわね」意地悪く言う。笑い声が洩れるのを抑えられなかった。「姉は自分のことを嵐に翻弄される乙女だと言ってるんですよ！」

王妃も片手を口にあてる。「アン・ブーリンが？　嵐に翻弄される？」

わたしはうなずいた。「嵐に揺れる小船に乗った乙女が彫られた宝石を、陛下にお贈りしたぐらいですもの！」

王妃は指関節を口に咥《くわ》えた。「しっ！　静かに！」

扉の外で話し声がした。王妃はさっと元の位置に戻り、大きな刺繍のフレームを引き寄せた。フードの下でうつむく顔は厳しかった。針仕事をつづけろ、と目顔で指示され、わたしもずっと手に持っていた針と糸を握りなおした。衛兵が扉を開けたとき、王妃とわたしはせっせと針を動かしていた。

国王が供を連れずに入ってきた。わたしに気づくと足を止めたが、すぐにつかつかと歩いてきた。長年連れ添った妻にこれから話をするのに、証人がいるのは好都合だと思ったのだろうか。

「そなたの甥は、口にするのもはばかられる大罪を犯したようだ」王は前置きなく言った。声は険しく怒りがこもっていた。

王妃は顔をあげた。「陛下」膝を折ってお辞儀をする。

「口にするのもはばかられる大罪だ」

「まあ、なにをしたのです?」

「彼の軍が教皇を捕らえ、拘束したのだ。冒瀆行為だ。聖ペテロ（十二使徒の一人。ローマ教皇は彼の後継者とされている）その人に対する罪だ」

眉が軽くひそめられ、王妃のやつれた顔にしわが寄った。「甥はすぐに教皇を解放し、元の地位にお戻しするはずです。そうしない理由がありませんもの」

「そうはせんだろう。教皇を虜《とりこ》にすることは、われわれを掌中に握ることだからな！ われわれが手先にすぎぬことを知っておるのだ！ 教皇を支配することによって、われわれを支配するつもりだ！」

王妃は手元の刺繍に視線を落としたが、わたしはヘンリーから目が離せなかった。ここにいるのは今まで見たこともない、新しい男だった。いつものかっと頭に血が昇る怒り方ではなかった。冷たい怒りだ。きょうの王は、十八の年から専制君主であった大人の男が持つ力をすべて備えていた。

「あの子はとても野心のある青年です」王妃は愛らしく認めた。「陛下があの年頃にそうであったように。よく憶えていますわ」

「余はヨーロッパを手中に収め、より偉大な男たちの計画を潰そうとはしなかったぞ！」辛辣に言った。

王妃は顔をあげ、いつもと変わらぬ快活な自信に満ちた笑みを浮かべた。「そうでしたわね。まるであの子は、神に導かれているようではありませんこと?」

負けを認めるような振る舞いはすべきでない、と叔父は判断した。悪いことなどなにも起こっておらず、ブーリン一族は引きずりおろされていないことを誇示するように、笑いや音楽や恋愛遊戯がアンの部屋でつづけられた。この部屋をわたしの部屋と呼ぶ人はもういなかった。そもそもはわたしに与えられ、わたしのためにしつらえたのに。王妃が幽霊になったように、わたしは影になった。前から寝起きを共にしていたとはいえ、いまではアンが〝実〟でわたしが〝虚〟だった。トランプを持ってこさせるのも、ワインを持ってこさせるのもアン、王が入ってきたときに顔をあげ、自信に満ち、狡知にたけた笑顔を向けるのもアンだった。

二番手に甘んじて笑みを浮かべるほか、わたしにできることはなにもなかった。王は夜、わたしを抱いたが、昼間はアンと過ごした。長いこと彼の愛人でいたが、このときはじめて自分は娼婦なのだと思わされた。しかもわたしを辱めているのは、実の姉だ。ないがしろにされた王妃は、祭壇布の作業を進め、祈禱台の前で長時間過ごし、聴罪司祭であるロチェスターの司教、ジョン・フィッシャーと頻繁に会っていた。司教は何時間も王妃とときを過ごし、深刻な顔で部屋から出てきた。わたしたちは、司教が丸石敷きの坂道を桟橋まで下っていくのを眺め、そのゆっくりとした歩みを笑いの種にした。考え事で頭が重くなるのか、頭を垂れて歩くのだ。

「王妃は悪魔のように罪を犯したにちがいないわ」アンが言った。ほんの冗談だとみなは思った。

「それはまた、どうして?」ジョージが促した。

「だって毎日何時間も告解をしているのよ。あの方がなにをしたのかは神のみぞ知るだけれど、わたしが食事するより長く告解しているわ!」

お追従笑《ついしょう》いが起こり、アンは手を叩いて音楽を要求した。男女の踊り手が位置についた。わたしは窓辺に立ち、城から、王妃から歩み去る司教を見ながら、あの二人はこんなに長いあいだなにを話し合っていたのだろう、と考えた。王の企みに王妃は気づいているのだろうか? 王妃は教会を、イングランドの教会そのものを動かし、王に敵対させようと目論んでいるのだろうか?

わたしは踊り手たちのあいだを縫い、王妃の部屋に向かった。最近はそれが当たり前だが、ひっそりと静まり返っていた。開いた窓から音楽が聞こえてくることもなく、訪問客のため大きく開かれていた扉は固く閉ざされたままだ。わたしは扉を開けて中に入った。

応接間は空っぽだった。祭壇布はスツールの上に広げられたままだ。空はまだ途中で、手伝う者がいなければこのまま完成しないだろう。一人で刺繍をすることに、王妃は耐えられるだろうか。手つかずの布地が何ヤードも残っていることに、耐えられるだろうか。暖炉の火が消え、部屋は寒かった。わたしは不安に襲われた——王妃は捕らわれたのでは? 馬鹿げた考えだ。誰が王妃を逮捕できる? 王妃をいったいどこに連れていくの? でも、ふと思ったのだ。この部屋が静まり返り、空っぽなのは、ヘンリー王が堪忍袋の緒を切らし、これ以上は待てないと兵士を送り込み、王妃を連れ去ったのではないか。

かすかな音がした。子どもが泣いているようなひどく悲しげな泣き声が、王妃の私室から聞こえた。

悲嘆に暮れる泣き声には、聞く者の胸を揺さぶるものがあった。わたしは考える間もなく扉を開け、中に入った。

王妃だった。ベッドの豪華な上掛けに顔を埋め、フードがずれていた。祈りを捧げるようにひざまずいていたが、上掛けを口に押し込んでいるので、聞こえるのは悲痛な泣き声だけだった。王がタワー・グリーン（ロンドン塔内にある）の処刑人のように、腰に手を当てて背後に立っていた。扉が開く音に振り返ったが、わたしだとわかった様子は見せなかった。我を忘れたように、その顔は無表情で厳しかった。

「つまり、この結婚は法に背くものであり、無効にせざるをえない」

王妃は涙に濡れた顔をあげた。「わたくしたちには特免状があります」

「教皇とて神の法を免ずることはできない」ヘンリー王はきっぱりと言った。

「神の法ではありません……」王妃は小声で言いかけた。

「口答えするでないぞ、マダム」王がさえぎった。彼女の知性を恐れているのだ。「そなたはもはや余の妻でも王妃でもない。そのことを肝に銘じるのだ。身を引くべきだ」

王妃は涙のあとの残る顔を王に向けた。「身を引くことなどできません。そう望んだとしてもです。わたくしはあなたの妻であり、あなたの王妃です。なにものも、それを変えることはできません。棚上げにはできないのです」

王妃の苦悩から逃れたい一心で、王は扉に向かった。「余が言ったことを、しかと耳にしただろうな」王は戸口で言った。「余がそなたに誠実でなかったと文句は言わせない。こうするよりほかはないのだ」

「わたくしは何年も陛下を愛してまいりました」王妃は叫んだ。「陛下に女としてのすべてを捧げてきたではありませんか。おっしゃってください、わたくしがなにをしたというのです？　お怒りに触れるようなことを、わたくしがしたとでも？」

わたしは王の邪魔にならないよう、壁に背中を押し付けていた。王妃の最後の嘆願に、王は足を止め、振り返った。

「余に男児を授けるべきだった。そなたはそれをしなかった」

「努力しました！　神がご存じです、ヘンリーさま！　努力したのです！　男児を産みました。その子が生きられなかったのは、わたくしのせいではありません。神がわたくしたちの小さな王子を天国に召されたのです。わたくしのせいではありません」

悲痛な叫びに心を揺さぶられはしても、王は背を向けた。「余に男児を授けねばならなかった。イングランドのために、余は息子をもたねばならぬのだ、キャサリン。そなたにもわかっておるだろう」

王妃の顔は虚ろだった。「神のご意思には従わねばなりません」

「余にこうさせたのは神だ」王は叫び返した。「神ご自身が、余にこの誤った、罪深い結婚を捨て、やり直すように忠告したのだ。その言葉に従えば、余は男児を得ることだろう。余にはわかるのだ、キャサリン。そして、そなたは――」

「なんです？」獲物の匂いを嗅ぎつけた猟犬のように、王妃はすかさず答えた。忽然と勇気が湧いてきたような勢いだった。「わたくしはどうなるのです？　女子修道院？　姥捨て山？　死刑？　わたくしはスペイン王女であり、イングランド王妃です。代わりになにを下さるというのです？」

「これは神のご意思なのだ」王は繰り返した。

王妃は笑い出した。泣き声と同様、すさまじい笑い声だった。「真の正妻をしりぞけ、どこぞの馬の骨とも知れない女と結婚することが？　娼婦と？　娼婦の姉と？」

わたしは凍りついたが、ヘンリーはわたしの前を通り過ぎ、出て行った。「神の意思であり、余の意思なのだ！」応接間から叫ぶ声が聞こえ、やがて扉が閉まった。

わたしはそっと後じさった。泣いている姿を見たことを知られてはならない。娼婦と名指しされた自分の姿を見られてはならない。けれども、王妃は顔をあげ、言った。

「助けてちょうだい、メアリー」

黙ったまま、わたしは前に進んだ。七年間仕えてきたが、王妃が助けを求めたのはこれがはじめてだった。引っ張ってくれというように腕を差し出すのを見て、彼女が立ち上がることもできないのだとわかった。泣いたせいで目が血走っている。

「お休みになられたほうが、王妃さま」

「休むことなどできません。わたくしを祈禱台に連れていって、ロザリオを持たせてちょうだい」

「王妃さま……」

「メアリー」王妃はしわがれた声で言った。慟哭《どうこく》したため声が嗄《か》れていた。「あの方はわたくしを打ちのめし、わたくしたちの娘を廃嫡し、この国を破壊したあげく、ご自身の不死の魂を地獄へ落とそうとしている。あの方のため、わたくしのため、わたくしたちの国のために祈らねばなりません。それから甥に手紙を書かなければ」

「王妃さま、お手紙が無事に届くことはないと思います」

「届ける手段はいくらもあります」

「ご自分の不利になるようなことは、お書きにならないでください」

わたしの声に恐怖を聞きとって、王妃はしばし口を閉じた。それから虚ろで苦々しい笑いを浮かべたが、目は笑っていなかった。「なぜです？　いま以上に悪くなると思いますか？　反逆罪に問われるわけがない。わたくしはイングランド王妃、わたくしがイングランドなのですから。離縁されるはずがない。わたくしは王の妻です。この春、陛下はご乱心めされたけれど、秋には元に戻っておられるはずよ。この夏を乗り切りさえすれば」

「ブーリンの夏です」アンのことを思いながらつぶやいた。

「ブーリンの夏」王妃はわたしの言葉を繰り返した。「たったひと夏のことでしょう」

王妃はしみの浮いた手で、ベルベットの布張りのクッションがついた祈禱台をつかんだ。

この世のなにも目には入らないし、耳にも届かない。王妃は神とともにある。わたしはそっと部屋を出て扉を閉めた。

応接間の暗がりに、ジョージが暗殺者のように潜んでいた。「叔父上が呼んでいる」

「ジョージ、行けないわ。なにか言い訳を考えてちょうだい」

「来いよ」

開いた窓から射し込む光のまぶしさに、目をしばたたいた。歌声とアンの屈託のない笑い声が聞こえてきた。

「お願いジョージ、見つからなかったと言ってちょうだい」

「叔父上はおまえが王妃といたことをご存じだ。おまえが出てくるまで待っていろと命じられた。いつになろうと」

わたしは頭を振った。「王妃さまを裏切れない」

ジョージは三歩で部屋を横切り、わたしの腕を摑んだ。引きずられるように階段をおりたが、万力のような力で腕を摑まれていなかったら、足を踏み外していただろう。

「おまえの家族は？」ジョージは食いしばった歯のあいだから言った。

「ブーリン」

「近親は？」

「ハワード」

「居所は？」

「ヒーヴァーとロッチフォード」

「国は？」

「イングランド」

「おまえの王は？」

「ヘンリーさま」

「じゃあそっちに仕えろ。いま言った順にだ。いまのリストのなかに、スペイン人の王妃が出てきたか？」

「いいえ」

「それを忘れるな」

わたしは抗おうとした。「ジョージ！」

「ぼくは毎日、この家族のために自分の望みを諦めている」ジョージは感情を押し殺した声で言った。「毎日、どちらかの妹にかしずき、王の取り持ち役をやっている。毎日、自分の望みを捨て、情熱を抑え、自分自身の魂を否定しているんだ！　ぼくは自分の人生に嘘をついている。さあ来い」

ジョージは扉をノックすることもなく、ハワード叔父の私室にわたしを押し込んだ。叔父は机に向かっていた。陽光が書類を照らし、テーブルのうえに飾られた早咲きのバラを照らしていた。わたしが入っていくと顔をあげた。鋭い視線が、わたしの浅い息遣いと嘆きを捉えた。

「国王夫妻のあいだで、どんなやりとりがあったか知りたい」前置きなく言った。「メイドからおまえが一緒にいたと聞いた」

わたしはうなずいた。「王妃の泣き声が聞こえたので、部屋に入りました」

「王妃の泣き声？」信じられないという口ぶりだった。

わたしはうなずいた。

「話せ」

言葉に詰まった。

黒い目の刺すような視線には圧倒的な力があった。「話すのだ」

「国王陛下は王妃に、この結婚は法的に無効だから、婚姻無効宣告を求めるとおっしゃいました」

「それで王妃は？」

「王妃さまが、アンとのことで国王を責めましたが、陛下は否定しませんでした」

叔父の目に激しい喜びの炎が躍った。「おまえが去るとき王妃の様子は？」

「祈りを捧げていらっしゃいました」

叔父は立ち上がり、机を回ってやってきた。思案げにわたしの手をとり、静かに話しかけてきた。「この夏、子どもたちに会いたいだろう、メアリー？」

ヒーヴァー城でキャサリンと坊やに会えると思ったらめまいがした。閉じた瞼《まぶた》に子どもたちの姿が浮かび、抱いたときの感触が甦った。赤ちゃんの甘い匂い、清潔な髪と太陽にあたためられた肌の匂い。

「おまえがよく仕えたら、宮廷が巡幸するあいだ、ヒーヴァー城へさがることを許そう。だれにも邪魔されずに子どもたちと過ごすがいい。働きが終われば、宮廷から解放しよう。だが、わたしの手助けをしてもらうぞ、メアリー。王妃がどう動くつもりか、おまえの考えを隠さず知らせるのだ」

わたしは小さくため息をついた。「王妃は甥に手紙を書くとおっしゃっていました。彼のもとに手紙を届ける術があると」

叔父はにやりとした。「王妃がどうやってスペインに手紙を送り、また受け取っているのか探り、わたしに報告しろ。そうすれば一週間後に子どもたちのところに行ける」

王妃を裏切る罪悪感を、わたしは呑み込んだ。

叔父は机に戻り、書類に注意を戻した。「下がっていいぞ」顔もあげずに言った。

部屋に戻ると、王妃はテーブルに向かっていた。「あら、レディ・ケアリー、もう一本蠟燭をつけてちょうだい。手元が暗くて」

わたしは蠟燭を灯し、王妃が書いている手紙のそばに置いた。スペイン語で認めている。

「セニョール・フェリペスを呼んでおくれ。用があるの」

ためらったが、王妃が手紙から顔をあげてこちらに軽くうなずいてみせたので、わたしはお辞儀をして扉のほうに歩みより、警護に当たっている下僕に言った。「セニョール・フェリペスを呼んできてちょうだい」それだけ命じた。

彼はたちまちやってきた。フェリペスは中年の事務官で、王妃が結婚したときにスペインから随行してきた男だ。イングランド女性と結婚してイングランド人の子の父親となったのに、いまだにスペイン語訛りもスペインへの愛国心も失っていない。

彼を案内して部屋に入ると、王妃はわたしをちらりと見た。「二人きりにしてちょうだい」手紙を折り畳み、指輪で封印する。カスティーリャの象徴、ザクロの印章だ。

わたしは外に出て窓腰掛けに座り、フェリペスが手紙を上着の下に押しこみながら出てくるのを、スパイのように待ち受けた。ハワード叔父を捜し出し、目にしたすべてを語った。

翌日、セニョール・フェリペスは宮廷を後にした。わたしはウィンザー城の頂に通じる曲がりくねった道を歩いていて、叔父に呼び止められた。

「ヒーヴァーに行っていいぞ」叔父はそっけなく言った。「おまえは自分の仕事をした」

「どういうことです?」

「セニョール・フェリペスが、ドーヴァーからフランスへ出航するところを押さえるつもりだ。宮廷からはじゅうぶん離れているから、王妃の耳に届くことはない。甥への手紙が手に入れば、王妃は終わりだ。反逆の証拠になるからな。ウルジーがローマにいるいま、死罪を免れるためには離婚に応じざるをえなくなる。晴れて王は自由の身となるのだ。この夏には」

この秋まで持ち堪《こた》えれば大丈夫と信じている王妃に、思いが向かった。

「この夏に婚約を整え、みながロンドンに戻る秋に正式な結婚式と戴冠式を行う」

姉はイングランドの王妃となり、わたしは王の使い古しの娼婦になる。そう思うと体の中が凍り付いた。「それで、わたしは?」

「ヒーヴァー城へ行くがいい。アンが王妃になったら、宮廷に戻って侍女として仕えるのだ。身近に家族が必要になるだろうからな。だが、さしあたりおまえの役目は終わった」

「きょう発ってもよろしいですか?」言えたのはそれだけだった。

「だれか付き添いがいればな」

「ジョージに頼んでも?」

「ああ」

お辞儀をし、足を速めて坂を登った。

「フェリペスのことはよくやった」わたしの背中に向かって叔父が言った。「必要な時間を稼ぐことができる。王妃は助けがくると思っているが、孤立無援なのだ」

「ハワード家のために尽くすことができて嬉しく思います」口ではそう言ったが、ハワード一族を、ジョージを除いて一人残らず地下墓所に埋めてやりたかった。そうなったら、さぞすっきりするだろう。

ジョージは国王と遠乗りから帰ってきたばかりで、また鞍にまたがるのを嫌がった。「頭が重いんだ。ゆうべは飲んで賭けごとをしていたから。それにフランシスときたら……」そこで言葉が途切れた。「きょうヒーヴァーに行くのは無理だ、メアリー。とても耐えられない」

わたしは兄の手をとり、顔を見合わせた。溢れる涙が頬を伝うに任せた。「ジョージ、お願いよ。叔父さまの気が変わったらどうすればいい？　わたしを助けてちょうだい。子どもたちのところへ連れていって。わたしをヒーヴァーに連れていって」

「ああ、やめてくれ。泣くなよ。泣かれるのが苦手なこと、知ってるだろう。連れていくよ。もちろん連れていくさ。だれかを厩にやって、鞍をつけさせればすぐに発てる」

大慌てで部屋に戻ると、アンがいた。わたしが身のまわりのものを鞄に詰め、梱を紐で縛ってあとから荷馬車で送らせる用意をさせるのを眺めていた。

「どこに行くの？」

「ヒーヴァーよ。ハワード叔父さまがいいっておっしゃったの」

「でも、わたしはどうなるの？」

その切羽詰まった声の響きに、わたしはしげしげと彼女の顔を見た。「あなたがどうなる？　なんでも持ってるじゃない。これ以上なにが欲しいっていうの？」

アンはスツールに腰をおろし、頰杖を突いて鏡を見た。「あの方はわたしに恋をしている。わたしに夢中よ。わたしは絶えずあの方を惹きつけながら、撥ね付けている。一緒に踊ると、彼のものが硬くなるのがわかる。わたしを抱きたくてたまらないのよ」

「だから？」

「このままの状態を維持しなければならないの。木炭ストーブにかけたソース鍋みたいに、ぐつぐつ煮える状態のままにね。もし吹きこぼれたら、わたしはどうなる？　それが死ぬほど怖いのよ。もし熱が冷めて、よその女にナニを突っ込まれでもしたら、ライバルができることになる。だから、あなたにここにいてもらいたいのよ」

「ナニを突っ込む？」アンの露骨な表現を繰り返した。

「そうよ」

「そうならないように、自分でなんとかしなければね」わたしは答えた。「ほんの数週間のことだもの。叔父さまが言うには、この夏に婚約して、この秋には結婚だそうよ。わたしは自分の役目を果たしたんだから、ヒーヴァーに行くわ」

どんな役目を果たしたのか、アンは訊きもしなかった。アンは前方だけを照らすランタンだ。一方向にしか光を当てない。いつでもまず自分、つぎにブーリン家、そのつぎがハワード家だ。わたしに忠誠心を思い出させようと、ジョージは声を荒らげわたしを質問攻めにしたけれど、アンにはその必要はない。自分の利益がどこにあるか、つねにわかっている。

「数週間なら乗り切れるわ」アンは言った。「そうすればすべてがわたしのものになる」

一五二七年夏

ヒーヴァー城に戻って以来、ジョージからもアンからも便りはなかった。夏の巡幸に出かけ、陽光降り注ぐ美しいイングランドの田舎を巡り歩いているのだろう。子どもたちといられるのだから、ほかのことはどうでもよかった、わたしがしょげているとか、嫉妬しているとか、とやかく言う人はまわりにいない。姉と比較され、陰でこそこそ噂されることもない。監視の目から自由になり、国王夫妻の絶え間ない争いから自由になった。それよりなにより、アンに嫉妬する自分から自由になれた。

子どもたちは、遊んでいるうちに一日があっという間に過ぎ去る年頃だ。ベーコンの切れ端を餌に濠で釣りをしたり、わたしのハンターに鞍をつけ、子どもたちを順に乗せて散歩をしたり。城の跳ね橋をわたって探検に出かけ、庭で花を摘んだり、果樹園で果物をもいだ。干し草を積んだ荷馬車を頼み、わたしが手綱を握ってイーデンブリッジまで繰り出し、スモールエール（モルトとホップをわずかしか使わない安いエール）を飲んだ。二人が礼拝でひざまずき、聖体が持ち上げられるのを見て目を丸くするのを見守った。眠りについた二人の肌が、太陽に照らされて赤くなり、長いまつげがぽっちゃりした頬に影を落とすのを見守った。宮廷に国王、その寵臣、そういったものの存在すら忘れた。

八月に入り、アンから手紙を受け取った。アンの信頼する従僕で、トンブリッジで生まれ育ったトム・スティーヴンスによって届けられた。「お嬢さまから、メアリーさまに直接お渡しするようにと」彼は食堂で恭しく片膝を突いて言った。

「ありがとう、トム」

「ほかの方の目には触れないようにと」

「わかったわ」

「ほかの方の目に触れることなく、メアリーさまがお一人でお読みになるのを見守り、読み終わったら火にくべて、燃えたのをたしかめるようにとのことです、マイ・レディ」

わたしは笑みを浮かべたが、落ち着かない気持ちになってきた。「姉は元気にやっているのかしら?」

「草原を跳ね回る仔羊のように」

わたしは封を破って手紙を広げた。

望みが叶い、わたしの運命が定まったことを喜んでちょうだい。手に入れたも同然よ。わたしはイングランド王妃になるわ。今夜、あの方は結婚を申し込まれ、ひと月以内に自由の身になると約束してくれたわ。ウルジーが教皇の説得をつづけています。喜びを家族と分かち合いたいからと、お父さまと叔父さまにもすぐに来てもらったから、証人がいるわ。あの方も後にはひけないはずよ。いただいた指輪は当分隠しておくけれど、これは婚約指輪で、あの方もわたしのものだとはっきりおっしゃったわ。わたしは不可能なことを成し遂げた。国王を捉え、王妃の運命を封じたの。秩序を覆したのよ。この国の女たちにとって、すべてが変わるはずよ。

二人の結婚が無効になったと、ウルジーから知らせがありしだい結婚します。王妃が知るのは結婚式の当日になるはずよ。王妃はスペインの女子修道院に行くことになるでしょうね。わたしの国にはいてほしくないもの。

わたしのため、わたしたちの一族のために喜んでくれるわね。この件であなたが手を貸してくれたことは忘れない。あなたはイングランドの王妃、アンを真の友に、姉にもつことになるのよ。

手紙を膝に置き、暖炉の燠に目をやった。トムが前に進み出た。

「燃やしてもよろしいでしょうか？」

「もう一度読ませてちょうだい」

トムは下がったが、わたしは黒いインクで書かれた興奮に躍るような文字を目で追いはしなかった。アンが書いてきた内容を確認する必要はなかった。勝利の喜びが一行一行に溢れている。イングランド宮廷の寵姫としてのわたしの人生は終わりを告げた。アンが勝ち、わたしは負けた。アンの新しい生活がはじまった――自分で署名しているように、イングランド王妃、アンになるのだ。そして、わたしはただの人になる。

「ついにそうなったわけね」自分に向かってつぶやいた。

トムに手紙を渡し、彼が手紙を真っ赤な燠の真ん中に載せるのを見守った。手紙は炎の中でよじれ、茶色く変色し、最後に黒く変わった。それでも言葉はまだ読めた。〝秩序を覆したのよ。この国の女たちにとって、すべてが変わるはずよ〟

この言葉を憶えておくために手紙を残す必要はなかった。勝利をおさめたアン。彼女の書いているとおりだ。この国の女にとって、すべてが変わるだろう。これからは、いくら従順でいくら愛らしい妻でも、安泰ではいられないのだ。イングランド王妃キャサリンのような妻が、なんの理由もなく離縁されるのならば、どんな妻だって捨てられてしまう。

不意に手紙から黄色の炎があがり、燃え尽きて白くやわらかな灰となった。トムは火掻き棒で塵になるまで突き崩した。

「ご苦労さま。厨房でなにか食べさせてもらいなさい」ポケットから銀貨を取り出して与えた。トムはお辞儀して出ていった。白い灰が煙に舞いあげられて煙突を伝い、夜空へ流れ出すのを、わたしは煉瓦のアーチと煤越しに眺めていた。

「王妃アン」その言葉の響きに耳を傾けた。「イングランド王妃アン」

お昼寝をする子どもたちを眺めていると、供を従え馬でやってくる人の姿が見えた。きっとジョージだろうと階段を駆けおりたが、蹄の音を響かせて中庭に入ってきたのは夫のウィリアムだった。驚くわたしを見て、彼が笑った。

「不幸の前触れだとぼくを責めないでくれ」

「アンになにか?」わたしは尋ねた。

ウィリアムがうなずく。「出し抜かれた」

彼を大広間に通し、炉辺の祖母の椅子を勧めた。

「さあ」扉が閉まり、二人だけになった。「話して」

「フランシスコ・フェリペスを憶えているね、王妃の従者の」

わたしはうなずくだけにした。

「フェリペスはドーヴァーからスペインへ渡る許可を求めたが、陽動作戦だった。王を出し抜いて、王妃が甥に宛てた手紙をまんまと持ち出したんだ。まさにあの朝、極秘に仕立てた船でロンドンから出港し、スペインへ向かった。フェリペスを見失ったと気付いたときには、もう遅かった。彼は王妃の手紙をスペインのカルロスのもとに届け、その後大混乱に陥った」

心臓が早鐘を打つのがわかった。なんとか鎮めようと喉元に手をやった。「どんな混乱?」

「ウルジーはまだヨーロッパだが、警告を受けた教皇は、彼を代理と認めないだろう。ほかの枢機卿たちも支持しないだろうし、和平協定すら反故にされた。スペインとの戦争に逆戻りさ。ヘンリー王は秘書官をオルヴィエトで幽閉中の教皇のもとに送り、結婚を無効にし、ヘンリーが望むどんな女とでも結婚できるよう許可を迫った。寝たことのある女の姉であろうが、寝たことのある女であろうが。娼婦本人でも、娼婦の姉のどちらでもだ」

わたしは息を呑んだ。「寝たことのある女と結婚する許可を得ようとしている？　まさか、わたしのことじゃないでしょうね？」

ウィリアムの棘のある笑いが響きわたった。「アンだ。王は婚姻の前に床入りの準備をはじめている。さすがのブーリン家の姉妹も、これをうまく乗り切ることは難しいだろうな」

わたしは椅子にもたれ、小さく息を吸った。自分の夫に不貞を咎められたくはなかった。

「それで？」

「それですべては、オルヴィエト城で王妃の甥の世話になっているローマ教皇の胸三寸となったいま、考えうるかぎりもっとも淫らな行為を認める大勅書が出されると思うかい？　妻以外の女と寝て、その姉と寝て、そのどちらかと結婚するなんて？　正妻になんの悪評もなく、その甥がヨーロッパを牛耳っているのに」

わたしは息を呑んだ。「じゃあ王妃の勝ち？」

「またしてもだ」

「アンはどうしている？」

「溌剌としている。朝起きたときからそうだ。一日じゅう笑ったり歌ったり、見る者の目を楽しませ、心を晴れやかにする。王とともに礼拝に出て、遠乗りに出かけ、庭の散歩をし、一緒に王がテニスをするのを眺め、書記が手紙を読むのを王の隣りで聞き、言葉遊びをし、一緒に哲学書を読んで神学者のように論じあい、一晩じゅう踊って、仮面劇の振り付けをし、催し物を計画し、ようやく床につく」

「アンが？」

「それはそれは完璧な女主人ぶりだ。休むことがないんだ。くたくたに疲れているはずだろうに」

会話が途切れた。ウィリアムはカップを干した。

「それじゃ、わたしたちは元の場所に戻るのね」わたしは信じられない思いで言った。「これ以上前には進めない」

ウィリアムはあたたかい笑みを向けた。「いや、前より悪い立場に陥るな。いまや逃げ隠れのできない場所に出て、猟師はみな獲物に目をつけている。ハワード家は巣穴から飛び出したんだ。きみたちが玉座を狙っていることは周知の事実だ。以前は、きみらはぼくらと同じように、富と領地を得ようとしていただけだと思っていた、あと少しの特権を手に入れようとしているだけだと。だが、いまでは、きみらの狙いが木のいちばん高いところに生《な》るリンゴだったとわかった。みんなに憎まれるだろうな」

「わたしは違う」必死になって言った。「わたしはずっとここにいるもの」

ウィリアムはかぶりを振った。「ぼくと一緒にノーフォークに来るんだ」

わたしは凍りついた。「どういう意味？」

「王はもうきみに用はないかもしれないが、ぼくは違う。ぼくは結婚をして、その女はまだぼくの妻だ。ぼくの家に一緒に来て、一緒に暮らすんだ」

「一緒に来ればいい。ぼくの望みどおりに一緒に暮らす」ウィリアムは言葉を切った。「ぼくの望みどおりに」

急に彼が怖くなり、わたしは立ち上がった。結婚しベッドを共にしたこの男を、わたしは知らないも同然だった。「わたしにはまだ力のある親類がいるのよ」

「それは喜ぶべきだろうな。もしいなければ、五年前、寝とられ夫の烙印を押されたときに、きみを捨てていただろうから。いまは妻にとっていい時代ではないんだ、マダム。そしてきみたちは、自分たちが作り出した混乱のなかで、そろって足を滑らせ転げ落ちるのだろうな」

「わたしは、自分の家族と国王に従ったまでです」落ち着いた声で答えた。怖がっていることを気取られないように。

「そして今度は、自分の夫に従うんだ」ウィリアムの声は絹のように滑らかだった。「きみが長いあいだその訓練を受けてきてくれて、嬉しいよ」

アン――

ウィリアムが、わたしたちブーリンは敗北したから、わたしと子どもたちをノーフォークに連れていくと言うの。お願いだから王にとりなしてちょうだい。ハワード叔父さまかお父さまでもいい、連れていかれて戻れなくなる前に。

「子どもたちが……」

M

わたしは父の書斎につづく狭い石の階段をこっそりおり、そこから中庭に出た。ブーリン家の下僕を手招きし、ビューリューとグリニッジのあいだのどこかにいる行幸の行列に、手紙を届けるよう頼んだ。

下僕は帽子をちょっと持ち上げて挨拶し、手紙を受け取った。「まちがいなくミストレス・アンに届けてちょうだい」わたしは念を押した。「大切なことなの」

わたしたちは大広間で食事をとった。ウィリアムはいつもどおりの洗練された、完璧な廷臣らしく振る舞い、宮廷にまつわるニュースや噂話をとめどなく披露した。ブーリンの祖母はいたく機嫌を損ね、ひどく憤慨していたが、おおっぴらに文句を言うことはなかった。妻と子どもを自分の家に連れて帰ることはできないなどと、誰が言えるだろう？

蠟燭が運ばれてくると、祖母は難儀して立ち上がった。

「先に休ませてもらいます」祖母がむくれたように言った。ウィリアムは立ち上がり、部屋を出る祖母に頭を下げた。

腰を下ろす前に、彼は胴着から手紙を取り出した。わたしが書いたものだ。アンに宛てた手紙。ウィリアムはテーブルにそれを放った。

「あまり忠実な行為とは言えないな」

わたしは手紙を手に取った。「わたしの使用人を止めて、わたしの手紙を読むなんて、あまり礼儀正しい行為とは言えませんわね」

彼はにっこりと笑った。「ぼくの使用人とぼくの手紙だ。きみはぼくの妻だ。きみのものはすべてぼくのもの。ぼくのものはすべてぼくが管理する。ぼくの名前をもつ子どもたちや女もね」

わたしは彼の反対側に座り、テーブルに両手を載せた。息をついて気を落ち着ける。ただの十九の娘にすぎないけれど、四年半にわたってイングランド国王の愛人であり、紛れもなくハワード家の一員であると自分に言い聞かせた。

「聞いていただくわ、ご主人さま」きっぱりと言った。「過去のことは過去のこと。あなたは称号と領地と財産と王の寵を得て満足していた。それがもたらされた理由を、みんなが知っている。そのことをわたしは恥じていないし、あなたも恥じていない。わたしたちのような立場にある人間なら、喜ぶことでしょう。わたしもあなたも、王の寵を得つづけるのは生半可ではないことを知っている」

わたしのあけすけな物言いに、ウィリアムは圧倒されたようだ。

「ウルジーがしくじったぐらいで、ハワード家はつまずかないわ。ウルジーの失態であって、わたしたちのじゃない。ゲームはまだまだ終わりじゃないのよ。ハワード叔父のことをわたしと同じくらい知っていれば、叔父が敗北したと決めつけはしないでしょうね」

ウィリアムはうなずいた。

「敵がすぐ後ろまで迫っていることはよくわかっているわ。シーモア家にいつなんどき地位を奪われるかしれない。すでにイングランドのどこかにいるシーモア家の娘が、王の目を奪う機会を狙っているでしょうね。それが現実よ。いつだってライバルがいる。でも、さしあたり、王が結婚できる立場であろうとなかろうと、アンの勢いはとどまるところがなく、わたしたちハワード家の人間は――あなたもよ、ご主人さま――アンの権勢を支えれば、それが自分の利益になることを知っている」

「彼女は融けかかっている氷の上を滑っているようだ」ウィリアムはぽつりと言った。「あまりにもはりきりすぎている。なんとか王の隣りの座を確保しようと奮闘しているが、一瞬たりとも休まない。注意して見る人間にはそれがわかる」

「王が気づかなければ、それとわかったとしてなにが問題なの？」

ウィリアムが笑った。「ずっとはつづかないからさ。いまは指先で王を踊らせていても、それを永遠につづけることはできない。秋まで繋ぎとめてはおけるだろうが、永遠にできる女はいない。彼女のやり方では、男をずっと繋ぎとめられはしない。数週間は可能だろうが、ウルジーが失敗したいま、数か月はかかるだろう。ことによったら数年になるかもしれないんだ」

アンが陽気にはしゃぎながら老いていくことを考えると、体が竦んだ。「でも、ほかにどうしようがある？」

「どうしようもない」ウィリアムは狼のように歯をむき出しにして笑った。「でも、きみとぼくは家に戻り、夫婦としての暮らしをはじめることができる。ぼくに似た息子が欲しい。

金髪の小型のチューダーではなく。ぼくの黒い目を受け継いだ娘が欲しい。そして、きみはそれをぼくに与えるんだ」

わたしは頭を下げた。「わたしを責めないのね」

ウィリアムは肩を竦めた。「さあどうかな。きみをどう扱おうとぼくの勝手さ。ぼくの妻なんだから、そうだろう?」

「はい」

「きみも結婚を無効にしてほしいのなら話は別だが。どうやら結婚は流行遅れになってきたようだからね。お望みとあらば、女子修道院に入ることもできる」

「いいえ」

「それなら、ぼくのベッドに行っててくれ。ぼくもすぐに行く」

その言葉にわたしは凍りついた。考えてもいなかった。ウィリアムはワインの入ったカップ越しにわたしを見つめた。「どうした?」

「ノーフォークに行くまで待てないかしら」

「だめだ」

気が進まない自分に驚きながら、ゆっくりと服を脱いだ。まったくその気になれなくても王とベッドを共にし、彼の欲望を満足させることに専念したことはいくらもあった。この一年は、王がアンを求めていると知りながら、その体を抱き締めて「いとしい方」とささやき、娼婦になった気分を味わってきた──彼は愚かにもコインの贋物と本物の区別がつかなかった。

いまのわたしは、結婚を完了させるためこの男のベッドに送り込まれたときの十二歳の処女ではないが、敵のように思える男と平気でベッドを共にできるほどのすれっからしでもない。ウィリアムはわたしに恨みを抱いている。だから、怖かった。

ウィリアムはなかなか来なかった。ゆっくりとベッドに入り、寝たふりをしようとしたとき、扉が開いた。彼は部屋を歩きまわり、服を脱ぎ、隣りに入ってきた。彼が上掛けを引っ張りあげて裸の肩を覆った。

「眠っていなかったのか？」

「ええ」

暗がりのなかで手が伸びてきて、顔を探り、首筋から肩を撫で、ウエストにおりた。わたしはリネンのシュミーズを着ていたが、薄い布地をとおして彼の手の冷たさを感じた。抱き寄せられるとなすがまま、いつもヘンリーにしていたように体を開いた。ヘンリー以外の男にどう応えればいいのかわからず、体を固くした。

「その気になれないのか？」ウィリアムが尋ねた。

「むろんその気ですわ。あなたの妻ですもの」わたしは冷静に答えた。

わたしが拒絶するよう仕向け、離縁の口実に使うのではないかと恐れていた。だが、彼は小さくため息をついただけだった。もっとあたたかな反応を期待していたのだ。「じゃあ眠ろう」

ほっとしたものの、彼の気が変わるといけないので黙っていた。身じろぎもせずに横たわっていると、やがて彼が背を向けて上掛けを引っ張りあげ、枕に頭を預けて動かなくなった。わたしはようやく詰めていた息を吐き、ハワードの偽りの笑みを拭い落とした。眠りへと落ちてゆく。今夜も乗り切った。まだわたしはヒーヴァー城にいて、ハワード一族にはまだ打つ手がいろいろある。あす、なにが起こるかは誰にもわからない。

ノックの音で目が覚めた。ウィリアムに先を越される前にベッドから出て、扉を開け、鋭い口調で言った。「静かに。だんなさまはまだお休みなのよ」それだけがわたしの関心事であるかのように。一刻も早く彼のベッドから抜け出したいと思っていたことなどおくびにも出さずに。

「ミストレス・アンから緊急のお便りです」召使いは言い、手紙を差し出した。

クロークを羽織ってそばを離れ、一人で手紙を読みたかったが、ウィリアムはすでに起き上がっていた。「親愛なる姉上からか」彼はあざ笑いを浮かべて言った。「それでなんと書いてきたんだ?」

彼の前で手紙を開かざるをえない。アンが自分勝手な人生で一度ぐらい、他人のことを考えてくれればいいと願うほかなかった。

妹へ

陛下とわたしから、あなたと夫君にリッチモンドに参るよう命じます。そこでみんなで楽しくやりましょう。

アン

ウィリアムが手を差し出したので、わたしは手紙を渡した。

「ぼくが宮廷を離れたとき、きみのところへ向かったとわかったんだろうな」ウィリアムは言ったが、わたしは答えなかった。「こんなふうにいともあっさり、きみはぼくから自由になれる。ぼくたちは振り出しに戻るわけだ」

わたしもおなじことを考えていたが、はっきりした物言いとは裏腹に彼が傷ついているのがわかった。寝とられ夫の角《つの》はつけ心地が悪いだろうに、彼はそれを五年もつけていたのだ。わたしはゆっくりとベッドにちかづき、手を差し出した。「わたしはあなたの妻です」やさしく話しかけた。「それを忘れたことは一度もありません、人生のいたずらで遠く引き離されはしても。実際に結婚生活を送ることができていたら、ウィリアムさま、あなたのよき妻になっていましたのに」

彼はわたしを見上げた。「これはこれは、最初のブーリン家の娘が失脚しそうないま、もう一人のブーリン家の娘でいるよりは、レディ・ケアリーとしての人生を送るほうが安全だと思ったのか。形勢が不利になるとすぐに転身をはかる、ハワード一族らしい」

図星だった。彼にそれを悟られまいと顔をそむけた。「まあ、ウィリアムさま」非難めかして言った。

彼はわたしを抱き寄せ、顎の下に指を添えて顔を仰向かせた。「愛しい妻どの」皮肉たっぷりに言った。

じろじろ見られるのが嫌で目を閉じると、驚いたことに彼の顔のぬくもりを感じ、唇にやさしいキスを受けた。長いこと忘れていた春のような欲望が湧きあがってきて、両手を彼の首にまわし、軽く引き寄せた。

「ゆうべははじまりがよくなかった」ウィリアムは静かに言った。「時と場所をあらためて。そう時を置かず、どこか別のところで。どうかな、かわいい妻どの?」

ノーフォーク行きを免れて安堵しているのを笑顔に隠して彼を見上げた。「どこか別のところで」わたしはうなずいた。「あなたの望むときに、ウィリアムさま」

一五二七年秋

リッチモンドのアンは、事実上の王妃だった。私室は国王の居所と隣り合わせで、侍女を従え、あたらしい十二着のガウンに宝石に、国王と遠乗りするためのハンター二頭を所有していた。王が顧問たちと国政について語り合う場に同席した。大広間で開かれる正餐の席に王妃が出てくるときだけは、さすがに末席にさがった。

わたしがアンと寝起きを共にするのは、彼女が国王とべったり一緒にいても愛人だと思われないよう体裁を取り繕うためもあったが、実際には彼を牽制するのが目的だった。王はなんとしても彼女をものにしようとしていた。婚約を交わしたのだからベッドを共にしてどこが悪い、というのが彼の言い分だった。アンはあらゆる手を使って逃げた。結婚前に処女を失ったりしたら自分を許せません、清らかな体のまま新婚初夜を迎えられなかったら自分を許せません、と彼女は抵抗した――でも、ほんとうはどれほどあなたを欲しいと思っているか、神さまだけがご存じです。口でおっしゃるほどわたくしを愛してくださっているなら、汚れのない魂をどうか愛してください――でも、ほんとうはどれほどあなたを欲しいと思っているか、神さまだけが……――恋い焦がれていながら、恐れる気持ちもあり、ですから、もう少し時間をください。

「いったいいつまでかかるのよ?」彼女はジョージとわたしに声を荒らげた。「まったくもう!　ローマまで行って書類に署名してもらって戻ってくるだけのことでしょ?　なにをもたもたやってるの?」

わたしたちがいるのは、彼女の居所の奥の寝室だった。宮殿の中で三人きりになれるのはここだけだ。ほかの場所では、わたしたちはつねに見世物だった。国王の関心がほんの少しでもアンから離れた証拠を見出そうと、あるいは、国王がついに彼女をものにした証拠を見出そうと、みなが鵜の目鷹の目で様子を窺っていた。捨てられたのではないか、それとも妊娠したのではないか。ジョージとわたしは、あるときは彼女の護衛、あるときは看守だった。きょうのように、彼女が狭い寝室をぶつぶつぶつぶやきながら歩きまわっているようなときには、看守の役を果たさねばならない。

ジョージが彼女の手を摑んで引き止め、その頭越しに警戒の眼差しをわたしに寄越した。怒りに任せてなにかしようとしたら、羽交い絞めにしろと言っているのだ。

「アン、落ち着け。そろそろボート競技の見物に出かける時間だ。どうか落ち着いてくれ」アンは手を握られたまま体を震わせた。怒りがおさまり、がっくりと肩を落とす。「もう疲れた」

「わかっている」ジョージが冷静に言った。「だが、当分はこういう状態がつづくんだぞ、アン。この世で最大の賞をかけた闘いだ。実力がものをいう長い勝負だ。覚悟をきめろ」

「彼女が死んでくれさえしたら！」アンが不意に大声をあげた。

ジョージは堅牢な木の扉のほうをちらっと見た。「黙れ。彼女は死ぬかもしれない。あるいはウルジーがうまくやってくれるかもしれない。いまこの瞬間にも、川をのぼってきているかもしれないんだ。そうすれば、あすにも結婚できる。あすの晩には王のベッドにいて、あさっての朝には妊娠しているかもしれない。安心しろ、アン。おまえが美貌を保つことにすべてがかかっているんだ」

「それに感情を抑えることにね」わたしは言い添えた。

「わたしにお説教するつもり？」

「彼は癇癪を起こす女に我慢できないの。これまでの結婚生活で、キャサリンは彼に眉を吊り上げたことすらない。声を荒らげるのはもちろん。いまはあなたに夢中だから大目に見てくれるだろうけれど、あなたが騒ぎ立てたらきっと嫌気がさすわ」

アンはまた怒りだしそうな様子だったが、それが分別だとわかったらしくうなずいた。

「ええ、そうね。だからあなたたち二人が必要なの」

ジョージは彼女の手を握ったままだった。二人で囲むように立ち、わたしは彼女の腰に手をやって抱き寄せた。

「わかっているよ」ジョージが言った。「一蓮托生だ。ぼくたちみんなのためさ。ブーリン家とハワード家のね。みなで昇りつめるか、落ちるか。長い勝負をするのはみんなも一緒だ。先頭に立つのはおまえだけど、アン、ぼくたちみんなすぐ後ろにいるからな」

彼女はうなずき、壁に掛かるあたらしい大きな鏡に向かった。庭や川から射す光にその姿が浮かび上がった。フードをずらし、真珠のネックレスを直し、いたずらっぽい晴れやかな笑みを浮かべようとした。「支度できたわ」

王妃にするように彼女に道を空けた。頭を高く掲げてドアに向かう彼女に、ジョージとわたしは素早く目を見交わした。主役をステージに押し出す脇役さながらに、彼女の後につづいた。

御座船《ござぶね》に乗って競技を見物している夫が、わたしにほほえみ、隣りの席を空けてくれた。

ジョージは若い廷臣たちの輪に加わった。フランシス・ウェストンもそのなかにいた。アンは王の隣りに席を占めた。あだっぽい顔の傾げ方や彼に送る流し目から、彼女が完全に自分を抑え、彼をふたたび支配下におさめたことがわかった。

「食事の前に庭園を散歩しないか」夫が耳元でこっそり言った。

わたしは警戒した。「どうして？」

彼が笑った。「まったく、きみたちハワード一族ときたら！　きみと一緒にいたいからだ、きみにそれを望んでいるからだ。ぼくたちは夫婦で、これから夫婦として暮らしていくことになるかもしれないからだ」

わたしは苦笑した。「忘れていませんわ」

「喜んで待ち望むことを学んだらどうだ？」

「そうですわね」

彼は、午後の日差しに輝く水面に目をやった。お仕着せ姿の漕ぎ手を乗せた貴族のボートがスタートの合図を待ち構えている。喇叭のようにオールを高く構える姿が華やかだ。みなの視線が集まると、国王は真紅のシルクのハンカチを取り出してアンに渡した。アンは御座船の縁に立ち、ハンカチを頭上に掲げた。一瞬の間をとり、みなの視線を自分に引き付ける。ウィリアムと並んで座るわたしからは横顔が見えるだけだ。フードを後ろにずらしているから仰向けた顔もあらわで、白い肌が喜びに輝き、ダークグリーンのガウンがその胸とほっそりしたウェストにぴたりと添っている。まさに欲望の化身。彼女が真紅のハンカチを落とすと、オールが水を掻きボートが飛び出した。彼女は王の隣りの席に戻らなかった。その瞬間は王妃の務めを忘れ、手摺りから身を乗り出し、シーモア家のボートの前をゆくハワード家のボートを見つめた。

「行け、ハワード！」彼女が叫んだ。「行け！」

岸の歓声から彼女の叫びを聞き取ったかのように、漕ぎ手は漕ぐスピードをあげた。ボートがぐっと前に出てとまり、またぐっと前に出る。シーモア家のボートより速いテンポで。わたしも立ち上がっていた。みなが体面も忘れ、船の片縁に群がってひいきの一族を応援したので、御座船はあぶなっかしく傾いだ。王はアンのウェストに腕をまわし、少年のように大声で笑いながら見物していた。むろん特定の一族の名を叫ぶようなことはしないが、心の中ではハワードが勝つことを念じているのだろう。腕の中の女を喜ばせるために。

水滴と光を飛び散らせてオールが素早く動き、彼らはシーモアのボートを半艇身リードしていた。太鼓と喇叭の音が響き渡り、シーモア一族は敗北を知った。わたしたちがボートレースに勝った。王国で最高の地位に昇るレースに勝ったのだ。国王の腕の中で玉座を見据えるのは、わが一族の娘だ。

ウルジー枢機卿が帰郷した。婚姻無効宣告を手に意気揚々の帰国ではなく、面目を失い、ヘンリーと二人きりで話をすることもかなわなかった。宴会で供されるワインの量から、フランスやスペインとの和平協定の条項まで、すべてを取り仕切ってきた男が、共同君主のように並んで座るアンとヘンリーの前で報告を行わねばならなかった。かつてその不貞操を咎め、高望みのしすぎだとなじった娘が、イングランド国王の右側に座り、彼の言うことは承服しかねると言いたげに目を細め、じっと見つめていた。

老獪な廷臣である枢機卿は、驚きをいっさい顔に表さなかった。アンに向かってにこやかにお辞儀し、報告を行った。アンもにこやかにほほえみ、身を乗り出してヘンリーの耳に毒を吹き込み、また耳を傾けた。

「役立たず!」彼女が鼻息も荒く部屋に戻ってきた。わたしはベッドに足を投げ出して座っていた。ロンドン塔のライオンみたいに窓辺からベッドへと足早にやってくる彼女を見ながら、わたしはぼんやり考えた。磨き抜かれた床板に彼女の足跡が残ったら、遺物やしるしを好む人に見せてやれるのに。さしずめ〝時間と闘うアンの受難〟とでも題して。

「彼はぼんくらよ。どうにもなりゃしない!」

「彼はなんて言ってるの?」

「教皇を捕らえ、ヨーロッパの半分を掌中におさめる男の叔母を片付けるのは難事業だって。神の御心にかなない、戦争となれば、スペインのカルロスはイタリアとフランスの連合軍に打ち負かされるだろう。そうなったらイングランドは支持を約束しなければならないが、兵も矢も無駄にするつもりはないだって」

「それまで待つの?」

彼女は両手を突き上げて叫んだ。「待つ？　とんでもない！　待てないわよ！　枢機卿は待てるでしょうよ！　ヘンリーは待てる！　でも、わたしはその場で踊りつづけなければならないのよ。なんの進展もないのに、あるように見せかけなければならないの。なにかが起きるという幻想を保ちつづけ、ますます情熱的に愛されていると、ヘンリーに思わせなければならない。物事はよくなる一方だと、彼に信じ込ませなければならないの。それも、生まれたときから、最高のものを持つべきだとまわりから言われつづけてきた王に対して。クリームと金と蜂蜜が与えられて当然の男に、〝待て〟とはとても言えない。わたしはどうすればいいの？　なにをすればいい？」

ジョージがいてくれたらと思った。「あなたならできるわ。いままでどおりにすればいいのよ。これまで立派にやってきたじゃない、アン」

彼女は歯軋《はぎし》りした。「解決がつく前に、わたしは年老いて萎びてしまうんだわ」

彼女の手をやさしく取り、大きなヴェネツィアガラスの鏡に向かわせた。「見てごらんなさい」

美しい自分を見ることが、アンにはつねに慰めだった。いまも立ち止まり、大きく息をついた。

「そのうえあなたは頭がいい。彼がいつも言ってるじゃない。あなたは王国一切れる頭脳の持ち主だ。男だったら枢機卿に任じていただろう」

アンは残忍な笑みを浮かべた。「ウルジーがさぞ喜ぶでしょうね」

わたしもほほえんだ。鏡の中に二人の顔が並んでいた。顔立ちも色合いも表情も対照的な二人。「そうね」わたしは言った。「でも、ウルジーにできることはなにもないわ」

「いまでは、事前に約束をとらなければ国王に会うこともできない」彼女がほくそえんだ。

「わたしがそう仕向けたの。以前のように親密に二人だけで言葉を交わすことはできない。わたしのいないところでは、なにも決められない。事前に国王に知らせ、わたしに知らせなければ、彼は国王と会見するため宮廷にやってくることもできないのよ。彼は権力の座から押し出され、わたしがそこにおさまった」

「あなたは立派にやってきたわ」わたしは言った。彼女を宥《なだ》める言葉が、わたしには吐き気を催させる。「前途洋々じゃないの、アン」

一五二七年冬

ウィリアムとわたしの日常は家庭的と言えるほど穏やかなものだったが、あくまでも王とアンを中心に回っていた。夜はアンとおなじベッドで休み、生活を共にするのはあくまでも彼女とだった。世間的には二人とも王妃の侍女、それ以上でもそれ以下でもない。

でも、アンは朝から晩まで王と一緒だった。新婚の花嫁のように、首席相談役のように、はたまた親友のように彼にべったり付き添っていた。私室に戻るのは着替えるときだけ、あるいは王が礼拝に出席しているあいだや、供を連れて馬で遠出しているあいだ、ベッドに横になって休息をとるだけだった。そういうときは、精根尽き果てたように黙って横になっていた。天蓋を見上げる虚ろな目はなにも見ていない。病人のように呼吸はゆっくりで規則正しかった。口をきくこともない。

こういうときは、一人にしておくにかぎる。果てしない公務の疲れをとる時間が必要だ。王に対してだけでなく、彼女に視線を向けるすべての人にたいし、つねに魅力的でなければならない。ほんの一瞬でも溌剌さが失われたように見えたら、噂の嵐が宮廷に吹き荒れ、彼女を、わたしたちを呑み込んでしまう。

彼女がベッドから起き出して王のもとに行くと、わたしはウィリアムと過ごした。わたしたちはまるで赤の他人のように顔を合わせ、彼がわたしに求愛する。疎遠にされた夫が、道を踏みはずした妻にする求愛は、なんとも奇妙で、なんとも単純で、なんともやさしかった。彼は小さな花束や、ヒイラギの小枝や、イチイの薄バラ色の実を贈ってくれた。金メッキのブレスレットを贈ってくれた。わたしのグレーの瞳や金髪を讃えるかわいらしい詩を書き、恋人に対するようにわたしの愛を求めた。アンと一緒に馬で出掛けるときには、鐙革《あぶみかわ》に手紙が括りつけてあった。夜、アンと共にベッドに入ろうとすると、金色の紙に包んだお菓子が置いてある。ささやかな贈り物や手紙を山ほど寄越し、晩餐会や射的場で出会ったり、テニスコートで試合を観戦するとき、彼はこちらに体を傾けて耳元でささやく。

わたしは長年連れ添った妻ではなく、あたらしい恋人のようにクスクス笑いながら、そっと人込みから離れる。しばらくして彼も抜け出してきて、嬉しそうに言う。グリニッジ宮殿の西壁にある彼の寝室で二人だけになる。彼はわたしを抱き、だから、きみのしたいようにすればいい」

「ぼくの部屋に来てくれ、女房どの」

わたしは長年連れ添った妻ではなく、あたらしい恋人のようにクスクス笑いながら、そっと人込みから離れる。しばらくして彼も抜け出してきて、嬉しそうに言う。グリニッジ宮殿の西壁にある彼の寝室で二人だけになる。「あまり時間がないんだ、いとしい人、ほんの一時間ほどしか。だから、きみのしたいようにすればいい」

彼はわたしをベッドに横たえ、きつい胸飾りの紐をほどき、乳房を揉み、お腹を撫で、彼が考え付くあらゆる方法でわたしを喜ばせようとする。そしてついに、わたしは叫ぶ。「ああ、ウィリアム！ いとしい人！ あなたがいちばんよ、あなたが最高だわ、あなたほどの人はいない」

その瞬間、年齢を問わず褒められた男が浮かべる笑みを浮かべ、わたしの中に自分を解き放ち、震えながらため息をついてわたしの肩に憩う。

わたしにとっては、欲望を満足させるためのもの。それに多少の打算もある。アンがしくじれば、ブーリン一族はみな失脚する。そうなったとき、自分を愛してくれる夫がいるのはありがたい。地位も富もある、ノーフォークのハンサムな領主が。それに、子どもたちは彼の家名を継いでいるから、彼がひと声かければ家に引き取ることができる。子どもたちをそばに置いておけるなら、たとえ悪魔に対してだって、あなたが最高、あなたほどの人はいない、と言える。

クリスマスの祝宴のあいだ、アンは陽気にはしゃいでいた。朝まで踊り明かせる、誰にもとめられやしない、という勢いで踊り、負けても大丈夫、王妃の財産があるから、という勢いで賭けに興じた。わたしやジョージとは暗黙の了解ができていて、こっちが勝ってもあとからこっそりお金を返した。でも、王が相手だと、彼女が苦労して稼いだ金は王の懐に入ったまま戻ってこない。そのうえ、王と勝負すれば、かならず負けなければならない。王はほかの人間が勝つのが大嫌いだ。

王は彼女に贈り物と名誉の大盤振る舞いをして、すべての踊りの相手をさせた。仮面劇では、かならず彼女が王妃を演じた。だが、テーブルの上座に座るのはいまもキャサリンで、アンにほほえみかけるその目がこう言っていた。わたくしの代理として名誉を受け取らせてあげているのです。彼女の隣りでは、ほっそりして色白のメアリー王女がほほえみ、この足取りの軽い王位僭称者を興味津々の顔で見つめていた。

「あの子、大嫌い」夜、ドレスを脱ぎながらアンが言った。「両親のどちらにも似ている、まんまるな顔の小娘」

わたしは言葉に詰まった。アンと口論してもはじまらない。メアリー王女は類稀なかわいい娘に成長していた。人格と意志がはっきりと表れた顔は、どこからどこまで母親に生き写しだ。彼女に見つめられると、自分がヴェネツィアガラスの透明な窓ガラスになった気がした。その奥にあるものを、彼女は見透かそうとする。わたしたちを妬む素振りはいっさい見せない。父親の関心を奪うライバルとも、母親の座を脅かす危険な存在とも思っていないようだ。わたしたちは軽い女、慈悲の風が吹けば飛んでいってしまう空疎な存在にすぎない。

才気煥発で、十一歳にして英語とフランス語、スペイン語とラテン語で冗談が言えた。アンは頭の回転が速く博識だが、教養という点で若い王女には及ばず、それが嫉妬の種になった。王女は母親の貫禄を受け継いでいた。アンが王妃になったとしても、成り上がりの子は成り上がりの子だ。メアリー王女は、わたしたちが夢に見るだけの特権を、生まれながらに与えられていた。わたしたちがいくら学んでも身につけられない自信を備えていた。この世における自分の地位に対する絶対的な確信から生まれる品格を備えていた。アンが憎むのも無理はない。

「気にすることないわよ」わたしは慰めるように言った。「さあ、髪を梳いてあげる」

軽く扉を叩く音がして、「どうぞ」と言う前にジョージが滑り込んできた。

「妻に見つかったらどうしようと思って」彼が言い訳するように言った。ワインの瓶と白目のカップ三つを掲げてみせる。「今夜の彼女はダンスをしたもんで、すっかり熱くなっててね。ベッドに行こうとしつこくてさ。ここに来ていることがばれたら、騒ぎたてるにちがいない」

「きっとばれてるわよ」アンがワインのグラスを受け取り、言った。「あの女が、見逃すわけがない」

「あいつはスパイになるべきだな。姦通が専門のスパイなんてお誂え向きだ」

わたしはクスクス笑いながら、ジョージにワインを注いでもらった。「あなたを見つけ出すのに技術はいらないわ。いつだってここにいるんだもの」

「ぼくが自分でいられる唯一の場所さ」

「売春宿ではなく?」わたしは尋ねた。

彼は頭を振った。「もう行っていない。そっちのほうの興味は失った」

「恋をしているの?」アンが皮肉っぽく尋ねた。

驚いたことに、彼は目をそむけ、赤くなった。「ぼくが、じゃない」

「どういうこと、ジョージ?」わたしは尋ねた。

「あることと、ないこと。きみたちに言えないあること、ぼくに出来ることはなにもないってこと」

「宮廷の誰か?」アンが興味を惹かれて尋ねた。

彼は炉辺にスツールを引っ張ってゆき、燠をじっと見つめた。「話してもいいけど、誰にも言わないって誓ってもらわなくちゃ」

わたしたちはうなずいた。なんでも知りたがるところは、やはり姉妹だ。

「それだけじゃない。ぼくが去ってから、二人であれこれ話さないと誓ってくれ。陰であれこれ言われるのは嫌なんだ」

今度は二人ともためらった。「わたしたちの間でも話さないって誓えって?」

「そうさ、でなければ話さない」

ためらったけれど、好奇心には勝てない。「わかったわ」アンが言った。わたしもおなじ気持ちだ。「誓います」

若々しいハンサムな顔をくちゃくちゃにして、彼は上着の袖に顔を埋めた。「ぼくは男に恋をしている」

「フランシス・ウェストンね」わたしは即座に言った。

彼の沈黙が、わたしの推測を裏付けた。

アンの顔に驚きと恐怖が浮かんだ。「彼は知っているの？」

ジョージは刺繍を施した紅のベルベットの袖に顔を埋めたまま頭を振った。

「ほかに知っている人は？」

茶色の頭がまた横に動いた。

「それなら、ぜったいに悟られるようなことをしてはだめよ。誰にも言わないこと」アンが命令した。「人に話すのは、わたしたちにもよ、これが最初で最後にしなくちゃ。彼のことを心からも頭からも締め出して、二度と彼に会わないこと」

ジョージが顔をあげた。「どうにもならないことは百も承知だ」

アンの助言は兄のためではない。「わたしを危険に曝すことになるのよ。あなたのせいで一族の面子《メンツ》が潰れたら、王はわたしと結婚しないわ」

「そういうことか？」彼が急に怒り出した。「心配なのはそのことか？　ぼくが愚かにも罪深い恋をしたことじゃないんだな。ヘビ女と結婚して、罪作りな相手に恋をして、二度と幸せにはなれないことじゃないんだな。大事なのは、ミストレス・アン・ブーリンの評判が損なわれないこと、それだけなんだな」

アンが飛び掛かった。爪で顔を掻き毟られる前に、ジョージがその手を掴んだ。「わたしはどうなの！　わたしが愛を諦めなかったと？　心が張り裂ける思いをしなかったと？　あのとき、それだけの価値があると言ったのはあなたじゃなかった？」

アンはジョージの手を振りきって言い募った。「メアリーはどうなのよ！　みんなで寄ってたかって彼女を夫から引き離し、わたしを愛する人から引き離さなかった？　今度はあなたが諦める番よ。わたしが愛する人を失ったように、メアリーが夫を失ったように、あなただって最愛の人を失うべきだわ。めそめそしないでよ。わたしの愛を殺したくせに。一緒に葬ったくせに。もう跡形もない」

ジョージと取っ組み合うアンを、わたしが後ろから掴んで引き離した。彼女が不意に抵抗をやめ、三人とも立ち竦んだ。仮面劇が一転、活人画に変わった。わたしはアンのウェストに抱きつき、ジョージは彼女の手首を掴み、アンは彼の顔から数インチのところまで手を突き出して。

「いやはや、なんて家族なんだろう」彼が感嘆の声をあげた。「まったく、ぼくたちはどうなっちまったんだ？」

「それを言うなら、これからどうなっていくんだろう、でしょ」彼女が刺々しく言った。

ジョージが彼女と目を合わせてゆっくりとうなずいた。誓いの言葉に耳を傾ける人のように。「ああ」ため息まじりに言った。「肝に銘じておくよ」

「あなたは愛を諦めるの。彼の名を二度と口にしないこと」

力なく、またうなずいた。

「それからこれも肝に銘じておいて。わたしが王妃の位につくこと以上に大事なことはないのよ」

「肝に銘じておく」

わたしは体を震わせ、彼女から手を離した。ささやき声の誓約は、アンとの約束というより、悪魔への誓いに聞こえた。

「そんな言い方しないで」

二人ともこっちを向いた。よく似ている。ブーリン家の茶色の瞳、まっすぐな長い鼻、小生意気で小さな口。

「命には代えられないわ」わたしは冗談めかして言った。

二人とも笑わなかった。

「代えられる」アンがぽつりと言った。

一五二八年夏

アンは踊り、馬に乗り、歌い、賭けをやり、船遊びをし、ピクニックに出掛け、庭園を散歩し、活人画の演者となった。心配事はなにもないというふうに。顔色はますます青くなり、目の下のくまはますます黒くなり、落ち窪んだ目元を隠すため化粧をしはじめた。体重がどんどん減るのでガウンの紐をゆるく結び、胸を以前のように豊かに見せるため詰め物をした。彼女のガウンの紐を結んでいると鏡越しに目が合った。彼女はどこから見てもわたしの姉だ。何歳も年上の姉。

「疲れたわ」彼女がささやいた。唇も青かった。

「だから言ったでしょ」わたしは同情のかけらもなく言った。

「あなたに彼を繫ぎとめるだけの才気と美貌があったら、おなじことをしてたでしょうよ」

わたしは身を乗り出し、彼女の顔に顔をちかづけた。こうすれば、わたしの頰の艶や目の輝きが彼女にも見えるだろう。やつれて青ざめた彼女の顔と並ぶと、わたしの顔色がよけい引き立つだろう。「わたしに才気と美貌がない?」

彼女はベッドに体を向けた。「休むわ」つっけんどんに言う。「出て行って」

彼女がベッドに入るのを見届け、わたしは部屋を後にした。石の階段を駆け下りて庭園に出た。よく晴れた日だった。太陽は輝き、川面を煌めかせている。海に出るのに潮が満ちるのを待っている大型の船のあいだを縫うように、小さなボートが行き交っていた。川から微風が吹き寄せ、手入れの行き届いた庭園に潮と冒険の香りを運んできた。雛壇式庭園の下の壇を夫が二人の男と歩いているのが見えたので、手を振った。

彼は連れに暇を告げてやってきた。階段で足をとめ、わたしを見上げる。

「ごきげんいかがかな、レディ・ケアリー？　あいかわらず美しい」

「ぼくなら元気だ。アンは？　国王はどこに？」

「ごきげんいかが、サー・ウィリアム？」

「彼女は部屋にいます。国王は遠乗りにお出掛けに」

「つまり、きみは自由なんだね？」

「空を飛ぶ小鳥のように」

彼が意味ありげな笑みを浮かべた。「ご一緒願えませんか？　散歩でも」

彼の目が興奮で輝くのを見て満足を覚えながら、わたしは階段をおりていった。「喜んで」

彼の腕に手を預けてそぞろ歩く。彼はわたしに歩調を合わせ、前屈みになって耳元でささやいた。「きみは最高のご馳走だ。そんなに遠くまで歩きたくないと言ってくれたまえ」

前を向いたままクスクス笑わずにいられなかった。「庭園に出てきたわたしを見た人がいたら、そそくさと戻ってきてといぶかしく思うわ」

「ああ、だが、夫に従うのであれば」彼がうまいことを言う。「天晴れな妻と思われる」

「ご命令とあらば」

「命令する。断じて命令するぞ」

彼のダブレットの縁取りの毛皮を手の甲でそっと撫でた。「従うほかはないわね」

「よろしい」彼は庭園の小さな扉のひとつに案内し、背後で扉が閉まったとたんわたしを抱き締めてキスした。それから彼の寝室へと連れてゆかれ、午後いっぱい愛を交わした。その間、幸運なブーリンの娘、寵愛を受けるブーリンの娘、アンは、一人寝のベッドで恐怖に臥せっていた。


その晩は、余興とダンスの夕べだった。いつものようにアンが主演を務め、わたしは踊り手の一人だった。銀色のガウンを着たアンは、いつも以上に青ざめて見えた。かつての美しい娘の亡霊のような姿に、さすがの母も気づいたようだ。出番を待つわたしを、母は指を曲げて脇に呼んだ。

「アンは具合が悪いの？」

「いつものとおりです」わたしは無愛想に言った。

「休むように言いなさい。美貌を失えばすべてを失うことになる」

わたしはうなずいた。「休んでいますわ、お母さま」わたしは慎重に言った。「ベッドに横になってはいても、恐怖から逃れる術はありませんもの。もう行かなければ。わたしの番がきました」

彼女はうなずいた。広間をぐるっと回って、仮面劇に出演した。わたしの役は、西の空から落ちてきて地上に平和をもたらす星だ。イタリアの戦争に関係する台詞があり、そのラテン語を知ってはいたが、わざわざ意味まで知ろうとは思わなかった。アンが顔をしかめたので、発音を間違ったのだとわかった。恥ずべきなのだろうが、夫のウィリアムはわたしにウィンクして笑いを堪《こら》えていた。彼とベッドを共にする暇があったら、台詞の練習をすべきだった。彼もそれをわかっているのだ。

ダンスが終わると、頭巾と仮面をつけた数人の男が登場し、相手を選んでダンスをはじめた。王妃は驚いていた。いったい誰なの？　わたしたちはみな驚いていたが、誰よりも驚いた様子のアンは、ひときわ背が高くがっちりした男に踊りに誘われると笑みを浮かべた。踊りは真夜中までつづき、仮面がとられ、相手が王だとわかると、アンはびっくりした自分に声をあげて笑った。踊ったせいで上気していてさえ、彼女の顔は青白かった。

わたしたちは一緒に自室に引き揚げた。階段でつまずく彼女に手を貸すと、その肌は冷たく汗でじっとりしていた。

「アン、気分が悪いの？」

「疲れただけ」彼女が弱々しく言った。

部屋で化粧を落とした彼女の顔は、上質皮紙《ベラム》のように蒼白だった。体を震わせ、顔を洗うのも髪を梳《す》くのも嫌がった。ベッドに倒れ込み、歯をガチガチいわせている。わたしは召使いをジョージのもとに走らせた。ナイトシャツの上にケープを羽織って、ジョージがやってきた。

「医者を呼んで」わたしは言った。「ただの疲れではないわ」

彼は部屋の中を覗き込んだ。アンは何枚も重ねた上掛けを肩までかぶり、肌は老嬢のように黄ばみ、寒さに歯を鳴らしていた。

「なんてことだ、汗かき病だ」彼はペストのつぎに恐ろしい病の名を口にした。

「わたしもそう思うわ」

彼は目に恐怖を浮かべてわたしを見た。「もし彼女が死んだら、ぼくたちはどうなるんだ?」

汗かき病が宮廷内で猛威を振るった。ダンスをした人のうち六人が床に臥し、一人はすでに亡くなっていた。アンの召使いも、ほかの六人の召使いと同居する部屋でぐったりしていた。医者からアンに薬が届くのを待っていると、ウィリアムから手紙がきた。汗かき病に罹《うつ》ったので自分にはちかづくな、アロエのエッセンスを入れた湯に浸かるとよい、きみに感染っていないことを神に祈っている、と書いてあった。

彼を私室に訪ね、戸口から話をした。アンと同様に顔は黄ばみ、毛布を何枚もかぶりながら寒さに震えていた。

「中に入るな」彼が命じた。「ちかくに来るな」

「世話をしてもらっているの?・」

「ああ、ノーフォークまで馬車を手配するつもりだ。家に帰りたい」

「数日待って、快復してからにしたら」

ベッドからわたしを見る彼の顔は苦痛に歪んでいた。「ああ、ぼくの愚かな幼妻よ。待ってはいられないんだ。ヒーヴァー城にいる子どもたちの面倒をみてやってくれ」

「もちろんですとも」わたしは言った。彼はなにが言いたいのだろう。

「子どもができたと思うか?・」

「まだわかりませんわ」

ウィリアムは願いごとをするようにしばらく目を閉じていた。「なにが起ころうと神さまの思し召しだ。でも、ケアリー家の子をきみに産んで欲しかった」

「これから時間はいくらでもあります。あなたが快復したら」

彼は小さくほほえんだ。「ぼくもそう思っているよ、かわいい奥さん」彼はやさしく言ったが、歯はカチカチ鳴っていた。「ぼくがしばらく宮廷にいないあいだ、自分を大切に、子どもたちをよろしく頼む」

「もちろんですわ。でも、よくなり次第、戻ってくるのでしょう?・」

「快復したら、すぐに戻ってくるよ。きみはヒーヴァー城に行き、子どもたちと一緒にいるんだ」

「行かせてもらえるかどうか」

「きょう行くんだ。汗かき病にやられた人の数がわかれば、宮廷は大騒ぎになる。大変なことになるんだ、いとしい人。ロンドンは大変なことになる。ヘンリーは一目散に逃げ出すだろう。ぼくの言うとおりにしろ。一週間かそこらは、誰もきみを探しはしない。田舎で子どもたちといれば、きみは安全だ。ジョージを見つけ出して送ってもらえ。すぐに出発するんだ」

彼の言うとおりにしたい気持ちは山々だが、わたしはためらった。

「メアリー、なにがなんでもそうしてくれ。宮廷に病が蔓延しているあいだ、ヒーヴァー城で子どもたちの世話をしていろ。きみの子どもたちが汗かき病で母親と父親の両方を亡くしたら、悲惨なことになる」

「でも、どうしてそんなことを？　あなたは死なないわよね？」

彼はなんとか笑みを浮かべた。「むろん死なない。だが、きみが安全だとわかっていれば、家に帰る道々心安らかでいられる。ジョージを捜し出してぼくの命令だと言うんだ。きみを安全に送り届けてくれと」

わたしは半歩部屋に入った。

「それ以上ちかづくな！」彼がきつい声で言った。「行け！」

荒々しい口調だった。わたしは少しむっとして踵を返し、部屋を出て、後ろ手にドアをバタンと閉めた。気分を害したことを彼に伝えたくて。

それが生きている彼を見た最後だった。

ジョージとわたしがヒーヴァー城に逃れて一週間ほどで、アンがやってきた。無蓋の馬車に乗せられ、供もいなかった。着いたときには旅の疲れでぐったりしており、ジョージもわたしも自分たちで看病する勇気がなかった。イーデンブリッジから助産師を呼び、アンを塔の部屋に運び上げた。大量の食料とワインも運び上げたが、はたしてどれぐらいアンの口に入ったものか。国中が病に倒れた。元気な者もいつ罹るか恐怖に震えていた。ちかくの村に、親の看病のためメイドが二人宮殿からさがってきていたが、二人とも亡くなった。それは恐ろしい病だった。ジョージもわたしも、恐怖の汗にまみれて目覚め、起きているあいだも、自分たちは死ぬ運命なのだろうかと考えつづけた。

国王は病気の兆しが見えるとすぐにハンズドンに移った。そのことだけでもブーリン家にとって充分な痛手だった。宮廷は混乱のなかにあり、国は死に首根っこを押さえられていた。さらなる痛手は、キャサリン王妃が元気だったことだ。メアリー王女もつつがなく、夏のあいだ、二人は国王と旅をして回った。まるで彼らだけが神の祝福を受けているから、病の海の中でも無事でいられるかのように。

アンは病と闘っていた。国王を得ようと闘ったときとおなじ、勝ち目のない闘いに不屈の精神で臨み、しぶとく命にしがみついていた。王からラブレターが届いた。居所はハンズドンからティッテンハンガー、アンプトヒルと移っており、治療法をあれこれ書き記し、そなたを忘れてはいない、いまも愛している、と結んでいた。だが、離婚問題が進展していないのはあきらかだった。枢機卿本人が病に倒れているのだから。離婚はなかば忘れられ、王妃は王のかたわらにいて、愛娘は最良の話し相手であり、大いなる慰めだった。夏のあいだ、すべてが滞り、時間が飛ぶように過ぎることへのアンの焦りも絶望も、病を最大の恐怖とみなす男には届かなかった。しかもその男は、悲嘆の海の中で奇跡的に健康に恵まれていた。ブーリン家の強運のせいか、汗かき病はヒーヴァーにはおよばず、子どもたちもわたしも緑の畑や牧草地に守られ安全だった。ウィリアムの母から手紙が届いた。彼は望みどおりに家に戻ってから亡くなったそうだ。冷ややかな短い手紙で、これであなたはふたたび自由の身よ、おめでとう、と記されていた。わたしの結婚の誓いは、これまでにもなんの拘束力もなかったと思っているのだろう。

濠と石壁を見晴らす庭の気に入りの場所で手紙を読み、わたしが裏切った男に、最後の数か月は愉快な恋人であり夫であった男に思いを馳せた。彼をちゃんと認めたことは一度もなかった。彼は子どもと結婚し、少女と引き離され、女となって戻ってきた妻は、キスひとつにも打算が見え隠れしていた。

彼の死によってわたしは自由になった。再婚せずにすめば、ケントかエセックスにある家族の土地に小さな館を買うことができるかもしれない。自分のものと言える土地をもち、そこで作物が育つのを見守ることができるかもしれない。誰かの愛人でも、誰かの妻でもなく、ブーリン家の娘の妹でもなく、ようやく一人の自立した女になれるかもしれない。子どもたちを自分の手で育てることができるかもしれない。そのためには、どこからか金を調達しなければならない。ハワードかブーリンの男を、それとも国王を説得して年金を支給してもらえば、子どもたちを育て、自分も食べてゆける。田舎で未亡人としてつつましく暮らすなら、自分の小さな農園のあがりだけで暮らしていけるかもしれない。

「まさか、ほんとうにただの人になりたいわけじゃないんだろう」森を散歩しながら計画を話したら、ジョージは驚きの声をあげた。子どもたちは背後の木陰に隠れながら、こっそり後をつけてきていた。ジョージとわたしは二頭の鹿だ。ジョージは枝角代わりに帽子に枝を挿している。興奮したヘンリーがときどき洩らすクスクス笑いが聞こえてくる。姿を見られていないし、笑い声も聞こえていないと本人はかたく信じている。父親の扮装好きを思い出さずにいられなかった。彼もまた単純な仕掛けでみんなが騙されると思っていたのだろうか。いま、わたしは息子を甘やかし、木から木へと走る騒々しい足音も聞こえず、木陰から茂みに移動する姿も見えていないふりをしている。

「おまえは宮廷の人気者だったじゃないか」ジョージが言う。「立派な結婚をしたいと思わないのか？　父上や叔父上がふさわしい相手を選んでくれるさ。アンが王妃になったら、おまえはフランスの王子を選ぶことだってできるんだ」

「大広間でするのも、台所でするのも女の仕事に変わりはないでしょ」わたしは皮肉を込めて言った。「わたしだってよくわかっているわ。女はお金を稼げない。すべては夫や家長のもの。配膳室の召使いとおなじ。素早く、上手に仕えなければならない。彼がやると決めたことはすべて我慢し、彼がやっているあいだはにこにこしている。キャサリン王妃に何年も仕えて、その人生を見てきたわ。王女になりたいとも思わない。いくら持参金がつこうが。王妃にだってなりたくない。彼女が辱められ、誇りを傷つけられ、馬鹿にされるのを間近で見てきたもの。彼女にできるのは、祈禱台にひざまずいてささやかな助けを求めること。自分を負かした女にお辞儀して、ほほえむだけ。そんなのまっぴらだわ、ジョージ」

背後からキャサリンがわっと飛びついてきて、わたしのガウンを摑んだ。「捕まえた！捕まえたよ！」

ジョージが振り向いて彼女を抱き上げ、空に放り上げてからわたしによこした。彼女はすっかり重くなっていた。固太りの四歳の女の子は、太陽と木の葉の匂いがした。

「おりこうさんね。優秀な猟師だわ」

「娘のことはどうなんだ？」ジョージが尋ねた。「彼女がよい地位に就くことも断るのか？イングランド王妃の姪になるんだぞ。考えてみろ」

わたしはためらった。「女にもう少し力があったら」それはあこがれだ。「自分の権利をもつことができたら。宮廷にあがることは、台所でお菓子職人が働くのを眺めるようなもの。おいしそうなものに囲まれていても、なにも口にできない」

「だったらヘンリーは？」彼が誘うように言った。「おまえのヘンリーはイングランド国王の甥となり、息子であることは周知の事実だ。もしも（神よ許したまえ）アンが息子を産まなかったら、ヘンリーはイングランドの王位継承権を主張できるんだ、メアリー。おまえの息子は国王の息子なんだぞ。彼の跡継ぎになれるんだ」

そう思っても喜びは湧いてこなかった。こっそり森を覗き込んだ。わたしのずんぐりした坊やは、懸命に追いつこうとしながら、自分で作った狩りの歌を口ずさんでいた。「どうか神さま、あの子が安全でありますように」わたしの口から出たのはその言葉だけだった。「どうか神さま、あの子が安全でありますように」

一五二八年秋

アンは病に打ち勝ち、ヒーヴァーの澄んだ空気の中で体力を回復していった。病室から出てきた彼女に、それでもわたしは近寄らなかった。子どもたちに病気が感染《うつ》るのが怖かったからだ。そんなわたしを、彼女は笑い飛ばしたが、言葉には棘があった。宮廷からさっさと逃げ出した王に、彼女は裏切られた気分で、キャサリン王妃やメアリー王女と夏を過ごしたことに腹をたてていた。

涼しくなって汗かき病がおさまり次第、彼のもとに駆けつける覚悟だった。王妃の座へ猛進するアンの影で、自分が忘れられることを願った。

「わたしと一緒に来るのよ」アンがにべもなく言った。

わたしたちは濠のそばの気に入りの場所にいた。アンは石のベンチに腰掛け、ジョージは芝生に寝そべっていた。わたしは芝生に座ってベンチに寄り掛かり、子どもたちが生真面目な顔で水を撥ね飛ばすのを眺めていた。堤のまわりは水が浅いが、けっして目を離さなかった。

「メアリー！」アンの口調は鋭かった。

「聞いてるわよ」わたしは顔を向けずに言った。

「わたしを見なさい！」

彼女をちらっと見た。

「あなたはわたしと一緒に戻るのよ。あなたなしではやっていけないもの」

「わたしには訳がわからない――」

「ぼくにはわかる。信頼のおける同室者が必要なのさ。寝室の扉を閉めた後、彼女が泣いていると王妃に言いつけたり、激怒しているとヘンリーに言いつけたりしない同室者がね。彼女はずっと演じつづけている。巡業役者の一団と旅をしているようなもんだ。だから、気心の知れた人間にそばにいて欲しい。四六時中仮面劇をやってはいられない」

「そうよ」アンが驚いた顔で言った。「まさにそのとおり。どうしてわかったの？」

「フランシス・ウェストンはぼくの友人だからね」ジョージがずけずけと言った。「ぼく自身、自分が兄でもなく、息子でもなく、夫でもない相手が必要だからね」

「恋人でもない」わたしは即座に言い添えた。

彼は頭を振った。「ただの友達。でも、アンがおまえを必要とする気持ちはわかる。なぜなら、ぼくが彼を必要としているから」

「わたしには子どもたちが必要だわ」わたしは頑固に言った。「それに、アンはわたしがいなくてもうまくやっていける」

「妹としてのあなたに頼んでいるのよ」ひっかかりを感じ、わたしは彼女をしげしげと見ずにはいられなかった。病気が彼女から傲慢さをいくらか削ぎ落としたのだろうか。彼女の口調から、妹のやさしさを求める気持ちが伝わってきた。アンらしくもなく、ゆっくりと、それはゆっくりとわたしに手を差し出した。

「メアリー……わたし一人では無理なの」それはささやき声だった。「前のときには死にかけたわ。あのままつづけていたら、わたしの中のなにかが壊れていたと思う。わたしはまた宮廷に戻らなければならない。もう一度はじめからやり直すためにね」

「あそこまで努力しなければ、王を繋ぎとめられないの?」

アンはベンチにもたれ目を閉じた。その瞬間、華やかな宮廷でもっとも意志が強く、もっとも聡明な娘には見えなかった。己の恐怖の深淵を覗き、消耗し尽くした娘に見えた。「できない。わたしが知っている唯一の方法は、つねに最高であること」

手を伸ばして彼女の手に触れると、きつく握り返してきた。「一緒に行って助けてあげるわ」

「よかった」彼女が静かに言った。「あなたが必要なの。そばにいてね、メアリー」

宮廷に戻ると、またゲームがはじまった。国王はこのとき、ブライドウェル宮殿にいた。イングランドからの度重なる要求に辟易した教皇は、国王の結婚問題に最終決着をつけるため、イタリア人神学者カンペッジョ枢機卿をロンドンに送り込んだ。王妃はあらたな進展を脅威に感じるどころか、歓迎している様子だった。夏の太陽に焼けた肌は輝き、娘と過ごせた幸福に溌剌としていた。感染を恐れる王は、扱いやすい存在だった。国に蔓延する病気の原因について二人で話し合い、予防措置を講じ、特別な祈りを作ってすべての教会で唱えさせた。永きにわたって二人で統治してきた国の安寧を、一緒に心配した。王の心はアンから離れていなかったとはいえ、数多い病人の一人にすぎなかったあいだ、その魅力は失われていた。王妃はふたたび、危険なこの世界における唯一の信頼できる友に返り咲いた。

宮殿の王妃の居所に足を踏み入れた瞬間、わたしは彼女が変わっていることに気づいた。濃い赤のベルベットのガウンが、あたたかな肌の色によく映え、むろん若い娘には見えない——若返ることはけっしてできない——が、アンには逆立ちしても身につかない自信に溢れていた。

王妃はかすかに皮肉な笑みを浮かべ、アンとわたしを迎えた。わたしの子どもたちのことを尋ね、アンの健康について尋ねた。多くの命を奪った汗かき病がわたしの姉の命も奪っていたら、この国はもっとよくなると、彼女が一瞬でも思ったにしても、表情にはいっさい出さなかった。

理屈のうえでは、わたしたちはいまも彼女の侍女だ。わたしたちにあてがわれた謁見室も私室も、王妃のそれとおなじほどの広さがあったが。侍女たちは王妃の部屋からわたしたちの部屋へ、国王の謁見室へと蝶のように飛び回った。宮廷の厳しい秩序は破られ、なんでもありの気分が蔓延していた。王と王妃はあくまでも礼儀正しい間柄だった。教皇特使はローマからこちらに向かう途中だが、ことさらのんびりした道中だった。アンはたしかに戻ってきたが、王は彼女抜きで夏を楽しく過ごし、情熱は冷めたかに思われた。

事態がどう転ぶか誰にも予測がつかないので、人びとはまず王妃のご機嫌を伺ってからアンのところにやってくるという流れだった。逆の流れもあり、それはアンに賭けている人たちだ。ヘンリーが最後にはわたしや、元気に成長しつつある子どもたちのところに戻る、と言う人もいた。わたしはそんな噂を気にも留めなかったが、ヒーヴァー城にいるハンサムな男の子のことで、叔父が国王と冗談を言い合うのを耳にしてぎょっとした。

叔父がうっかりなにかをすることはぜったいにない。わたしもアンも、ジョージも、よくわかっている。アンはジョージとわたしを私室に呼び、攻め立てた。

「いったいどういうこと?」

わたしは頭を振ったが、ジョージはこそこそと彼女の顔を窺っていた。

「ジョージ?」

「おまえの星は浮き沈みが激しい」彼が気まずそうに言った。

「なにが言いたいの?」アンの口調は冷ややかだった。

「家族会議があった」

「わたし抜きで？」

　ジョージは負けた剣士のように両手をあげた。「ぼくは呼ばれた。でもなにも言わなかった。ひと言もね」

　アンと二人して詰め寄った。「わたしたち抜きで会っていたのね？　どんな話が出たの？　なにを企んでいるの？」

　ジョージは腕をいっぱいに伸ばしてわたしたちを押し戻した。「わかった！　わかったよ！　彼らにもどっちに飛べばいいのかわかっていない。どっちに向かえばいいのかわかっていない。アンを怒らせるのが怖いから、知らせたくなかったんだ。でも、おまえは運がいいことに未亡人になった、メアリー。そして、彼はこの夏でアンに関心を失った。おまえが彼の関心を自分に引き戻せないのではと、みんな心配しているんだ」

「彼は関心を失っていない！　誰もわたしに取って代わることはできない」アンは出し抜けにわたしをなじった。「あばずれ！　あんたが仕組んだのね！」

　わたしは頭を振った。「わたしはなにもしていないわよ」

「宮廷に戻ったじゃない！」

「あなたが無理にって言ったからでしょ。国王とはほとんど顔も合わせていない。言葉もろくに交わしていないわ」

　彼女はわたしから顔をそむけ、ベッドに顔を埋めた。わたしたちの顔を見るのが耐えられないと言いたげに。「でも、あなたは彼の息子を産んだ」泣き声になっていた。

「そのとおりだ」ジョージがやさしく言った。「メアリーは彼の息子を産み、いまや自由の身だ。国王は彼女で我慢するのではないかと、家族の者たちは思っている。彼がおまえたちのどちらかを選んでくれればいいんだ。彼が望めばメアリーと結婚できる」

アンは涙が筋を引く顔をあげた。

「どうでもいいのね？」彼女が苦々しげに言った。「前に進めと言われたらそのとおりにして、わたしの椅子を奪うつもりね」

「あなたがわたしの椅子を奪ったようにね」

アンは起き上がった。「こっちのブーリンの娘がだめなら、もう一人のブーリンの娘ってわけね」レモンを齧《かじ》ったような顔で彼女は笑った。「わたしたちはどちらかがイングランドの王妃になるかもしれないのに、家族にとってはどうでもいい存在なのよ」

アンはそれから数週間で王をまた虜にした。彼を王妃から引き離し、娘からも引き離した。彼を取り戻したことを、まわりは徐々に気づいていった。王のかたわらにはアンしかいなかった。

彼女が王を誘惑する様子を、未亡人のわたしはよそ事のように見守っていた。ヘンリーはアンにロンドンの屋敷を与えた。ストランド街のダーラム・ハウスだ。クリスマス・シーズンには、グリニッジ宮殿の馬上槍試合場に臨む部屋を与えた。議会は王妃に、華やかに着飾ることや人前に出ることを禁じた。カンペッジョ枢機卿が離婚の裁定を下すのは時間の問題であることは、誰の目にもあきらかだった。ヘンリーは晴れてアンと結婚し、わたしは子どもたちのところに戻り、あたらしい生活をはじめられるだろう。

わたしはいまもアンのいちばんの親友で、話し相手だった。十一月のある日、彼女がわたしとジョージを水量の増した川へ散歩に誘った。

「自分の行く末をちゃんと考えなければだめよ。夫を失った身なんだから」アンがベンチに腰掛け、わたしを見上げて切り出した。

「あなたが必要としているあいだは一緒に暮らして、それからヒーヴァーに帰るわ」わたしは慎重に応えた。

「王のお許しを取り付けてあげられるわよ。わたしへの贈り物の一環として」

「ありがとう」

「生活費も出してくれるよう頼んであげてもいいのよ。ウィリアムはほとんどなにも遺してくれなかったんでしょう」

「わかってるわ」

「王はウィリアムに年百ポンドの年金を払っていた。それをあなたが受け取れるようにしてあげる」

「ありがとう」

「ただし」アンは軽い口調で言い、寒風に襟を立てた。「ヘンリーを養子にしようと思っているの」

「なんですって?」

「ヘンリーを自分の息子にしようと思っているのよ」

わたしはただ驚いて、彼女を見つめるしかなかった。「あの子をかわいいと思ったこともないくせに」愛情深い母親という馬鹿な考えが頭に浮かんだ。「遊んでやったこともないくせに。あなたよりジョージのほうが、よっぽど一緒に過ごしてくれているわ」

アンは目をそらした。川やその向こうのシティの雑然とした家並みを見ていれば忍耐力が授けられるとでも言うように。「いいえ。あたりまえじゃない。あの子を養子にするのはそのせいじゃないもの。かわいいと思うから欲しいんじゃないわ」

だんだんわたしの頭が回転しはじめた。「つまり、ヘンリーの息子が欲しいのね。生まれながらにチューダーの子が。彼はあなたと結婚すれば、そのまま息子をもつことになる」

彼女はうなずいた。

わたしは踵を返し、乗馬靴で凍った砂利を踏みしめて二、三歩歩いた。懸命に考えた。「わたしから息子を奪えば、ヘンリーにとってわたしはそれほど魅力的ではなくなる。一石二鳥ってわけね。あなたは国王の息子の母親となり、彼の関心を惹くものをわたしから取り上げる」

ジョージが咳払いし、腕を組んで岸壁に寄り掛かった。我関せずの構えだ。わたしは怒りの矛先を彼に向けた。「知ってたのね?」

彼は肩をすくめた。「後から聞いたんだ。おまえがまた王の関心を惹くようになるかもしれない、と家族は思っているといきなり話したとたん、アンは行動に出た。父上や叔父上に話したときには、もう王の承諾を取り付けていたんだ。たいしたやり手だ、と叔父は思った」

喉が渇いたので唾を呑み込んだ。「たいしたやり手?」

「おまえは年金を受け取れるんだ」ジョージが穏やかに言った。「これでおまえの息子は王位にちかづくことになり、すべてがアンに有利になる。いい計画だと思うけどどな」

「わたしの息子なのよ!」悲しみに喉が詰まった。「市場に出されるクリスマスの鵞鳥じゃないの。売り物じゃないのよ」

ジョージが岸壁から離れ、わたしの肩に腕をまわした。「誰もあの子を売ったりしないさ。王子にしようとしているだけじゃないか。あの子のために権利を主張しようとしているんだ。つぎのイングランド国王になれるんだぜ。誇りに思わなくちゃ」

目を閉じると、冷たくなった顔に川風が当たった。気を失うか吐くかすると思った。なによりもそれを願った。病気になればヒーヴァーに帰されるから、子どもたちといられる。

「それで、キャサリンは? わたしの娘はどうなるの?」

「キャサリンは手元に置けばいいわ」アンがきっぱりと言った。「女の子だもの」

「わたしが断ったら?」ジョージの誠実な黒い目を見上げて言った。わたしに内緒にしていたとはいえ、信頼していた。

彼は頭を振った。「断れない。正式に決まったことなんだ。すでに署名捺印《なついん》されている。決まったことだ」

「ジョージ。わたしの息子なのよ。かわいい息子。わたしにとってあの子がどれほど大切なものか、知っているでしょう」

一撃を食らったような気がした。わたしはよろめき、ジョージの腕にもたれかかった。ちゃっかり黙りこくっているアンに顔を向けた。口元におよそひとりよがりの笑みを浮かべている。「すべてが自分のためなんでしょ?」心の底から憎いと思った。「すべて自分のものにしなきゃ気がすまないんですものね? イングランド国王を思いのままにしたからには、わたしの息子も自分のものにしなければならない。あなたって、兄弟雛をみんな食べてしまうカッコーの雛ね。あなたの野望のために、わたしたちはどこまで引き摺っていかれるの? みんなにとって、あなたは命取りになるわ、アン」

憎しみを浮かべたわたしの顔から、アンは目をそむけた。「王妃にならなければいけないの。そして、あなたはわたしを助けなければいけない。一族の発展のため、あなたの息子のヘンリーも一翼を担うのよ。そうすれば、彼の出世を後押ししてあげる。そういうものでしょ、メアリー。サイコロが転がるのに文句をつけるのは、馬鹿のやることよ」

「わたしがあなたと勝負するときには、サイコロに重しが仕込まれているのね。忘れないから、アン。死の床で思い出させてやるわよ。自分で男の子を産めないことを恐れて、わたしから息子を奪ったことをね」

「息子ぐらい産めるわよ! あなたにできたんだもの、わたしにできないはずがない!」

わたしは優越感に浸り小さく笑った。「でも、あなたは日に日に年老いてゆく」意地悪く言った。「国王もね。あなたに子どもが産めるかしらね？　わたしは多産体質だから、彼とのあいだにたてつづけに子どもを儲けた。その一人は神が地上にもたらしたもっとも美しい坊やよ。あなたに、わたしのヘンリーみたいな男の子が産めるものですか、アン。あの子に太刀打ちできるような男の子はけっして産めないって、自分でもよくわかってるんでしょ。自分には産めないってわかっているからこそ、わたしの息子を盗むんだものね」

彼女は、汗かき病がぶり返したように蒼白になった。

「やめろ」ジョージが言う。「やめろ、二人とも」

「二度といわないでよね」彼女が押し殺した声で言った。「わたしにとって、呪いになるから。わたしが落ちるときはあなたも一緒だから、メアリー。ジョージもね。一蓮托生よ。もう一度言ってごらんなさい、女子修道院に送ってやる。子どもたちと二度と会えなくしてやる」

彼女はさっと立ち上がり、毛皮の縁取りのあるブロケードを波打たせて踵を返した。宮殿への道を足早に進むその後ろ姿を見ながら、なんて危険な敵だろうと思った。ハワード叔父に、あるいは国王に言いつけにいくかもしれない。わたしに命令を下せる人間を、アンは牛耳っているのだから。息子を欲しがったように、わたしの命を欲しくなれば、叔父か国王のどちらかに言いさえすればいいのだ。

ジョージがわたしの手に手を重ねた。「気の毒に」気まずそうに言う。「でも、こうすれば、おまえの子どもたちはヒーヴァー城にいられるし、おまえも会いにいけるんだ」

「彼女はなんでも手に入れる。いつだってそうだった。でも、わたしはこのことでは彼女をぜったいに許さない」

一五二九年春

アンとわたしは、ブラックフライヤーズ修道院の広間のカーテンの陰に隠れ、法廷の様子を見守っていた。見守らざるをえなかった。なんらかの口実を設けてここにやってきた者はみな、固唾を呑んで見守っていた。前代未聞の法廷だった。イングランド国王と王妃の結婚を有効とする証言、ならびに無効とする証言を聞くためにこの場所が選ばれたのだ。それは尋常ならざる聴聞会であり、尋常ならざる出来事だった。

宮廷はブライドウェル宮殿に置かれていた――修道院のすぐ隣りだ。毎晩、ブライドウェル宮殿の大広間で共に食事をとり、毎日、ブラックフライヤーズ修道院の法廷に出廷し、二十年の長きにわたった結婚が妥当かどうかの証言に耳を傾けた。

大変な毎日だった。質素なドレスを身につけるようにという議会の命令に背き、王妃はもっとも豪華なドレスを身にまとっていた。まあたらしい真紅のガウンに金のブロケードのペチコートだ。ガウンの袖にも縁回《ふちまわ》りにも黒貂《くろてん》の毛皮があしらわれている。この二年ですっかりやつれて悲しげになった顔は、深紅のフードのせいで生き生きと見え、闘いに挑む覚悟をきめたのだろう、毅然としていた。

国王が呼び出され、結婚当初からその有効性に疑問を抱いていた、と述べると、王妃が横槍を入れ――ほかの誰にそのようなことができるだろう――これだけ長いあいだ、その疑問を一度も口にしなかったではありませんか、と理に適ったことを言った。国王は声を荒らげ、用意してきた陳述をつづけたが、すっかり動揺していた。

王妃に寄せる大きな愛ゆえにその疑問に蓋をしていたのだ。だが、不安な心をこれ以上ないがしろにすることはできない、と彼は言った。狩りの前に武者震いする馬のように、わたしのかたわらでアンが体を震わせた。「くだらない！」激しい感情のこもったささやきだった。

王の陳述に応えるよう王妃が呼び出された。廷吏が彼女の名前を呼びあげる。一度、二度、三度。かたわらで大声で呼ばれても、彼女はまったく無視した。頭を高く掲げてまっすぐヘンリーのもとへ向かい、その足元にひざまずいた。アンはカーテンから首を出した。「なにをしてるの？　あんなことするなんて」

法廷の奥に隠れていても、王妃の声は聞こえた。スペイン語訛りの強い英語が、一語一語はっきりと聞こえた。

「ああ、あなた」彼女はやさしく、親しげに言った。「わたくしがいつあなたに背きました？　神と全世界に対して、わたくしがあなたの慎ましく従順で正当な妻であったことを誓います。この二十年以上にわたり、わたくしはあなたの正当な妻として、多くの子どもを授かりましたが、神の御心によって召されてしまいました。わたくしは誰にも触れられたことのない、処女の身であなたに嫁ぎ――」

ヘンリーは椅子の上で身じろぎし、彼女を止めてくれと懇願するように上段を見回したが、王妃は彼の顔をひたと見つめたままだった。

「それが真実かどうかは、あなたの良心に委ねます」

「あんなことするなんて！」アンが信じられないという口調で言った。「弁護士に証言させるべきなのに。公の場で国王に話しかけることはできないはずよ」

「でも、そうしているわ」わたしは言った。

法廷は静まり返り、みなが王妃の言葉に耳を傾けていた。ヘンリーは玉座にもたれかかり、気まずさに青ざめていた。天使に立ちはだかられ、困っている太ったわがままな子どもみたいに見えた。王妃を見ながら、気がつくとわたしは笑っていた。彼女が発する一言一言によって、一族の大義が失われていくというのに、わたしは笑っていた。キャサリン・オブ・アラゴンは、宮廷の女たちを代弁している。夫がほかの女にうつつを抜かしたからという理由で、追い出されようとしている良妻を代弁している。台所と寝室と教会と出産室を結ぶ辛い道を歩むしかない女たちを代弁している。夫の気まぐれに振り回されるしかない女たちを代弁している。そう思ったら声をあげて笑いたくなった。

キャサリンがその申し立てを神と法律に委ねて話を終えると、法廷は騒然とした。枢機卿が木槌を叩いて静粛を求め、事務官が叫び、興奮は広間のそとの人びとに伝わっていった。修道院の閉ざされた門のそとに集まった人びとが、口伝えに彼女の陳述を伝え合い、イングランドの真の王妃、キャサリンを支持する声があがって大騒ぎとなった。

そして、かたわらのアンはわっと泣き出した。泣きながら笑った。「こうなったら食うか食われるかよ！　彼女の死を見届けさせてください、ああ、神よ、彼女がわたしに死をもたらす前に」

一五二九年夏

アンにとって勝利の夏になるはずだった。カンペッジョ枢機卿の法廷がようやく開かれ、王妃の主張がどれほど説得力があろうと、離婚が決まることは確実と思われた。ウルジー枢機卿は公然とアンを支持していたし、イングランド国王は彼女にかわらぬ愛を寄せていた。そして王妃は、ひとときの勝利をものにした後、宮廷に姿を見せることはかなわなくなった。

だが、アンは少しも嬉しそうではなかった。夏のあいだヒーヴァー城で子どもたちと過ごすため荷造りをしていると、彼女がやってきた。まるで地獄の悪魔に追われているような形相で。

「枢機卿の法廷が開廷中に、わたしから離れるなんてもってのほかよ。そばにいてくれなくちゃ」

「アン、わたしにはなにもできないのよ。法廷で耳にすることの半分は理解できないし、残りの半分は聞きたくもないことだもの。結婚の翌朝にアーサー王子が言った言葉だとか、大昔に召使いがした噂話とか。そんなの聞きたくもない。なんの意味もなさない」

「わたしが聞きたがっていると思ってるの?」

彼女の口調の激しさに、警戒すべきだったのだろう。「あなたは聞かなければね。いつも法廷にいるんだから」わたしは分別のあるところを見せた。「でも、じきに終わるんでしょ? 王妃はアーサー王子と結婚し、その結婚は完成されたのだから、彼女とヘンリーの結婚は無効だという裁定が下される。そういうことでしょ。どうしてわたしが残ってなくちゃならないの?」

「なぜなら、不安だからよ!」アンが突然大声をあげた。「怖いの! 怖くてたまらないのよ。わたしを一人にしないで、メアリー。あなたにそばにいて欲しいの」

「ねえ、アン」わたしは説得にかかった。「なにを怖がることがあるの? 法廷は真実を聞く場でも、真実を求める場でもない。ずっと国王の側近であったウルジーの支配下にあるんでしょ。この件に決着をつけろという教皇の命令を受けたカンペッジョの支配下にあるんでしょ。あなたの前にはまっすぐな道が敷かれている。ブライドウェル宮殿にいたくないなら、ロンドンの屋敷に行けばいいじゃない。一人で眠るのがいやなら、侍女が六人もいるじゃない。宮廷にあたらしくあがった娘と国王がどうかなるのが心配なら、彼に頼んでさがらせればいいじゃない。あなたの言うことなら、彼はなんでもしてくれるんでしょ。あなたが頼めば、みんながなんとかしてくれるんでしょ」

「あなたはしてくれない！」恨みがましい口調だった。

「する必要ないわ。わたしはブーリン家のもう一人の娘にすぎないもの。金もなく、夫もなく、あなたに頼らなければ未来もない。許しがなければ子どもにも会えない。息子もいない……」声が震えた。「でも、子どもたちに会いにいくことを許されたから行くつもりよ、アン。あなたには止められない。この世のどんな力をもってしても、止められない」

「国王になら止められるわ」

彼女に顔を向け、鉄のような声で言った。「いいこと、アン。もし国王に言ってわたしが行くのを阻止させたら、あなたのあたらしいダーラム・ハウスで首を吊るわよ。あなたの金のガードルでね。あなたを永遠に呪ってやる。いくらあなたでも太刀打ちできない大きな力が、この世にはあるの。この夏、わたしが、わたしの子どもたちに会うことを、あなたには止められない」

「わたしの息子よ」彼女がわざわざ言った。

わたしは怒りを呑み込んだ。彼女を窓から突き落としたい衝動をかろうじて抑えた。下のテラスの敷石で首の骨を折ればいい。息を吸い込み、なんとか自制した。「わかっているわよ。さあ、これからあの子に会いにいくわ」

王妃に暇を告げにいった。彼女は静かな居所に一人でおり、大きな祭壇布に刺繡をしていた。わたしは戸口でためらった。「陛下、お別れを申し上げにまいりました。夏のあいだ、子どもたちに会いにいきます」

彼女は顔をあげた。宮廷からさがるのに、もう彼女の許可はいらなくなったことに、二人とも気づいていた。

「子どもたちに会えて幸せね」

「はい」彼女は、去年のクリスマス以来会えないでいるメアリー王女のことを考えているのだ。

「でも、あなたの姉があなたから息子を取り上げたのね」

わたしはうなずいた。なにを口走るか自分が怖かった。

「ミストレス・アンは強い手を打ってきたわね。わたしの夫だけでなく、あなたの息子まで欲しがって。すべてが揃っていないといやなのですね」

顔をあげることもできなかった。目の奥に潜む深い怒りを、彼女に見られてしまうのが怖かった。

「夏にここを離れられてよかったです」わたしは静かに言った。「お暇をいただき、ありがとうございます、陛下」

キャサリン王妃は小さな笑みを浮かべた。「お付きの者なら大勢いますからね」彼女が皮肉っぽく言った。「まわりにあなたがいなくても、少しも困らないわ」

かつての賑やかさが嘘のように静まり返った部屋で、わたしは言う言葉が見つからずぎこちなく立っていた。「九月に戻ってきたら、また陛下にお仕えできればと願っております」

彼女は針を置いてわたしを見た。「もちろんできますとも。わたくしはここにおります。まちがいなく」

「そうですね」心にもないことを言った。

「あなたは礼儀正しい、申し分のない召使いでしたよ。若く愚かではあっても、よい娘でした、メアリー」

疚《やま》しさをぐっと呑み込んだ。「もっとやりようがあったのではと思います」低い声で言った。「陛下ではなく、ほかの人のために働かねばならず、申し訳なく思ったことがあります」

「ああ、フェリペスのことを言っているのね。ディア・メアリー、あなたが叔父上や父上、あるいは国王に言うだろうと思っていましたよ。あなたが手紙を読み、誰が使者かを知るだろうとわかっていました。ちがう港を見張らせるよう仕向けたのです。彼を捕まえたと思わせるようにね。彼は甥宛ての手紙を携えていました。わたくしがあなたをユダに選んだのです。裏切るだろうと思っていました」

わたしは真っ赤になった。「お許しくださいとは申せません」

王妃は肩をすくめた。「侍女の半分は、毎日、枢機卿か国王かあなたの姉に密告していますよ。誰も信じないことを学びました。これからずっと、誰も信じられないまま生きてゆくのでしょうね。友人に失望したまま死んでゆくのです。でも、夫には失望しません。いまあの方は間違った助言を与えられ、目がくらんでいます。でも、いずれ迷いからさめるでしょう。わたくしが妻であることは、あの方にはわかっているのです。わたくし以外の妻はもてないことを、ご存じです。わたくしのもとに戻ってこられます」

わたしは立ち上がった。「陛下、残念ですがそうはならないと思います。わたくしの姉に約束なさいましたから」

「与えたのはあの方の言葉ではない。あの方は妻帯者です。ほかの女になんの約束もできません。あの方の言葉はわたくしの言葉です。わたくしと結婚しているのですから」

わたしにはそれ以上言う言葉がなかった。「神のお恵みがありますように、陛下」

彼女は少し悲しげにほほえんだ。これがお別れだとわかっているかのように。わたしが戻るころには、もう宮廷にいないだろう。お辞儀すると、彼女はわたしの頭の上に手をかざして祝福してくれた。「神があなたに長寿と、子どもたちと過ごす喜びを与えてくださいますように」

ヒーヴァーに陽光が降り注ぎ、キャサリンはわたしたちみなの名前が書けるようになっており、小さなノートに書いてみせ、フランス語で歌を歌った。ヘンリーは〝r〟を〝w〟と発音する舌足らずなしゃべり方を頑なに直そうとしない。厳しく直させるべきなのだろうが、それがかわいらしくてつい甘やかしてしまう。彼は自分のことを〝ヘンウィー〟と呼び、わたしを〝ディアウェスト〟と呼ぶ。石の心をもった母親でなければ、間違いを指摘できない。それに、法律上はアンの息子だなどとは、とても言えない。盗み取られたなどとは、無理やり手放させられたなどとは、どうしても言えなかった。

ジョージは二週間滞在した。手負いの鹿を取り囲む猟犬のように、王妃が引きずりおろされる瞬間を待ち構える宮廷から離れられて、彼もほっとしていた。罪もない王妃の面目を失わせ、彼女が故郷と呼んでいた国から追い出す裁定を、枢機卿の法廷がくだすとき、ジョージもわたしもその場にいたくなかった。やがて、ジョージのもとに父から手紙が届いた。

ジョージへ

まずいことになった。本日、カンペッジョが、教皇抜きでは裁定はくだせないと言い出した。法廷は休廷となり、ヘンリーは怒りに青ざめ、おまえの妹は逆上している。われわれはじきに巡幸に出掛け、不興を買った王妃は後に残ることになった。おまえとメアリーはアンのそばについていてくれ。おまえたち以外に彼女の癇癪を抑えられる者はいない。

ブーリン

「わたしは行かないわよ」

夕食の後で、わたしたちは大広間でくつろいでいた。ブーリンの祖母は寝室に引き揚げ、一日かくれんぼやキャッチボールをして遊んだ子どもたちは、それぞれのベッドでぐっすり眠っていた。

「ぼくは行かなければ」ジョージが言った。

「夏は子どもたちと過ごしていいと言われたもの。約束だもの」

「アンがおまえを必要としているのなら――」

「アンはいつだってわたしを必要としているし、あなたを必要としている。いつだって、わたしたちを必要とする。不可能なことをしようとしているのよ――立派な女性を妻の座から追い出し、王妃の位から追い落とす。むろん軍隊が必要でしょうよ。謀反には軍隊が必要だわ」

ジョージは大広間の扉が閉まっていることを確認した。「気をつけろ」

わたしは肩をすくめた。「ここはヒーヴァーよ。だからヒーヴァーに来ているの。言いたいことが言えるから。わたしは病気だと言って。汗かき病に罹ったのかもしれないって。治り次第行きますって、そう言ってちょうだい」

「ぼくたちの将来に関わることなんだぞ」

わたしは肩をすくめた。「わたしたちは負けたのよ。みんな知っているわ。わたしたち以外はみんな。キャサリンは王を繋ぎとめるでしょう。そうあるべきだもの。アンは愛人になるのよ。わたしたちにイングランドの玉座は狙えない。この世代ではね。あなたは、ジェーン・パーカーがかわいい女の子を授けてくれることを願うべきよ。そしてその子を狼のねぐらに放り込み、誰が飛びかかるか見物したらいい」

彼は短く笑った。「ぼくはあす出発する。みんなして降伏するわけにはいかない」

「負けたのよ」わたしはにべもなく言った。「完敗したんだから、降伏するのを恥じることはないわ」

親愛なるメアリーへ

ジョージから聞きました。あなたが宮廷に戻らないのは、わたしが目的を果たせないと思っているからだそうね。そういうことを言う相手には注意することよ。ウルジー枢機卿は屋敷も土地も未来も失い、大法官の任を解かれ、破滅することになるわ。わたしの仕事でしくじったからよ。あなたもわたしのために働いていることを忘れないことよ。わたしはやる気のない召使いは許さないの。

王はわたしの言いなりです。わたしは二人の腰抜けの年寄りに負かされるつもりはないわ。わたしが負けると言うなんて、時期尚早だったわね。わたしはイングランドの王妃になるため命を賭けているの。そうすると言ったらかならずやるわよ。

アン

秋になったらきっとグリニッジ宮殿に戻ってきなさい。

アンがウルジーに対して言ったことはすべて現実となった。枢機卿失脚の裏工作に動いたのは、ハワード叔父と、王の親友で義理の弟のサフォーク公だった。ウルジーの莫大な財産をくすねようという魂胆もあったのだろう。

「彼を引きずりおろしてやるって言ったでしょ」アンは悦に入っていた。わたしたちは、ロンドンの彼女の屋敷、ダーラム・ハウスの謁見の間の窓腰掛けに座り、読書をしていた。窓辺に立って首を伸ばせばヨーク・プレイスが見える。枢機卿がかつて権勢を誇り、アンがヘンリー・パーシーをたぶらかした場所だ。

扉にノックがあった。アンが目顔でわたしに応えろと指示した。「どうぞ！」わたしは声を張り上げた。

王の小姓の一人、二十歳ぐらいのハンサムな若者だった。ほほえみかけると、彼はどぎまぎして視線を泳がせた。「サー・ハロルド？」わたしは上品に尋ねた。

「国王から美しいミストレスに贈り物です」若者はアンの前で片膝をついてお辞儀し、小さな箱を差し出した。

彼女は受け取り、開いた。満足そうに喉を鳴らす。

「なに？」わたしは好奇心を抑えきれずに尋ねた。

「真珠」彼女はそれだけ言い、小姓に顔を向けた。「謹んでお受けしますと陛下にお伝えして。感謝のしるしに今夜の正餐の席につけてまいります」彼女は内輪の冗談を口にしたようにほほえんだ。「意地悪な恋人ではなく、やさしい恋人をおもちだとおわかりになるでしょう。そうお伝えして」

若者は厳粛な顔でうなずき、立ち上がってアンに深々とお辞儀し、わたしには付け足しのように軽く会釈して出て行った。アンは箱の蓋を閉め、わたしに投げてよこした。金の鎖にさがる大粒の真珠だ。

「あの伝言はどういう意味なの？」わたしは尋ねた。「意地悪でなく、やさしい恋人って」

「わたしは自分を彼に与えられない」商品の価値を熟知する小売商のようなすばやさで、彼女は言った。「けさ、彼と話をしたの。礼拝の後、私室に来て欲しいと彼が言ったけど、わたしは行くわけにはいかない」

「それで、なんて言ったの？」

「ついかっとなったの」彼女が正直に言った。「わたしを娼婦のように扱うつもりかって、毒づいてしまったのよ。わたしを辱め、自分を辱め、ローマから正式の決定を取り付ける機会を潰すつもりかってね。わたしは彼の妾だとまわりに思われたら、キャサリンの後釜にはなれない。あなたとおなじことになってしまうわ」

「ついかっとなった?」最悪の事態について尋ねた。「彼はどうしたの?」

「おたおたしていたわ」彼女が恨めしげに言った。「鍋が落ちてきて火傷《やけど》した猫みたいに、部屋からすっ飛んで出て行った。でも、その結果がこれよ。わたしに機嫌を損ねられるのが耐えられないのよ。彼を手玉にとるのなんてかんたん」

「いまのところはね」わたしは警告した。

「あら、今夜はやさしくしてあげるわよ。約束どおりにね。彼のためだけに、お洒落して歌って踊るの」

「それで、正餐の後は?」

「触らせてやるわ」気が進まない様子だ。「胸を撫でさせて、スカートの下に手を入れさせて。でも、けっしてガウンは脱がない。誰が脱ぐもんですか」

「彼を喜ばせるのね?」

「ええ。彼はしつこいし、逃れる術はないし。でも、ときどき——」窓腰掛けから立ち上がり、部屋の真ん中へと歩いてゆく。「彼はタイツを脱いで、あそこをわたしの手に押し付けてくるの。すごく嫌な気分。まるで辱められているようで、あんなふうに利用されるのって……」感情の昂ぶりに言葉が途切れた。「それから、彼は絶頂に達して愚かな鯨みたいに噴き出して、べたべたして気持ち悪いったらなくて……」握った拳を掌に打ち付ける。「もう、なんてことよ——わたしは赤ん坊が欲しくて、それなのに無駄にしている! わたしの手の中でだめになっていく。わたしのお腹におさまるべきものが! もう、どうしたらいいの!

罪であることは別としても、まるで常軌を逸しているわ！」

「まだ先があるじゃない」わたしは現実的なことを言った。

わたしを見る彼女の目はなにかにとり憑かれたようだった。「先なんてないわよ。いまは
わたしに触りたくてどうしようもないらしいけれど、もう三年も待たしているのよ。これか
らまだ三年待たねばならなかったら？　自分の容色をどう保っていけばいいの？　子を産む
能力をどう保っていけばいいの？　彼は六十になっても好色なままだろうけど、わたしはど
う？」

「彼に悪く思われない？　娼婦まがいのことをやって」

アンは頭を振った。「わたしに触られるだけで燃えるように、いろいろやっているもの。

彼がその気になりながら、同時に持ち堪えられるように、いろいろと」

「ほかにもできることはあるわよ」

「教えて」

「彼にあなたを見させるの」

「見させるって、なにを？」

「あなたが自分に触るところを、彼に眺めさせるのよ。彼はそういうの好きよ。それこそ涙
を流して興奮するわ」

彼女はひどく気詰まりな様子だ。「恥ずかしいわ」

わたしは短く笑った。「服を脱ぐところを眺めさせたら。一枚、一枚、ゆっくりと脱いで

ゆくの。最後にシュミーズをたくしあげて、指を自分のあそこに入れて、開いて、彼に見せてあげるのよ」

彼女は頭を振った。「そんなことできるわけ……」彼女が震えるのが愉快だったが、そんなことはおくびにも出さなかった。

「なんですって?」嫌悪感もあらわにわたしを見つめる。

「彼の前にひざまずき、彼のものを口に含むのよ。彼はそれも大好きよ」

「あなたはやっていたの?」彼女は鼻にしわを寄せて尋ねた。

まっすぐ彼女の目を見つめて言った。「わたしは彼の娼婦だったもの。そのおかげで、兄は王室役人になれたし、父は裕福になれた。仰向けに横たわる彼の上に覆いかぶさり、唇からはじまって隅々までキスしたわ。猫がミルクを舐めるように舐めていったわよ。それから、彼のものを口に含み、しゃぶった」

アンは、好奇心と嫌悪が綯い交ぜになった表情を浮かべた。「彼はそういうのが好きだった?」

「ええ」下品なほど率直に言った。「大好きだったわ。ほかのどんなことよりも大きな喜びを得ていたわ。あなた、そんなこと考えるのも耐えられないって顔をしているわね。好きなだけお高くとまっていればいいわ。でも、娼婦まがいのことをしてでも彼を繋ぎとめたいのなら、あたらしい娼婦の技を身につけて、うまくやってのけることね」

彼女が怒り出すかと思ったが、黙ってうなずいただけだった。

「王妃はけっしてそんなことしなかったんでしょうね」彼女が憤懣やるかたないという口調で言った。

「そうね」一瞬、これまでの恨みつらみを吐き出そうかと思った。「でも、彼女は王の愛する妻ですもの。彼は愛のために結婚したんだもの。あなたやわたしはただの娼婦」

アンが覚えた技は彼の怒りを鎮めたが、彼女自身は前よりもいっそう苛々していた。ある日、彼女の部屋の扉を開けると、いまにも爆発しそうな彼女の声が聞こえた。

わたしが入っていくと、ヘンリーがこちら向きに立っており、懇願するような表情を浮かべた。アンが彼をののしるのを聞いて、わたしは肝を潰した。こちらに背中を向けており、扉が開いたのにも気づいていない。怒りの激しさに目がくらみ、自分の大声以外なにも聞こえないのだろう。

「彼女ったら、いい、彼女ったら、いまだにあなたのシャツを繕っているのよ。それで、わたしを馬鹿にした。わたしの目の前でシャツを広げてみせて、このわたしに言いつけたの。針に糸を通してちょうだいって。侍女たちみんなの前で、針に糸を通せって。わたしをまるでお針子みたいに扱って」

「余は頼んだおぼえは……」

「そう？　どうしてかしらね？　彼女が夜中にあなたの部屋にこっそり入って、シャツを盗んだのかしら？　御寝所係官が盗み出して彼女に渡したのかしら？　それとも、あなたが夢中歩行して、シャツを彼女に届けたの？」

「アン、彼女は余の妻だ。二十年間、余のシャツを繕ってきた。そなたが文句を言う理由がわからない。だが、もうそういうことはしてくれるなと彼女に言おう」

「わたしが文句を言う理由がおわかりにならない？　だったら、彼女のベッドにお戻りになったらどう。わたしが文句を言うかどうか、たしかめてみたら！　繕い物ぐらいわたしだってできます。彼女よりうまいぐらいよ。わたしは針に糸を通すのに人の手を借りるほど老いぼれて、目が悪くなっていないもの。でも、シャツをわたしのところには持ってこない。わたしに恥をかかせて……」彼女の声が震えた。「宮廷中が見ている前で、あなたはシャツを彼女のところに持っていって、わたしに恥をかかせた」怒りが彼女をどんどん強気にしていた。「世の中に向かって言っているのとおなじよ。これはわたしの妻だ、信頼する女だ。そしてこっちがわたしの愛人だ。夜の相手をさせる愛人だ」

「神に誓って……」

「神に誓って、あなたはわたしを傷つけたのよ、ヘンリー！」

アンの声が震えると、ヘンリーは降参というように腕を広げたが、彼女は頭を振った。

「いいえ、あなたの胸に抱かれはしない。あなたはきっとキスで涙を拭い、たいした問題ではない、と言うにきまってる。でも、問題なのよ、ほかのなによりも問題なの」

彼女は手で顔を覆い、彼のそばを通って私室の扉を開き、振り返ることなく入っていった。

つづく沈黙のなかで、彼女が扉を閉め、鍵をかける音が聞こえた。

　国王とわたしは顔を見合わせた。

　彼は茫然としていた。「神に誓って、彼女を傷つけるつもりはなかった」

「それで、シャツというのは？」

「王妃はいまも余のシャツを繕っている。アンはそれを知らなかった。そして悪いほうにとった」

「ああ」

　ヘンリーは頭を振った。「もうシャツを繕わないでくれと、王妃に言わなければな」

「それが賢明かと」わたしはやさしく言った。

「彼女が出てきたら伝えてくれるか。これほど苦しめてしまい、余はひどく心を痛めていると。二度と気分を害させるようなことはしないと」

「はい。伝えます」

「金細工師を呼び、彼女のためになにか美しいものを作らせよう」彼は自分の考えに慰められたようだ。「それで彼女の機嫌が直れば、喧嘩したことも忘れてくれるだろう」

「ぐっすり眠れば機嫌も直りましょう」そう願いたい。「陛下との結婚を待たされるのは、彼女にとって辛いことですもの。陛下をそれほど愛しているのです」

　その瞬間、彼はキャサリンを愛していた少年のころのような表情を浮かべた。

「そうだな。彼女があれほど逆上するのも無理はないな。余をそれほどまでに愛しているのだからな」

「そうですとも」アンの怒りが分不相応なものだということを、ヘンリーに気取られてはならない。

彼は表情を和らげた。「わかっておる。大目に見てやらねばな。彼女はまだ若い。世の中のことをなにもわかっておらぬ」

わたしはぐっと気持ちを抑えた。家族がわたしを彼のもとに送り込んだとき、わたしだって若かった。それでも、癇癪を起こすのはむろんのこと、小声で不服を言うことすら許されなかった。

「彼女にルビーを贈ろう。貞節な女にルビーを、わかるだろう」

「きっと気に入りますわ」わたしはきっぱりと言った。

ヘンリーは彼女にルビーを贈った。彼女のお返しはほほえみだけではなかった。ある晩遅く、ガウンをくしゃくしゃにし、手にフードを持って戻ってきた。わたしは休んでいた。彼女がしたように起きて待つことはしなかった。彼女は上掛けを剝いでわたしを起こし、服を脱ぐのを手伝わせた。

「あなたが言ったことをやったら、彼はとても喜んだわ。それから彼は、わたしの髪や乳房を弄んだ」

「それじゃ、仲直りしたのね」わたしは胸飾りの紐をほどき、ペチコートを脱がせた。

「父上は伯爵になるわ」アンが満足そうに言った。「ウィルトシャーとオーモンドの領地を与えられる。わたしはレディ・アン・ロッチフォードになり、ジョージはロード・ロッチフォードになるの。父上は和平交渉のためにヨーロッパに戻られ、兄のロード・ジョージもお供をすることになるわ。わたしたちの兄が、国王のもっともお気に入りの大使の一人になるのよ」

わたしは幸運に目を丸くした。「父上が伯爵に？」

「ええ」

「そして、ジョージはロード・ロッチフォードですって！　なんて立派な。彼も大喜びでしょうね！　そのうえ大使だなんて！」

「彼がずっと望んできたようにね」

「それでわたしは？　わたしはどうなるの？」

アンはベッドに座り、わたしに靴と靴下を脱がさせた。「あなたは未亡人のレディ・ケアリーのままよ。ただのもう一人のブーリンの娘。わたしだって、そうなにからなにまでできないわよ」

一五二九年クリスマス

宮廷はグリニッジ宮殿に移り、そこには王妃の姿があった。彼女は礼をもって遇されたが、アンのもとを訪れる者はなかった。

「それで、どうなるの?」わたしはジョージに尋ねた。わたしは彼のベッドに座り、彼は窓腰掛けにゆったりと座っていた。召使いがローマへの旅支度をしており、ジョージがときおり指示を飛ばした。「ブルーのケープはだめだ、虫が食っている」とか「その帽子は嫌いだ。メアリーにやってヤング・ヘンリーに使わせればいい」とか。なにを言われても召使いは表情ひとつ変えなかった。

「どうなるって?」彼はわたしの問いを繰り返した。

「わたしは王妃の居所に召され、宮殿の王妃の翼棟《よくとう》の以前に使っていた部屋で暮らすのよ。アンは馬上槍試合場に面した彼女専用の部屋で、母上と一緒に暮らすことになるらしいけれど、わたしも侍女たちもすべて王妃にお仕えすることになるのよ。アンではなく」

「悪い兆候であるはずはないさ。クリスマスの期間中、多くの人がシティから国王に会いにやってくる。彼としては、商人や貿易業者に節操がないと思われるのだけは避けたいんだ。

イングランドのためにアンを選んだのであって、欲望に目がくらんだせいではないと思われたいのさ」

わたしは少し不安になって召使いをちらっと見た。

「ジョスなら大丈夫だ。少々耳が遠い。ぼくたちにとって都合のよいことにね。そうだろう、ジョス?」ジョージが言った。

召使いは振り向かなかった。

「しかたない、席をはずしてくれ」ジョージが言っても、召使いは黙々と荷造りをしていた。

「用心するにこしたことはないわね」

ジョージが大声をあげた。「席をはずしてくれ、ジョス。荷造りは後からやればいい」

召使いはびくっとして振り向き、ジョージとわたしにお辞儀して部屋を出た。

ジョージは窓腰掛けを立ち、ベッドのわたしのそばに寝そべった。わたしは彼の頭を膝に載せ、楽な姿勢でヘッドボードに寄り掛かった。

「いつか現実になると思う?」わたしはのんびり話した。「この結婚を計画して百年も経ったような気がするわ」

彼は閉じていた目を開き、わたしを見上げた。「神のみぞ知るさ。実現するまでにどれほどの犠牲が払われることになるか、神のみぞ知る。王妃の幸福に王位の安定、人びとの尊敬、教会の神聖。おまえもぼくも、ずっとアンのために働いてきたが、それによってなにを得ることになるのかわかっていない」

「あなたは伯爵の位を受け継ぐんでしょ？　それもふたつの伯爵の位を？」

「ぼくは十字軍に加わって異教徒を成敗したかった。ぼくの勇気を讃えてくれる美しい女の待つ城に凱旋したかった」

「わたしはホップの畑やリンゴ園や牧羊場が欲しかった」

「馬鹿だな」ジョージは言い、目を閉じた。

数分もすると彼はすやすや眠ってしまった。わたしはやさしく彼を抱き、その胸が上下するのを眺めていたが、やがてわたしも、ブロケードで覆われたヘッドボードにもたれて目を閉じ、うつらうつらしはじめた。

夢うつつで扉が開く音を聞き、ゆっくりと目を開けた。ジョージの召使いが戻ってきたのでも、アンが訪ねてきたのでもなかった。扉のノブがそっと回り、わずかな隙間から顔を覗かせたのは、ジョージの妻、レディ・ジェーン・ロッチフォードだった。

わたしたちが一緒にベッドに横になっているのを見ても、飛び上がりはしなかった。それに、わたしも——彼女のこそこそした態度が不気味で身動きできなかった——動かなかった。なかば目を閉じ、まつげ越しに彼女の様子を窺った。

彼女はじっとしていた。入ってくることも、去ることもせず、わたしたちをじろじろと見つめていた。わたしの膝に埋めたジョージの顔、ガウンの下で開いたわたしの脚。わたしの顔はあお向き、フードは窓腰掛けの上に置いたまま、乱れた髪が眠っている顔にかかっている。わたしたちをモデルに細密画を描こうとするように、証拠を集めようとするように、彼女はじっくりと眺めていた。それから、やってきたときとおなじように、こっそり出て行った。

わたしはすぐさまジョージを揺すり、彼が目覚めるとその口を手で塞いだ。

「シーッ。ジェーンが来たわ。まだ扉の外にいるかもしれない」

「ジェーンって?」

「なに言ってるの、ジェーンよ！　あなたの妻のジェーン！」

「なにしに来たんだ?」

「なにも言わなかった。入ってきて、わたしたちを眺めていた。ベッドで一緒に寝ているわたしたちをね。じろじろ見てからこっそり出て行ったわ」

「ぼくを起こしたくなかったんだろう」

「そうね」わたしは不安だった。

「どうかしたの?」

「彼女の様子が――変だった」

「彼女はいつだって変さ」彼はまるで気にしていない。「嗅ぎまわってる」

「ええ、そのとおり。でも、彼女に見られて、わたし、なんだか……」どう言ったらいいのか言葉が見つからない。「自分が汚いような気がした。なにか悪いことをしたような。まるで、わたしたち……」

「なに?」

「ちかすぎるような」

「ぼくたちは兄妹だぜ。ちかいにきまってるじゃないか」

「ベッドで一緒に眠っていたのよ」

「もちろん眠っていたさ！　ベッドの上でほかになにをするんだ？　愛を交わす？」

わたしはクスクス笑った。「あなたの部屋にいてはいけないような気にさせられる」

「いや、いるべきだ」彼がきっぱり言った。「ほかにどこで話をすればいい？　宮廷の人間の半分と、彼女が、うろつき回って聞き耳をたててるんだぜ。彼女は嫉妬しているだけさ。ぼくとベッドを共にするためなら、大金をはたいたっていいと思っているんだ。どうせ寝るなら、彼女よりもっと魅力的な女のほうがいいけどね」

わたしはにっこりした。「彼女が騒ぎ出さないと思うの？」

「騒ぐものか」彼は暢気に言った。「彼女はぼくの妻だぜ。うまくあしらうさ。上のお方を見習って彼女を叩き出し、もっとかわいい女と結婚したっていいんだ」

アンはクリスマスの宴に出ることを断固として拒否した。自分が中心になれなければいやなのだ。二人のためにそうしているのだ、とヘンリーがいくら説明しても、王妃を側に置きたいんでしょ、と彼をなじるばかりだった。

「ここを出ます！」彼女が怒鳴った。「ここにいて無視されるような屈辱は味わいたくありません。ヒーヴァー城にさがるわ。あっちでクリスマスを過ごします。フランス宮廷に戻ったっていい。父が向こうにいるから、楽しく過ごせますもの。フランスではみんなに大事にしてもらえる」

彼女にナイフで刺されたかのように、ヘンリーは真っ青になった。「アン、愛しい人、そんなことを言うな」

彼女は食ってかかった。「愛しい人ですって？　クリスマスに側にいて欲しいとも思わないくせに！」

「いて欲しい。いつだって。だが、カンペッジョがいまこの瞬間にも教皇に報告しているかもしれないのだから、王妃を追い出すのは純粋に理性的な決断だと、みなに知らしめたいのだ。それがなによりも理に適ったことだと」

「それで、わたくしは不純だと？」言葉尻を捉えて彼女は言った。

彼を誘惑するために用いた頭の回転の速さが、いまはヘンリーを攻める武器になっていた。いずれにせよ、彼は手も足もでなかった。

「愛しい人、そなたは天使だ。そのことを世界中に知らしめたい。余は王妃に言った。そなたを妻にするのは、イングランドがもてる最高の人だからだと。彼女にそう話した」

「彼女とわたしの話をしたんですって？」小さな悲鳴をあげる。「ああ、なんてこと！　人をさんざん侮辱したうえに、さらに侮辱するなんて。それで、彼女はきっと言ったんでしょうね。最高の人だなんてとんでもない、と。彼女の侍女だったころは、天使ではなかった、と。あなたのシャツを繕うにはふさわしくない女だと、そうなんでしょう！」

彼女は踵を返して窓辺に向かった。わたしはうつむき、本を読んでいるふりをしていたが、行を指でたどってはいてもなにも目に入っていなかった。わたしたち二人、国王とその元愛人は、彼女をこっそり見守っていた。二度しゃくりあげて肩を震わせると、彼女はふっと力を抜いて彼に顔を戻した。目は涙が輝き、頬は怒りで赤く染まっていた。いきり立っているように見えた。彼のそばに来て両手を握った。

「許してください」甘くささやく。「許して、あなた」

自分の幸運が信じられないという顔で、彼はアンを見上げた。開いた腕に彼女が飛び込み、その首に腕を回した。

「許して」彼女がささやいた。

わたしは音をたてないようにして席を立ち、扉に向かった。アンがうなずいたので、わたしは部屋を出た。閉じた扉の向こうから彼女の声が聞こえた。「それでも、わたくしはダーラム・ハウスに行きます。あなたのせいでクリスマスをそこで過ごさねばならないのですもの、罪滅ぼしをしてくださいね」

王妃は得意顔でわたしを迎えた。かわいそうに、アンの不在を影響力が弱まったせいと考えているのだ。宮廷を留守にする見返りに、アンが恋人に突きつけた〝罪滅ぼしのリスト〟のことは、耳に届いていない。クリスマスのあいだ、ヘンリーが彼女にやさしいのは、たんなる形式にすぎないことを、知らないのは彼女だけだった。

だが、じきにわかることになった。ヘンリーは一度も彼女の居所で二人きりの食事をとらなかった。人前以外ではけっして彼女に話しかけない。一緒にダンスを踊ることもなかった。それどころか彼はめったに踊ろうとせず、もっぱら見る側にまわっていた。あらたに宮廷にあがった娘たちが、彼の目の前をくるくると回って過ぎる。パーシー家の女相続人や、シーモア家の娘。イングランド中から宮廷にあがるチャンスを摑んだ娘たちが、王を魅了し、あわよくば王妃の座を狙おうとやってきた。だが、王は気をそらされなかった。妻の横に座り、愛人のことを考えていた。

その晩、王妃は長いこと祈禱台にひざまずいていた。待ちくたびれた侍女たちは座ったまま居眠りし、さがってよい、という王妃の言葉を待っていた。ようやく彼女が立ち上がってこちらを向いたとき、まだ起きていたのはわたし一人だった。

「呆れたこと」彼女は言い、悲しみに暮れる主人をないがしろにする侍女たちを見回した。

「申し訳ありません」わたしは言った。

「彼女がここにいようといまいと、ちがいはないのです」絶望の淵にあっても分別は失っていない。フードの重みに頭を垂れ、一歩進み、ピンを抜いてフードを脱いだ。その髪はすっかり白くなっていた。それまでの五年分を上回る速さで、この一年のあいだに老いが進んだようだ。

「情熱に衝き動かされているだけ。いずれおさまります」彼女はわたしにというより、自分に言い聞かせていた。「ほかの女たちに飽きたように、彼女にも飽きるでしょう。ベッシー・ブラントにあなた、アンもその一人にすぎません」

わたしはなにも言わなかった。

「彼女にたぶらかされているあいだに、神聖なる教会に背く罪を犯さないかぎり。わたくしが祈るのはただそれだけ、あの方が罪を犯さないようにと。いずれわたくしのもとに戻ってこられます」

「陛下」わたしは静かに言った。「もし戻ってこられなかったら？　あなたとの結婚は無効となり、彼女と結婚することになったら？　どこか移る先がおありですか？　すべてが悪いほうに向かったとき、ご自分の安全を守る術をおもちですか？」

キャサリン王妃は、疲れたブルーの目をわたしに向けた。まるではじめて見る顔だと言いたげに。彼女が腕を伸ばしたので、わたしはそのガウンの紐をほどき、彼女が回れ右をしたので、ガウンを肩からはずした。馬巣織りのシャツで擦れて肌は赤剝けになっていた。わたしはなにも言わなかった。わたしたち侍女に見られることを、彼女は嫌っていた。

「負ける覚悟はできていません」彼女がぽつりと言った。「自分自身への裏切りです。神がヘンリーの心をわたくしに戻してくださり、わたくしたちはまた幸せに暮らせるでしょう。わたくしの娘がイングランドの女王になるのです。歴史上最高の女王の一人になるにちがいない。彼女の祖母はカスティーリャのイサベラ女王です――女に王国を治められないわけがありません。彼女はみなの記憶に残る王女となり、わたくしの死に際し、国王は、若いころにそうだったように、わたくしに忠節を誓ってくださいます」

彼女が私室に入ってゆくと、炉辺で居眠りをしていたメイドが飛び起き、わたしの腕からガウンとフードを受け取った。

「神の御恵みがありますように」王妃は言った。「あなたからほかの者たちに、さがってよいと伝えておくれ。あすの朝、みなが一緒に礼拝に臨むことを希望します。あなたもですよ、メアリー。侍女たちには礼拝に出席して欲しい」

一五三〇年夏

ハワード家の旗を持つ供の者たちに囲まれて、わたしはヒーヴァー城につづく道に馬を走らせていた。道を行くほかの旅人たちは、道端に控えてわたしたち一行が通過するのを待った。生垣や道草は埃にまみれている。春先に雨が少なかったから、疫病が流行する恐れはなかった。だが、牧草地には刈り取られた草が山をなし、小麦も大麦も膝の高さまで伸びて実を結びはじめていた。ホップの畑は青々として、リンゴ園の草の上には雪のような白い花びらが散っていた。

わたしは歌いながら馬を駆った。宮廷を後にし、子どもたちの待つ城に向かって、イングランドの田舎を走るのは、なんと気持ちがよいのだろう。一行の指揮をとるのは叔父の従者の一人、ウィリアム・スタフォードだった。道中のおおかたを、彼はわたしと馬を並べていた。

「埃がひどすぎる」彼が言った。「町を抜け次第、供の者たちを後ろにつかせましょう」

わたしは彼を横目で盗み見た。ハンサムな男性で、肩幅は広く、誠実で正直そうな顔をしている。王の寵を失ったバッキンガム公の処刑で没落したスタフォード一族なのだろう。よい家柄の生まれという雰囲気がある。

「付き添ってくださってありがとうございます。子どもたちに会うことが、わたしにはなにより大事なことなので」

「それ以上に大事なことはないと思いますよ。わたしには妻も子どももいないが、もしいたら、けっしてそばを離れない」

「どうして結婚なさらないの?」

彼はほほえんだ。「結婚したいほど好きな女性に出会わなかったから」

ただの世間話だ。でも、それだけではないなにかを感じた。どんな女性がお好みですか、と尋ねたい自分がいた。女の好みがうるさいなんて、愚かなことだ。たいていの男は、富かよい縁故をもたらしてくれる女と結婚する。でも、ウィリアム・スタフォードは愚かには見えなかった。

食事をとるために馬をとめると、彼が馬からおろしてくれ、わたしの足が地面に着いてもしっかり立ったことがわかるまで手を放さなかった。

「大丈夫ですか？」彼がやさしく尋ねた。「長いこと鞍にまたがっておられたから」

「大丈夫です。ゆっくりと食事をとるつもりはないと供の者たちに言ってください。日が暮れる前にヒーヴァー城に着きたいので」

彼はわたしを宿屋に導いた。「お口に合うものを出してくれるといいのですが。鶏料理があるそうですが、老いさらばえた鶩鳥かもしれない」

わたしは笑った。「なんでもかまいませんわ！　空腹ですからなんでも食べられます。ご一緒していただけますか？」

承諾してくれるのかと思ったが、彼は小さくお辞儀をして言った。「部下たちと一緒に食べますので」

彼に断られ、ちょっとむっとした。「お好きにどうぞ」わたしは冷ややかに言い、宿屋の天井の低い部屋に入った。炉辺で手をあたためながら、鉛枠の小さな窓の外に目をやった。裏庭で、供の者たちが馬から鞍をおろし、汚れた馬の体にブラシをかけてやってから自分たちの食事をはじめるのを、彼は見守っていた。ハンサムな男だ。無礼なのが玉に瑕《きず》だけれど。

この夏、ヘンリーの黄金色の髪を切り、キャサリンには子ども服を卒業させ、ちゃんとしたガウンを着せることに決めていた。ヘンリーにもダブレットとタイツを着せなければ。わたしの自由になるのなら、あと一年は子ども服を着せてやりたいが、二人とも幼児期は過ぎたのだよ、とブーリンの祖母がうるさかった。わたしが知らん顔をすれば、言いつけを守らない、とアンに手紙で知らせないともかぎらない。

ヘンリーの髪は帽子の羽根よりもやわらかだ。肩までの黄金色の巻き毛が陽気な顔を縁取っている。その髪が切られるのを見て、涙を流さぬ母親がいるだろうか。彼はわたしの赤ちゃんだ。巻き毛もふっくらしたほっぺも、ずっとこのままだったら。抱っこしてと差し出す腕も、よちよち歩きも、ずっとこのままだったらどんなにいいだろう。

本人はむろん背伸びして、自分の剣やポニーを欲しがった。ジョージのようにフランスの宮廷に行儀見習いにあがり、武術を身につけたいと思っていた。十字軍に参加し、馬上槍試合をしたがった。早く大人になりたくてうずうずしていた。一方のわたしは、いつまでも抱っこできる赤ん坊でいて欲しかった。

わたしが子どもたちと、気に入りの場所、濠と城に臨む石のベンチに座っていると、ウィリアム・スタフォードがやってきた。ヘンリーは朝から元気いっぱい走り回っておねむになり、わたしにぴったり寄り添って親指をしゃぶっていた。キャサリンは裸足で濠に浸かっている。

彼はわたしの目の涙に気づくと、ためらいがちに、ヘンリーを起こさないよう小声で言った。「お邪魔をして申し訳ありません。これからロンドンに戻りますので、なにか言伝《ことづて》があったらと思いまして」

「母のために果物と野菜を台所に用意しておきました」

彼はうなずいたままもじもじしていた。「失礼ですが。なにか悲しいことがあったようですね。わたしでできることはありませんか？　叔父上からあなたのことを任されております。誰かが気に障るようなことを申したとしたら、知っておくのがわたしの義務ですから」

わたしは思わず笑った。「いいえ。ヘンリーがブリーチ（ひざ丈のズボン）を穿く歳になったのに、わたしはいつまでも赤ちゃんでいて欲しいと思っている、それだけのことですわ。この子にもキャサリンにも大きくなって欲しくない。もし夫がいれば、わたしの承諾なしに、さっさと彼の髪を切っているでしょう。でも、夫のいない身なので、自分でやらねばなりません」

「ご主人が恋しいですか？」彼は興味ありげに尋ねた。

「少し」夫婦とは名ばかりだったわたしたちの結婚生活について、スタフォードはどこまで知っているのだろう。「あまり一緒にいられませんでした」うまくはぐらかすにはそう言うしかなかった。彼は小さくうなずいただけだった。どこまでわたしのことを理解しているのだろう。

「つまり、こういうことですか」彼は思った以上に頭が切れる。「もはや王の寵愛を受けてはいないのだから、夫とのあいだに子どもを儲けることができる。いまから人生をやりなおすことができる」

わたしはためらった。「そうですわね」叔父の家臣にすぎぬ殿方に、自分の将来のことを話していいものだろうか。厳しい言い方をすれば、傭兵にすぎないような男に。

「だが、あなたのような女性にとって、けっして好ましい状況ではない。二十二歳で二人の子持ちで、人生はまだまだこれからではあっても、その将来は姉上の手に握られている。彼女の影にすぎない。かつてはみなの人気者だったあなたが」

身も蓋もない言われようだ。彼が描いてみせた自分のわびしい未来に、胸塞がれる思いだった。「それが女の人生ではありませんか」正直であろうと思った。「自分で選んだわけではありません――それは認めます。女は、男が成功を摑むための道具にすぎません。夫が生きていれば、大いなる名誉を授かっていたでしょう。兄はロード・ジョージになり、父は伯爵になりました。その栄華に、わたしは幾分なりとも貢献してきました。でも、わたしはいまもブーリン家の娘、ハワード一族の娘です。無一文ではありません。わたしにも未来はあります」

「あなたは冒険家です。わたしとおなじように。少なくともそうなりうる。あなたの一族はいまアンにかかりっきりです。彼女の将来はあまりにも不確実ですからね。だから、あなたは自分で未来を切り開くことができる。自分で選ぶことができるのです。まわりがあなたのことにまで手が回らないいまこそ、あなたは自由になれる」

わたしはしげしげと彼を見た。「あなたが結婚なさらないのはそのため？　自由でいられるから？」

彼が笑った。日焼けした顔に白い歯がまぶしい。「ええ、まあ。養う義務のある家族はおらず、義理のある女もいない。いまは叔父上の家臣で、彼のお仕着せを着ていますが、自分を奴隷だとは思っていない。わたしは自由民のイングランド人であり、思うとおりに生きていきます」

「あなたは男だから。女とはちがいます」

「ええ。彼女がわたしと結婚しないかぎり。そうなれば、一緒に好きなように生きてゆく」

わたしは小さく笑い、ヘンリーを抱き寄せた。「あなたが主人の意に背き、両親の祝福を得られぬ結婚をすれば、わずかなお金で暮らしていかねばなりませんわ」

スタフォードはまるで意に介するふうもなかった。「そんなこと、たいしたことではありません。持参金と契約でがんじがらめにされるよりは、わたしを愛し、妻を大切にするわたしの能力に賭けてくれるような女と結婚したい」

「それで、彼女はなにを得るのですか？」

彼はまっすぐにわたしの顔を見た。「わたしの愛を」

「彼女の家族と疎遠になってまで、得るだけの価値があるのでしょうか？　あなたの主人と、彼女の親戚と不仲になってまで」

城の小塔の下に燕がせっせと土で巣を作っていた。彼はそれを見上げて、言った。「わたしは小鳥のように自由な女が好きです。愛のためにわたしのもとにやってきて、愛のためにわたしを求めてくれる女が好きです。なによりもわたしを大事にしてくれる女が」

「それじゃ、愚か者を妻にすることになるわ」ついきつい言い方になった。

彼はわたしに顔を戻し、ほほえんだ。「いまだに理想の女に出会えないのはそのせいです。そんな愚か者はこの世に二人といない」

わたしはうなずいた。相手をやりこめたのだからすっきりしていいはずなのに、なんだか中途半端な気分だった。「しばらくは独身のままでいますわ」自分の耳にも心もとなく聞こえた。

「わたしもそう願っています」彼が妙なことを言う。「それでは失礼します、レディ・ケアリー」お辞儀して、立ち去りかけた。「ブリーチを穿こうが子ども服を着ようが、ご子息は〝かわいい坊や〟のままだということが、きっとおわかりになりますよ」彼がやさしく言った。「わたしは母のことを、亡くなったその日まで愛していました。母に神の祝福あれ。そしてわたしは、いつだって母の〝かわいい坊や〟でした――どんなに大きくなろうが、困ったことをしでかそうが」

わたしの心配は杞憂に終わった。ヘンリーの巻き毛が刈り取られると、このうえなく美しい頭の丸みと、きゃしゃな首筋があらわになった。もう赤ちゃんには見えない。なんとも愛嬌のある小さな少年だ。彼の頭に掌をあてがい、ぬくもりを感じたくなる。大人の服を着ると、どこから見ても王子そのもので、いつの日かイングランドの王になる姿をつい思い浮かべてしまう。彼は国王の息子で、いずれはイングランドの王妃になる女の養子だ――でも、そういうことと関係なく、これほど王子らしい少年をわたしは見たことがなかった。まるで世界をその手中におさめているかのように、腰に手をやって立つ姿は父親そっくりだ。それはそれは気立てのやさしい子で、母親の呼ぶ声を聞くと、口笛に向かって飛ぶ鷹のようにまっしぐらに牧草地を走ってくる。この夏、彼は輝いていた。どんな若者に成長するのだろうと先が楽しみになった。赤ん坊でなくなることを、わたしは嘆かなくなった。

でも、もう一人子どもが欲しいという気持ちが、わたしの中に芽生えていた。彼が美しい少年になったということは、わたしの赤ちゃんではなくなることを意味していた。玉座をめぐる戦いの駒としてではなく、ただ子どもが欲しいからという理由で子を産むのは、どんな気持ちのものなのだろう。わたしを愛してくれて、二人の子どもの誕生を待ちわびる人とのあいだに子をもつというのは。そんな思いがあったので、わたしは憂鬱な気分で宮廷に戻った。


リッチモンド宮殿にわたしを送り届けるため、ウィリアム・スタフォードがやってきて、暑い日中は馬を充分休ませてやりたいからと、早朝に出発することを主張した。わたしは、子どもたちに別れのキスをして中庭に出て、スタフォードの手を借りて馬に乗った。別れが悲しくて泣いていたので、恥ずかしいことに上向けた彼の顔に涙が落ちた。彼は指先で涙を拭い、その手をブリーチで拭く代わりに口元に持っていって舐めた。

「なにをしているのですか？」

彼はしまったという顔をした。「涙を垂らさないでいただきたい」

「舐めないでいただきたいわ」わたしは思わず言い返した。

彼はなにも言わず、そばを離れようともしなかった。やがて、部下たちに言った。「馬に乗れ」わたしに背を向け、自分の馬に跨った。ささやかな騎馬団が中庭を後にした。寝室の窓辺にひざまずいてわたしを見送る息子と娘に、わたしは手を振った。

蹄の音も騒々しく跳ね橋を渡り、庭園を抜ける長く湾曲した道を下った。背後からウィリアム・スタフォードがやってきて馬を並べた。

「泣いてはいけない」唐突に彼が言った。

わたしは横目で彼を見て、部下と先に行ってくれればいいのにと思った。「泣いてません」

「泣いている。ロンドンまでの長い道中、めそめそした女の護衛はご免です」

「めそめそなんかしていません」わたしは苛立って言った。「でも、子どもたちを残してきたくなかった。来年まで会えないのですもの。丸々一年もですよ！　少しぐらい悲しんだって大目に見ていただきたいわ」

「いいえ」彼がきっぱり言った。「その理由を言いましょうか。あなたはおっしゃった。女は家族の言いなりになるのが当然だ、と。あなたの家族は、あなたに子どもたちと離れて暮らすことを命じた。息子を姉に渡せとさえ命じた。めそめそ泣くぐらいなら、家族と闘って子どもたちを取り戻したらどうです。そのほうが理に適っている。だが、あなたがブーリン家の娘であり、ハワード家の娘であることを選ぶのなら、唯々諾々と従うことに満足を見出すべきです」

「一人にしてください」わたしは冷ややかに言った。

彼は馬に拍車を入れて進め、わたしの前を守る者たちにさがれと命じた。護衛隊はわたしから六馬身後ろにさがり、わたしはロンドンまでの長い道のりを、沈黙と孤独の中で馬を進めた。自分が命じたとおりに。

一五三〇年秋

夏をヘンリーと楽しく過ごしたアンは、リッチモンド宮殿でそれはにこやかにしていた。毎日一緒に狩りに出掛け、ヘンリーは彼女を贈り物攻めにした。彼女のハンター用のあたらしい鞍に、弓矢に。彼は美しい添え鞍まで作らせたので、彼女はヘンリーの後ろに座って腰に腕を回し肩に頭をもたせ、馬を進めるあいだもささやき交わした。行く先々で、国民はお二人を崇拝しています、お二人の結婚を喜んでいます、とまわりから言われた。行く先々で、詩の朗読や仮面劇や活人画の歓待を受けた。どの屋敷も、花びらを振り撒き、足元には摘んだばかりのハーブを敷いて彼らを迎えた。みなが口を揃えて言った。アンとヘンリーは最高の組み合わせ、二人の未来は光り輝き、悪いことなど起きるわけがない、と。

フランスから戻った父は、この場面に影を落とすようなことは言わないことに決めた。「二人が幸せならそれにこしたことはない」彼は叔父に言った。わたしたちは、川に突き出した射的場でアーチェリーの試合に臨むアンを見物していた。彼女は優秀な射手で、優勝しそうな勢いだった。彼女にまさるのは、ただ一人、レディ・エリザベス・フェラーズだけだ。

「ありがたい変わりようだ」叔父が皮肉たっぷりに言う。「彼女の気性は厩の猫そのものだからな、あなたの娘は」

父は満足そうに笑った。「母親に似てね。ハワード家の娘はお転婆ぞろいだ。子どものころ、あなたも姉と喧嘩ばかりしていたのではありませんか」

ハワード叔父は冷ややかなまま、親しげな会話に乗ってもこない。「女は身の程を心得ねば」

父がちらっとわたしを見た。ハワード家が始終もめているのは周知の事実だ。驚くことではない。妻が男児をつづけて産むと、ハワード叔父はすぐに愛人を作った。叔母は叔母で、出入りの洗濯女とねんごろになるような男は、こちらから願い下げだ、と公言して憚らなかった。憎み合う夫婦は宮廷のかっこうの噂の種で、公式の場に揃って出ざるをえないときの二人は、へたな芝居よりよほどおもしろい見世物だった。妻の指先をいやいや摘《つま》む叔父、まるで洗っていない靴下と襞襟の臭いが夫からするといいたげに顔を背ける叔母。

「女遊びもほどほどにしてはいかがかな」父が言った。

叔父がはっとして父を見た。長いこと一族の長として君臨してきた叔父は、服従されてあたりまえだと思っている。だが、父はいまや伯爵であり、その娘、いままさに放った矢が的の中央に刺さるのを見つめる娘は、王妃になるかもしれないのだ。

アンが満足のほほえみを浮かべて振り返ると、一時も彼女から離れていられないヘンリーはぱっと立ち上がり、足早に射的場へおり、みなの面前で彼女の唇にキスした。みながほほえみ拍手するなか、レディ・エリザベスは王の寵妃に負けた怒りをなんとか押し隠し、王から小さな宝石を受け取った。一方のアンが受け取ったのは、金の王冠を象った小さな頭飾りだった。

「まさに王冠だ」王が彼女に頭飾りを差し出すのを見ながら、父が言った。なれなれしく自信たっぷりな様子で、アンはフードを脱いだ。額から後ろに撫で付けた黒髪は艶やかにカールしている。ヘンリーが前に出て〝王冠〟を彼女の頭に載せた。しんと静まり返った。

張りつめた雰囲気を破ったのは王の道化だった。踊りながら王の背後に回って、アンを覗き込んだ。「おや、ミストレス・アン！　牡牛の目を狙って放ったはずの矢が、射貫いたのはべつの場所。なんと、牡牛のあそこ……」ヘンリーが大笑いしながら振り返り、袖口を摑もうとしたが、道化はさっと身をかわした。まわりでどっと笑いが起き、アンは美しく頰を染めた。黒髪に小さな王冠を戴いた頭を振りながら道化に指を振ってみせ、ヘンリーの肩に顔を埋めた。

リッチモンド宮殿の二番目に上等な一角で、わたしはアンと寝室を共にしていた。王妃の居所ではないが、それにつぐ立派な部屋だ。アンは自室を王妃のそれに匹敵するほど、王のそれにほぼ匹敵するほど豪勢に飾り立てることはできても、王妃の居所に住むことは許されないという暗黙の了解ができていた。たとえ王妃がそこに住むことはなくても。宮廷では日々あらたな慣習が作られていた。

アンはガウンがしわくちゃになるのもかまわず、華麗なベッドに手足を投げ出した。

「よい夏だった?」彼女が気だるく尋ねた。「子どもたちは元気にしていた?」

「ええ」わたしはつっけんどんに答えた。息子のことを進んで彼女に話す気にはなれない。アンは彼の母親の権利を主張したときに、伯母としての権利は失っているのだから。

「叔父さまと一緒に見物していたでしょ。彼はなにか言っていた?」

「なにも。あなたと王が幸せそうだって」

「ウルジーを破滅させてやりたいと彼に言ったのよ。わたしを裏切ったから。王妃の肩をもっているから」

「アン、彼は大法官の職を解かれたのよ。それで充分じゃない」

「王妃と文通していたのよ。死ねばいいんだわ」

「でも、彼はあなたの味方だったじゃない」

アンは頭を振った。「わたしたちはそれぞれに王のご機嫌をとっていただけ。ウルジーは自分の池からわたしに魚を贈ってくれて、わたしも彼にささやかな贈り物をした。でも、ヘンリー・パーシーとのことで、彼がわたしに言ったことはけっして忘れない。彼だって、わたしがブーリン家の娘であることを、彼と同様に成り上がりであることをけっして忘れないわ。わたしがフランスから戻ったときから、わたしたちは敵同士だったのよ。彼はわたしを見ようともしなかった。わたしが持つ力を理解しようともしなかった。いまだにわかっていをいただくわ」

「彼もう歳よ。全財産を失い、彼にとって誇りと喜びだった地位もすべて失った。ヨークの司教区に引き籠もったのだから、あなたが復讐したいのなら、あっちで朽ち果てるに任せればいいのよ。充分すぎる復讐だわ」

アンは頭を振った。「まだだめよ。王が彼を愛しているかぎり」

「王はあなた以外の人を愛してはいけないの？　長いこと父親のように彼を守り、導いてくれた人なのよ」

「ええ。彼はわたし以外の誰も愛してはならない」

わたしは驚いた。「あなたは彼に欲望を感じるようになったの？」

彼女が笑った。「まさか。でも、彼がわたし以外の人と会うのも話をするのもいやだわ。わたしが信頼する人以外の誰とも。でも、誰を信頼できると思う？」

わたしは頭を振った。

「あなたは——たぶん。ジョージは——つねに。父上は——たいてい。母上は——ときどき。ハワードの叔父さまは——彼の意に添うかぎり。叔母さまはだめ。キャサリンに寝返ったから。サフォーク公は信頼できるかもしれないけれど、妻のメアリー・チューダーはだめ。彼女にはわたしがのし上がるのが我慢できないもの。ほかには？　いない。それだけ。わたしにやさしい気持ちを抱く殿方はいるかもしれない。いとこのサー・フランシス・ブライアン。

ジョージとは友達のよしみでフランシス・ウェストンも。サー・トマス・ワイアットはもともとわたしを好いているし」彼女は黙ってもう一本指を立てた。ヘンリー・パーシー、二度と宮廷にはあがらないと決意し、遠くノーサンバーランドの片田舎で、いやいや迎えた妻と不幸な結婚生活を送っている。「十人」彼女が静かに言った。「わたしの失脚を願う連中のなかにあって、わたしの成功を願う十人の人たち」

「でも、枢機卿があなたになにができると言うのよ。権力のすべてを失ったのよ」

「だから、いまこそ彼を叩き潰す絶好の機会なのよ。権力をすべて失い、老いさらばえたいまこそ」

サフォーク公とハワード叔父の策略だが、そこにはアンの太鼓判が捺されていた。叔父はウルジーから教皇に宛てた手紙を手に入れた。老いた友人の返り咲きに気持ちが動いていたヘンリーは、反逆の証拠としてその手紙を見せられ、彼を逮捕するよう命じた。

彼を捕らえる役に誰を抜擢するか、きめたのはアンだった。それは、彼女を〝愚かな小娘〟〝成り上がり〟と呼んだ男に対する、最後の意思表示だった。ノーサンバーランド伯へンリー・パーシーがヨークのウルジーを訪ね、反逆罪で告発されたのでロンドンまで同行願いたい、と告げた。ロンドンで彼が滞在するのは、いまや国王のものとなったハンプトン・コートの豪勢な宮殿ではなく、いまはホワイトホールと名前を変えてアンのものになった美しいヨーク・プレイスでもない。反逆者である彼を待つのはロンドン塔であり、裁判所だ。

かつてそのおなじ場所で、彼は多くの者たちを裁きにかけ、断頭台へと送り込んだ。

かつてアンとの仲を裂き、いまや疲労と絶望で病の床にある男を、アンのもとへ送り届ける役を担い、ヘンリー・パーシーはさぞ嫌な心持ちだったろう。ウルジーが道中で死の床に就いたのは、ヘンリー・パーシーの落ち度ではない。アンにとって唯一満足を覚えたのは、二人を引き裂いた男に、これはアンの仕返しだと伝えたのが、かつて自分が愛した人だったことだ。

一五三〇年クリスマス

クリスマスに王妃はグリニッジ宮殿に戻り、アンは亡くなった枢機卿のかつての宮殿で盛大なクリスマスの宴を催した。王妃と正餐に出席した後、王がこっそり宮殿を抜け出し、水路をホワイトホールへ向かい、アンと食事を共にすることは公然の秘密だった。ときに王は気に入りの廷臣を伴うことがあり、わたしもそこに含まれた。満天の星と銀色に輝く大きな月に照らされて、肌を刺す寒さに毛布にくるまり、川を船で戻るのは楽しかった。

わたしはまた王妃に仕えていたが、その変わりようを見て衝撃を覚えた。顔をあげヘンリーにほほえみかける彼女の目が、喜びに輝くことはなかった。彼は喜びのすべてを、おそらく永遠に彼女から奪い去ってしまったのだ。彼女はいまも静かな威厳を身にまとい、スペイン王女として、イングランド王妃としての自信を身にまとってはいたが、夫に崇められている女のもつ輝きはすっかり失われていた。

ある日、彼女の居所の炉辺いっぱいに祭壇布を広げ、わたしたちは並んで座っていた。わたしはいまだに完成しない青い空を刺していた。王妃は珍しく青い空をそのままにし、べつの色の部分に移っていた。いつまでも終わらない作業に、きっとうんざりしているのだろう。ふだんはどんなに大変でも、忍耐強く仕事をつづける人なのに。

「この夏は、子どもたちに会えたの?」王妃が尋ねた。

「はい、陛下。キャサリンは長いドレスを着るようになり、フランス語とラテン語を習っております。ヘンリーは髪を切りました」

「二人をフランスの宮廷にあげるつもり?」

わたしは不安を隠しきれなかった。「いまはまだ。二人とも幼すぎますもの」

彼女がほほえんだ。「レディ・ケアリー、まだ幼すぎるとか、かわいすぎるとか、そんなことはどうでもいいのです。二人とも己の務めを学ばねばなりません。あなたがそうしたように、わたくしがそうしたようにね」

わたしはうなずいた。「おっしゃるとおりですわ」

「女は己の務めを知る必要があります。そうすれば、神がその人にお与えになった境遇において、務めを全うし生きていくことができます」そう言う王妃の頭には、姉のことがあるにちがいない。姉は神が与えた境遇に留まらず、己の美と才気によって輝かしい境遇を得て、執拗な戦術を使ってそれを維持しようとしていた。

扉を叩く音がして、叔父の召使いの一人が立っていた。

「ノーフォーク公爵夫人からオレンジの贈り物です。それに手紙も」

わたしは濃緑の葉を添えてオレンジを詰めた美しい籠を受け取った。手紙には叔父の封印が捺してあった。

「手紙を読んでおくれ」王妃が言うので、わたしはテーブルに籠を置き、手紙を読み上げた。

「陛下、あなたのお生まれになった国からオレンジの樽が届きましたので、謹んでお贈りさせていただきます」

「なんてご親切な」王妃は穏やかに言った。「寝室に置いておいておくれ、メアリー。それから、わたくしの名前で叔母上に礼状を認めておいて」

わたしは籠を抱えて彼女の寝室に向かった。戸口に敷かれた敷物に踵をとられてよろめき、まるでビー玉のようにオレンジがそこらじゅうに転がった。内心で悪態をつきながらオレンジを拾い集めた。こんな単純な仕事で犯した失態を、王妃に見られてはならない。

そのとき、わたしはあるものを見つけ、凍り付いた。バスケットの底に紙縒《こよ》りが入っていた。広げてみると小さな数字がびっしりと書き込まれているだけで、文字はなかった。暗号だ。

オレンジが散らばる床に膝を突いたまま、わたしは長いことじっとしていた。それからゆっくりとオレンジを籠に戻し、収納箱の上に置いた。一歩さがって籠を眺め、オレンジの位置を直しさえした。紙縒りをポケットに突っ込み、世界でいちばん愛する女性のかたわらに戻った。祭壇布に刺繍をしながら考えた。ガウンのポケットにおさまっているのは、惨事の火種になりうるものなのだろうか。これをいったいどうすればいいのだろう。

わたしに選択肢はなかった。最初から最後まで、わたしに選択肢はない。わたしはブーリン家の娘、ハワード家の娘だ。家族への忠誠を守らなければ、わたしは子どもたちを養う手立てをもたぬただの人だ。将来もなく、守ってくれる人もいない。紙縒りを叔父の部屋に持ってゆき、テーブルに広げた。

叔父は半日かけて暗号を解いた。それほど手の込んだ陰謀ではなかった。それはスペイン大使から叔母の耳にささやかれ、叔母がそれを王妃に伝えた成功を祈るメッセージにすぎなかった。陰謀とも言えないものだ。実るはずのない謀《はかりごと》。王妃に慰めを与えるだけのもの。そして、わたしはいまや、その慰めを彼女から奪う道具だった。

叔父の屋敷では盛大な夫婦喧嘩が繰り広げられた。国王に対する、夫に対する裏切り、と叔父は妻を責めた。国王本人から叔母に諫める言葉が伝えられた。わたしは王妃を自室に訪ねた。彼女は窓辺に立ち、霜の降りた庭園を眺めていた。毛皮に身を包んだ数人が桟橋へ向かってゆく。かつての敵の宮殿に住む姉に会うために、船で川を行くのだろう。王妃は部屋にただ一人、黙って彼らを見送っている。彼らのまわりを道化が陽気に跳ね回り、楽士がリュートを奏で、歌を歌っている。

わたしは彼女の前に膝を突いた。

「公爵夫人の手紙を叔父に渡しました」思い切って告白した。「オレンジの籠に入っていました。偶然見つけてしまったのです。わざわざ探したわけではありません。いつも陛下を裏切っているようですが、けっして本意ではないのです」

うつむくわたしを、王妃はちらっと見ただけだった。「あなたの立場なら、誰もがそうやっていたでしょう。膝を突くなら神の御前でなさい。わたくしの前ではなく、レディ・ケアリー」

わたしは立ち上がらなかった。「どうかお許しください。あなたと利害が対立する家族の一員であることは、わたくしの宿命です。べつの時代に侍女として陛下にお仕えしていたなら、わたくしをお疑いになることはなかったでしょう」

「誘惑されなければ、堕落することもなかったと言いたいのでしょう。わたくしを裏切ることがあなたの利益にならなかったのなら、あなたは忠実な侍女でいられた。さあ、行きなさい、レディ・ケアリー、あなたも姉と一緒ではありませんか。イタチのようにまっしぐらに目的を追求する、あなたの姉と。欲しいものを手に入れようとするブーリン一族を、止められるものはなにもない。わたくしの死をもってしても、彼女は止められないのだろうと思うときがあります。あなたがどれほどわたくしを愛していようと、かわいいメイドだったころのあなたを、わたくしがどれほど愛していたところで、あなたは姉を助けるでしょう――彼女の後をぴったりついていくのでしょうね」

「彼女は姉ですから」わたしはつい感情的になった。

「そして、わたくしはあなたの王妃です」彼女が氷のように冷たく言った。

床に突いた膝が痛かったが、動きたくなかった。

「彼女はわたくしの息子を押さえています。そしてわたくしの王を意のままにしています」

「行きなさい」王妃が言った。「クリスマスの祝宴が終われば、復活祭まで顔を合わせることはありません。教皇が決定をくだし、わたくしとの結婚を全うしろと王に忠告すれば、あなたの姉はつぎの手段を講じるのでしょうね。わたくしはどうなるのでしょう。反逆罪に問われる？ 毒を盛られる？」

「まさかそこまで」

「しますとも」王妃はにべもなく言った。「そして、あなたはそのお先棒を担ぐのでしょうね。行きなさい、レディ・ケアリー、復活祭まであなたの顔は見たくありません」

わたしは立ち上がり、扉まで後じさり、深くお辞儀をした。皇帝に対するように深々と。涙に濡れた顔を王妃に見せたくなかった。恥ずかしさに頭を垂れていた。彼女の部屋を出て扉を閉めた。一人残った王妃は、霜の降りた庭園や、彼女の敵のご機嫌伺いに川に向かう廷臣たちを眺めているのだろう。

廷臣たちが出払い、庭園はがらんとしていた。わたしは冷たい手を毛皮の袖口に差し込み、うつむきながらゆっくりと川へくだっていった。涙で頬が冷たかった。踵の磨り減ったブーツが、わたしの目の前で止まった。

ゆっくりと顔をあげる。女が惚れ惚れする逞《たくま》しい脚、あたたかそうなダブレット、ファスチアン織りの茶色いケープ、にこやかな顔。ウィリアム・スタフォード。

「姉上を訪ねて宮殿に出掛けられたのではなかったのですか？」彼が挨拶抜きで尋ねた。

「ええ」

うつむいたわたしの顔を、彼がじろじろ見ている。

「お子さんたちはお元気ですか？」

「ええ」

「だったら、どうしたのです？」

「ひどいことをしてしまいました」水面の照り返しに目を細め、陽気な廷臣たちが向かった川上に目をやった。

彼はつづきを待っている。

「王妃のことであるものを見つけ、叔父に告げました」

「彼はそのことを悪く思った？」

わたしは小さく笑った。「いいえ、まさか。彼はわたくしを信用していますもの」

「公爵夫人の手紙ですね」彼があたりをつけた。「宮廷中がその話でもちきりです。彼女は宮廷から追放された。でも、どうしてばれたか誰も知らない」

「わたくし……」しどろもどろになった。

「わたしは誰にもしゃべらない」彼は心安げにわたしの冷たい手をとり、自分の曲げた肘に摑まらせ、川べりを歩き出した。冬の日が顔にあたたかく、彼の腕と体に挟まれた手もあたたかくなった。

「あなただったらどうしてました?」わたしは尋ねた。「自分らしくあるために、あなたはご自分の意見も誇りも胸に秘めて人に明かさない方だから」

スタフォードはわたしを横目で見た、輝く瞳で。「あのとき話したことを、あなたが憶えておられるとは思ってもいなかった」

「なんでもありません」わたしはどぎまぎした。「なんでもないんです」

「なんでもないわけがない」

彼はしばらく考えていた。「あなたがしたことを、わたしもやったでしょう。彼女の甥が侵略を計画しているとしたら、手紙は重大な意味をもちます」

庭園のはずれで足をとめた。「宮殿を抜け出しませんか?」彼が誘いかけるように言った。「村まで出掛けて、焼き栗をつまみにエールを飲むというのはどうです?」

「いいえ。今夜は正餐に出なければなりません。復活祭まで顔を見せるなと王妃に言われていても」

彼はいま来た道を引き返した。無言のまま、わたしの手をそっと脇に押し付け、しばらくして立ち止まった。「ここで失礼します。厩へ向かう途中であなたをお見かけしたもので。

馬が肢を傷めたので、ちゃんと蹄の手当てをしてくれたかどうか見てみないと」

「わたくしのせいで寄り道をさせてしまったなんて、知りませんでしたわ」余計なお世話だと暗に匂わせた。

彼にまっすぐ見つめられ、呼吸が速くなった。「ああ、知っているのだとばかり」彼がゆっくり言う。「わたしが寄り道した訳はよくおわかりのはずだ」

「ミスター・スタフォード……」

「蹄に塗る軟膏の臭いが大の苦手でね」彼は慌てて言い、お辞儀してさっさと行ってしまった。笑う暇も、文句を言う暇もなかった。彼を捕まえたいと思っていたのに、気がつくと自分がまんまと彼の罠にはまっていたことを伝える暇もなかった。


（下巻につづく）

集英社文庫

ブーリン家《け》の姉妹《しまい》 上《じょう》

2008年9月25日　第1刷
2008年10月14日　第2刷

定価はカバーに表示してあります。

著　者　フィリッパ・グレゴリー
訳　者　加藤洋子《かとうようこ》
発行者　加藤　潤
発行所　株式会社　集英社
東京都千代田区一ツ橋2-5-10　〒101-8050
電話　03-3230-6094（編集）
03-3230-6393（販売）
03-3230-6080（読者係）
印　刷　中央精版印刷株式会社　株式会社美松堂
製　本　中央精版印刷株式会社

フォーマットデザイン　アリヤマデザインストア　　マークデザイン　居山浩二

ISBN978-4-08-760560-0 C0197